ENFANT TERRIBLE

John Niven

ENFANT TERRIBLE

Traduit de l'anglais
par Nathalie Peronny

Directeur de collection : Arnaud Hofmarcher
Coordination éditoriale : Marie Misandeau et Julie Lebouc

© John Niven, 2013
Titre original : *Straight White Male*
Éditeur original : William Heinemann

© Sonatine, 2015, pour la traduction française
Sonatine Éditions
21, rue Weber
75116 Paris
www.sonatine-editions.fr

Pour mon frère, Gary Niven
(1968-2010)

If I could only be tough like him,

Then I could win,
My own, small, battle of the sexes.

XTC, *Sgt. Rock (Is Going To Help Me)*

<hr>

« Si seulement j'étais un dur comme lui,/Je la gagnerais,/Ma petite guerre des sexes à moi. »

Première partie
L'Amérique

1

Il recroisa les jambes, bien calé dans son fauteuil club, et se tourna vers la baie vitrée en affectant un air pensif. De là où il était assis, gentiment réfrigéré par la clim, dans ce gratte-ciel de Century City (avec l'aquarium à requins du QG de la Creative Artists Agency juste au bout de la rue), Kennedy Marr jouissait à l'est d'une vue imprenable sur Downtown L.A. en train de griller sous le soleil torride de juillet. « Soleil torride. » *Ah – sacrés Ricains.* Huit ans déjà qu'il vivait ici, mais jamais il ne s'habituerait à leur manie de tout exagérer. Ils ne pouvaient pas juste dire « soleil », comme tout le monde ? Bref : 11 heures du mat', et il faisait déjà une chaleur *torride.* Cette ville était détraquée, une véritable insulte à la nature : imaginez un jardin planté au fond d'une cuvette désertique. Un peu comme une serre de vingt mille hectares à entretenir dans l'Arctique. Kennedy prit soudain conscience que le Dr Brendle – l'un des produits les plus détraqués de cette ville de détraqués, songea-t-il – l'observait d'un air grave et pincé, comme s'il attendait une réponse de sa part. Sauf qu'il avait oublié la question de départ. Clairement, l'écoute n'était pas son point fort.

« Pourriez-vous, hum… préciser votre pensée ? » demanda-t-il en lissant la jambe de son pantalon en lin. Il commençait à sentir un gros coup de mou, rapport à l'énorme vodka-orange qu'il avait bue en chemin sur Santa Monica Boulevard, histoire de prendre des forces avant son insupportable séance hebdomadaire.

« Je vais reformuler les choses autrement, déclara Brendle en jouant avec le bouton-poussoir de son stylo. Pourquoi un homme de votre intelligence, dont le travail nécessite un certain recul sur soi-même, s'obstine-t-il à faire des choix qui font tant de mal à son entourage ? »

Kennedy feignit de réfléchir tout en préparant sa riposte. Voilà ce qu'il mourait d'envie de lui dire : « Écoute-moi bien, Ducon. Tu sais où tu peux t'la carrer, ta question ? » Il s'imaginait aboyer ces mots avec son authentique accent du terroir, abandonnant les inflexions aseptisées du sud de l'Irlande qu'il réservait à la consommation américaine courante – restaurants, plans drague, causeries télévisées – au profit des borborygmes rugueux de son Limerick natal. Voilà ce qu'il finit par répondre : « Je ne vois pas ce que mon travail vient faire là-dedans, Leslie. Comme dirait l'autre : *Ne soyez pas si prompt à croire et à admirer les professeurs de morale : ils parlent comme des anges, mais ils vivent comme des hommes. Etc., etc.* »

Le psy sourit. « Je vois. »

Il griffonna quelques mots.

Tu vois ? Tu vois quoi, espèce de peigne-cul ?

Brendle soupira, ôta ses lunettes et se frotta les yeux. « Je sais que vous n'avez aucune envie d'être ici, Kennedy. Et aussi que vous aviez... une préférence pour le Dr Schlesinger. » L'empaffé se fendit même d'un petit sourire. « Je connais également la maxime de Freud selon laquelle les Irlandais seraient le peuple le plus hermétique à la psychanalyse. Cependant, étant donné que vous n'avez pas le choix, pourquoi ne pas au moins essayer de tirer quelque chose de cette expérience ? Il me semble que... »

À ce stade, Kennedy décrocha. Un autre rendez-vous l'attendait plus tard, avec son manager. Deux obligations dans la même journée ? Comment avait-il pu laisser une telle aberration se produire ? Son regard se porta sur le mur derrière Brendle, garni de diplômes et de citations encadrés. Que faisait-il ici, au juste ? La réponse toute simple de R. P. McMurphy à la même question lui convenait parfaitement : « Je dirais que je suis là parce que j'aime me battre et baiser. »

Deux mois auparavant, pendant l'*happy hour* du Powerhouse, son terrain de chasse favori, situé à deux encablures d'Hollywood Boulevard, il sirotait son cinquième ou sixième Long Island de la soirée lorsqu'il avait engagé la conversation avec une fille au comptoir – la trentaine, pas vilaine, tout à fait l'air d'une pro de la bite, pour ainsi dire – avant de s'apercevoir qu'elle connaissait vaguement son nom. Elle avait entendu parler d'un de ses romans, mais aussi et surtout de certains des films dont il avait écrit le scénario.

Comme souvent lorsqu'on est écrivain, une phrase en avait entraîné une autre et Kennedy s'était rapidement retrouvé à lui fouiller le décolleté tandis qu'elle empoignait ses cheveux noirs dans un coin banquette tout au fond du bar, près de la table de billard. Lumière orange tamisée, les Stooges qui beuglaient dans le juke-box par-dessus le cliquetis de leurs dents qui s'entrechoquaient, un téton bien dur entre le pouce et l'index, il avait soudain entendu les mots « EH ! MAIS C'EST QUOI, CE BORDEL ? », aussitôt suivis d'un « Oh, merde ! » lâché par la propriétaire du téton.

Le type – un PA/PC, Petit Ami ou Parfait Connard – était plutôt bon dans son genre, comme Kennedy avait été forcé de le reconnaître par la suite. Son premier réflexe n'avait pas été de lui balancer un bourre-pif hargneux et approximatif comme tant d'autres l'auraient fait à sa place. Ni de le pourrir ensuite d'injures, laissant ainsi à son adversaire quelques précieuses secondes pour se remettre debout. Non : il s'était contenté de se pencher par-dessus la table, de soulever Kennedy par les revers de sa veste – un très beau costume de chez Gieves & Hawkes sur Savile Row, soit dit en passant – et de l'arracher *manu militari* à sa banquette. C'est là que Kennedy avait constaté à quel point le type était costaud. Il portait une espèce de combinaison de garagiste avec « Todd » brodé au-dessus de la poche poitrine. Todd, donc, l'avait soulevé dans les airs, si bien que Kennedy s'était retrouvé à pédaler dans le vide, puis il l'avait approché de son visage rubescent. Et ça valait le coup en gros plan, une tronche pareille – grêlée par l'acné, front large et creusé, nez bulbeux parsemé de veines capillaires éclatées, mais le regard dur et perçant. Todd s'était mis à aboyer « Je peux savoir ce que... », ce qui se révéla une grossière erreur, puisque Kennedy avait ainsi eu tout le temps de réfléchir.

Comme tous les arts créatifs, la baston de bar tolère mal les clichés. Il faut aborder les choses d'un point de vue original, savoir s'écarter des sentiers battus. Surprendre son adversaire d'entrée de jeu avec une introduction fracassante. Puis, scène après scène, faire promptement valoir son point de vue avant de filer sans demander son reste. À cet égard, la baston de bar n'était pas sans partager certaines similitudes avec la maîtresse pour laquelle il avait quitté son roman : autrement dit, l'écriture de scénarios. Dans les deux cas, *économie* était le maître mot. Faire peu, mais efficace. Bref, au moment où Todd achevait son « ... tu fous avec ma gonzesse », Kennedy avait balancé son prologue.

Il avait pris le crâne du type entre ses deux mains, avancé la tête et mordu dans la fraise pulpeuse de son appendice nasal.

Todd avait alors revu sa stratégie : maintenant, il voulait à tout prix se débarrasser de Kennedy. Ils s'étaient mis à valser à travers la pièce en brisant des verres et en bousculant des gens tandis que la fille hurlait, qu'Iggy braillait « 1969 » et que Kennedy sentait sa bouche se remplir de sang (petit frisson de panique sida au passage). Puis, avec un mugissement surhumain, Todd avait réussi à arracher Kennedy de son nez pour l'envoyer valdinguer à l'autre bout de la salle, où il avait atterri dans un océan de tables. La vache. Il l'avait senti passer. Lorsqu'il avait relevé la tête, il avait vu – mauvais ça, très mauvais – son ennemi foncer droit dans sa direction, le visage et la combinaison maculés de sang. À la seconde où Todd s'était jeté sur lui, le poing levé, Kennedy avait pris conscience de bruits et de formes derrière lui – silhouettes noires, crépitements de talkies-walkies et claquements secs de matraques dégainées entre les boiseries du bar.

C'était la police de Los Angeles.

« Merci », avait lâché Kennedy en réajustant sa cravate et en s'essuyant la bouche pendant que deux membres des forces de l'ordre plaquaient son assaillant à terre, qui braillait comme un âne et se débattait de toute sa vigueur, avant de sortir leurs menottes en plastique.

« Ça va ? lui avait demandé un troisième flic.

– Je crois, oui, monsieur l'agent, avait haleté Kennedy en achevant d'essuyer le sang que le policier avait vraisemblablement pris pour le sien.

« STOP ! STOP ! » Des exclamations retentissaient depuis le sol, où Todd ruait et luttait tant et si bien qu'il venait de repousser l'un des flics. « Putain, quel fou furieux ! Attends, tiens-lui le...

– Et merde. TOUT LE MONDE RECULE ! »

Kennedy s'était emparé d'une bouteille de whisky abandonnée sur une table et l'avait sifflée tout en regardant son adversaire se faire gentiment taser par les flics.

Il était vraiment né sous une bonne étoile, comme le lui avait souvent dit sa mère.

Enfin... bonne jusqu'à un certain point. Car comme on pouvait s'y attendre, de nombreux témoins avaient assisté à toute l'affaire depuis le début ; ils avaient vu Kennedy s'enquiller une demi-douzaine de cocktails, vu sa langue ramoner les poumons de la fille et ses dents manquer de déchiqueter les naseaux de l'autre. Attendu qu'on était en Californie et qu'il était le seul client dans le bar doté d'un compte en banque un tant soit peu fourni, les plaintes n'avaient pas tardé à pleuvoir sur le bureau du très las Bernie P. Wigram, avocat à la cour, son représentant légal officiel.

Todd lui collait un procès parce qu'il devait se faire refaire le nez. La fille lui collait un procès pour agression sexuelle. Une cliente lui collait un procès sous prétexte que la bagarre l'avait traumatisée. Même le bar lui collait un procès, bordel. Au train où allaient les choses, il aurait à peine été surpris qu'Iggy Pop le traîne en justice pour « baston non autorisée au son de sa musique » ou un truc dans ce goût-là. À la fin, tout ce petit monde était parvenu à un arrangement – pour la modique somme de deux cent cinquante mille dollars – et Kennedy n'avait été convoqué au tribunal que pour répondre de l'accusation d'agression sexuelle. Comme il s'agissait de sa troisième comparution en moins de deux ans pour troubles à l'ordre public (agression d'un réalisateur près de la piscine du London Hotel à West Hollywood, puis vidange de vessie intempestive dans un jardin de particulier sur Fountain Avenue), le juge lui avait imposé un choix cornélien : une thérapie obligatoire ou soixante jours de prison. Voilà comment il avait atterri dans le bureau du Dr Brendle, qu'il toisait à présent avec haine en regrettant pour la énième fois de ne pas avoir choisi la prison. L'écrivain prodige de quarante-quatre ans, le plus jeune à avoir jamais figuré parmi les finalistes du Booker Prize, se retrouvait assis un lundi matin dans le cabinet d'un psy à Century City pour subir les leçons de sagesse d'un type ayant décroché un diplôme de seconde zone dans une quelconque université publique.

Sans parler de sa petite blague sur le Dr Schlesinger.

Nicole Schlesinger était la première thérapeute que lui avait imposée la cour, juste avant Brendle. Et elle s'était montrée bien plus sympathique que son successeur. Tellement sympathique, même, qu'au terme de leur troisième séance Kennedy l'avait invitée à boire un verre au Chateau Marmont, où il lui avait présenté Brett Ratner, Angelina Jolie et les doubles martinis.

Il n'était pas rentré chez lui ce soir-là. Il l'avait sautée dans un bungalow attenant à la luxuriante piscine de l'hôtel.

Exit Nicole Schlesinger, donc. Et bonjour, Leslie Brendle. Lequel le fixait à nouveau en attendant une réponse à Dieu sait quoi. Kennedy s'aperçut qu'il avait furieusement besoin d'une cigarette. « Je vous demande pardon ? » dit-il.

Brendle soupira. « Essayons un sujet moins sensible. Parlez-moi de votre week-end. Que s'est-il passé ?

– Bah, comme d'habitude… Pas grand-chose. »

Mais avec lui, il se passait toujours quelque chose.

Le vendredi soir, rien à signaler : dîner avec la clique habituelle dans le nouveau restaurant d'un ami d'ami qui venait d'ouvrir, puis virée au Soho House pour descendre quelques verres avant de rentrer chez lui à l'aube au bras d'une fille qui avait vaguement fait l'actrice dans une sitcom de la chaîne ABC. Et le samedi, soirée tranquille à la maison. Enfin, tranquille, façon de parler...

Kennedy était peinard au lit avec son whisky, son cigare et son ordinateur portable, à mater tranquillement une petite vidéo sur YouPorn – un duo lesbien équipé d'une paire de godemichés longs comme des frites de piscine –, lorsqu'il avait reçu un appel visio sur Skype émanant d'une certaine Megan, rencontrée à New York quelques mois plus tôt. Il avait cliqué sur « accepter ». Une chose en entraînant une autre, Megan avait rapidement proposé de lui faire la démonstration en direct depuis Brooklyn de ses talents personnels. Kennedy avait aussitôt réduit la fenêtre YouPorn pour mieux profiter de la performance, très impressionnante, il faut l'avouer – quel brio, quelle détermination ! Sur un même écran, il lui était donné de comparer l'enthousiasme de l'amateur à la froide mécanique professionnelle – puis soudain, son iPhone s'était mis à vibrer sur son lit : il venait de recevoir un SMS de PattyCakes2, alias Patricia, une chaudasse rousse qui était venue à l'une de ses lectures à San Francisco l'an dernier. Elle répondait au message qu'il lui avait envoyé un peu plus tôt dans la soirée (« Ça roule ? Qu'est-ce que tu deviens ? »), par l'envoi d'une simple photo. Kennedy avait donc lâché quelques instants l'écran de son ordinateur pour se pencher sur ladite photo où l'on voyait Patricia en train de... mais... vraiment, avec une *aubergine* ? Il lui avait aussitôt rédigé un petit SMS d'encouragement d'une main, un œil toujours rivé sur Megan qui était maintenant – oh, mon Dieu – et l'autre main enfoncée dans son caleçon. Soudain, une sonnerie avait retenti quelque part. Il avait cherché partout autour de lui, renversant son whisky au passage, avant de s'apercevoir que la sonnerie provenait de son ordinateur. « Une seconde, chéri, faut que je décroche », s'excusait déjà Megan avant de disparaître au fond de son appartement.

Et merde. Pas de bol. Kennedy avait alors déplacé le curseur pour agrandir à nouveau la fenêtre YouPorn ; entre-temps, ses deux lesbiennes avaient été rejointes par un gros Black costaud de deux mètres dix et leur petite affaire s'était manifestement bien terminée. De fait, on aurait dit qu'ils s'étaient fait asperger tous les trois par un tuyau d'arrosage relié directement à un baril de colle à papier peint.

De retour sur le menu de YouPorn, Kennedy avait cliqué sur un lien intitulé « KHLOE S'AMUSE TOUTE SEULE EN DIRECT ! » et s'était retrouvé à chatter avec une parfaite inconnue du Midwest âgée de vingt ans et des poussières en possession d'un vibromasseur rose fluo.

« Salut, Jim, a-t-elle susurré en lisant son pseudonyme. Qu'est-ce que je peux faire pour toi ?

– Hmm, comment dire, Khloe… je te laisse deviner. » Et ça n'avait pas traîné. *Hop*. Son téléphone avait de nouveau vibré – l'application FaceTime, cette fois. Un appel entrant : visiblement, Pat de San Francisco avait décidé de passer en mode *live*. Elle malaxait ses deux énormes seins en se tirant sur les tétons comme si elle n'avait qu'une envie, se les arracher, là, tout de suite, en gémissant : « Je te veux dans ma chatte. » Soudain, une autre voix avait lancé : « Désolé, chéri, où est-ce qu'on en était ? », et Kennedy avait réalisé que Megan était de retour sur Skype. Il avait baissé le volume de son ordi et s'était mis à faire des allers-retours entre Khloe et Megan d'un côté, chacune dans sa moitié de fenêtre à l'écran, et Patricia de l'autre, tel un contrôleur aérien débordé surveillant fébrilement trois moniteurs à la fois, pressentant l'imminence d'une catastrophe à l'approche assourdissante de trois avions convergeant exactement vers le même endroit. (Il avait également pris conscience d'un détail physique bizarre, une sensation vaguement désagréable. Il avait mis un moment avant de comprendre d'où ça venait. En faisant glisser son pouce de haut en bas le long de son sexe en érection, il avait fini par détecter, sans l'ombre d'un doute, quelque chose sous la surface. Un truc dur et minuscule, comme un grain de sable qui se serait glissé juste sous sa peau. Alors ça, c'était nouveau. Par chance, grâce à de subtiles manœuvres pour déplacer son pouce sur le côté du manche plutôt que par-dessus – un peu comme s'il levait le pouce en signe de victoire –, il avait pu poursuivre joyeusement ses activités en évitant tout contact avec la zone incriminée.)

Pendant tout ce temps, Kennedy n'avait pas renoncé à siroter son whisky ni à fumer son Cohiba, faisant ainsi mentir le mythe du mâle contemporain, incapable de faire plusieurs choses à la fois. Il se sentait aussi furieusement multitâche qu'un chirurgien qui opère dans un hôpital militaire bondé tout en révisant l'examen du barreau et en négociant par radio avec des pirates de l'air ayant détourné plusieurs 747.

« *Oh, oh, oh, mon Dieu…* » gémissait Patricia à San Francisco. (Combien de temps une aubergine pouvait-elle endurer ce genre de sévices?) « *Je veux que tu m'éjacules sur le visage!* » criait Megan à New York, une jambe au-dessus de sa tête de lit, le majeur et l'index de sa main droite s'agitant sur son sexe comme les ailes d'un colibri.

« TU AIMERAIS QUE CE SOIT TA BITE, HEIN, JIM? » hurlait Khloe Dieu sait où, à quatre pattes, en s'enfonçant son machin rose dans le rectum. (Et qui était ce Jim, à la fin?)

Avec un écouteur différent dans chaque oreille – l'un relié à Patricia sur l'iPhone, l'autre à Khloe et Megan sur l'ordi –, en se limitant à un jargon sexuel générique et en évitant l'emploi de tout prénom, Kennedy avait réussi à ne pas mettre la puce à l'oreille des filles. Mais, en contrepartie, il s'était retrouvé exposé à une vague sonore assourdissante qui lui parvenait en stéréo et montait *crescendo*, comparable à la retransmission d'un accouchement en plein incendie. Panique. Confusion. Grognements et vagissements. C'est là, les jambes tremblantes et trépidantes, à mesure qu'approchait le point de non-retour, que Kennedy avait commis l'erreur fatale. En voulant s'emparer de ses Kleenex, il avait fait tomber l'écouteur de l'iPhone de son oreille droite. Il avait alors attrapé son téléphone pour le rapprocher (soucieux de ne surtout pas lâcher Patricia à l'instant précis où elle s'apprêtait à lui prouver la pertinence de sa théorie sur la résilience des aubergines) mais l'appareil lui avait malencontreusement échappé et avait fait *plouf* dans le verre de Macallan posé en équilibre sur son torse. Kennedy avait bondi en avant pour tenter de le repêcher et avait ainsi renversé le verre tout entier, répandant son contenu aussitôt sur le clavier du Mac Air calé sur son nombril.

Quelques minutes plus tard, hors d'haleine et clignant des yeux, assis au milieu du carnage de ses draps fins trempés et de ses milliers de dollars d'appareils technologiques bousillés, Kennedy avait songé – et ce fut une pensée amère, oui, c'était le mot – qu'il aurait peut-être pu éviter le drame et sauver la situation si seulement il n'avait pas éjaculé en même temps.

Ah, Internet !

Fut un temps, à l'époque du jurassique (Kennedy avait souvent le sentiment que la branlette avait désormais atteint une sorte de zénith, de Renaissance, et que la technologie avait permis à l'onanisme de vivre son âge d'or du théâtre élisabéthain), où, penché avec détermination sur un vieil exemplaire fripé de *Razzle, Shaven Ravers* ou *Spunk Sluts,* votre seul risque de dégâts matériels se résumait à une page de magazine collante ou une chaussette foutue. On dira ce qu'on voudra de la masturbation à la papa, avait-il analysé sur le moment – sirotant d'un air pensif le cocktail qu'il venait de se préparer tout en contemplant les ruines mousseuses et encore sifflantes de son ordinateur portable, ainsi que la dépouille de son iPhone –, mais ça ne vous laissait pas avec *trois mille dollars* de matos flingué sur les bras, nom de Dieu.

Pourquoi s'infligeait-il tout cela ? Question d'hormones, sans doute. Ô mystères du corps humain : pourquoi son éventail – disons-le – franchement limité de mouvements le fascinait-il toujours à ce point ? Un peu comme le nombre de symphonies qu'on pouvait arracher aux sempiternelles douze notes de la gamme. Incroyable qu'il existe des gens comme lui (et, en sa qualité d'écrivain, Kennedy devait impérativement se convaincre qu'il y avait des gens comme lui, oh oui, il en avait besoin) capables de foutre sciemment leur vie en l'air, dans le seul but de diversifier un peu la variété de leurs orgasmes.

Autant de questions qui méritaient d'être posées.

« Je vous trouve taiseux », déclara Brendle.

Peut-être que ça valait le coup d'écouter ce type. Certes, il était doté d'un intellect de seconde zone, avec son diplôme au rabais, mais Kennedy était prêt à parier que le bon docteur, lui, n'avait pas terminé sa soirée dans la chambre d'amis sous prétexte que sa literie, son ordinateur portable et sa dignité avaient péri dans les flammes d'un effroyable plan cul à quatre transcontinental.

Mais comment dire au Dr Brendle que ce qui comptait n'était pas l'acte sexuel en lui-même mais sa montée intense, la dernière ligne droite, la passe décisive, tandis qu'il se lamentait sur son sort, penché au-dessus d'une jeunette de vingt ans et quelques à la peau lisse comme une page blanche, lorsqu'il sentait la vie même palpiter et bouillonner au fond de lui, impatiente de jaillir, lorsqu'il était à deux doigts d'atteindre le choc final, la conclusion tant attendue, et qu'il n'avait qu'une envie, rester là un moment de plus et prolonger cette excitation le plus longtemps possible, jusqu'à ce que la sueur perle sur son visage et que son scrotum se rétracte et que ses yeux se plissent et que, grognant, les babines retroussées, les traits froncés comme un écureuil courant face au vent avec une noisette trop grosse entre les dents, blasphémant et hurlant des insanités tout en cognant la tête de lit pour se donner du courage, bref, que c'était seulement à ce moment-là qu'il oubliait tout le reste. Qu'il oubliait la mort et la pierre tombale avec son nom gravé dessus. Qu'il oubliait les visages de sa fille, de ses ex-femmes, de sa mère, de sa sœur, de toutes les personnes qu'il avait aimées, trahies et perdues dans son désir insatiable de justement revivre cet instant.

Saul Bellow a parlé du «planning de souffrances» qu'on doit tous se coltiner vers la fin de sa vie, comme un pathétique livre de comptes dans lequel la plupart des débits sont liés à l'amour et aux crimes perpétrés contre lui. Car Kennedy Marr s'était rendu coupable de crimes contre l'amour. Ça, oui, nom de Dieu, coupable jusqu'au cou. Il avait péché. Il avait fait du mal et brisé des cœurs, il avait saigné à blanc la confiance des femmes, des femmes splendides qui s'étaient couchées près de lui et dont le regard disait : «Je t'appartiens tout entière. Tu me connais mieux que personne et je m'offre entièrement à toi.»

Résultat, il avait copieusement répandu son sperme avant d'aller voir ailleurs. Il repensa à Millie et Robin, respectivement son ex-épouse et sa fille, restées là-bas en Angleterre. Robin était aujourd'hui âgée de seize ans. Elle en avait quatre quand sa mère et lui s'étaient séparés – autant dire qu'elle avait peu de souvenirs de leur vie commune. Il la voyait cinq ou six fois par an, lorsqu'elle venait passer des vacances chez lui. Souvent un mois entier l'été. Ils se voyaient à Londres quand il s'y rendait pour le boulot. Ils étaient potes. Ils s'échangeaient des compils sur iTunes. Elle essayait toujours de le convertir aux trucs qu'elle écoutait (comme ce type qu'elle lui avait envoyé l'autre jour, c'était qui déjà ? Un nom commençant par J... Seigneur, la *voix* de ce type, on aurait dit du lait caillé) et lui, généralement avec plus de succès, s'efforçait de l'intéresser aux vieilleries de sa jeunesse. Elle était bassiste dans un groupe de pleurnichards. Tout à fait le prototype de l'« ado indé », pour reprendre l'expression actuelle. Comme il l'avait lui-même été dans les années 1980. Sauf que personne n'employait ce terme, à l'époque. On disait juste « pas comme les autres débiles ». Ceux qui écoutaient Bon Jovi et s'habillaient en jean de la tête aux pieds. En plus, elle était mignonne comme tout, sa Robin. Une vraie petite beauté. Quelle était cette phrase que lui avait sortie un jour son grand-père, à Limerick, sur l'avantage d'avoir des garçons plutôt que des filles ? Ah oui : – *Quand on a un fils, ça fait une seule paire de couilles à surveiller.* Pas besoin de s'en faire, rapport à la débauche générale et à tous les autres mecs de son pedigree. Sa fille semblait plutôt bien s'entendre avec lui. Mais avait-elle... était-ce déjà... Et merde. *Vite, autre chose,* se dit-il. Il y réfléchirait plus tard, comme d'habitude, à son heure, c'est-à-dire tard le soir, avec une bonne bouteille de sky à portée de main. Il fallait bien se poser la question – « Exister, c'était ça le boulot », pour reprendre l'expression de Bellow.

Comment dire au Dr Brendle qu'il s'était rendu coupable de crimes mortels envers l'amour et qu'il savait que celui-ci l'attendrait au tournant, le jour du jugement dernier ? Que sa dette envers l'amour aurait explosé au moment où il aurait le plus besoin de ses services et qu'il n'aurait de toute façon, lui, plus rien à offrir ? D'autant que l'amour serait un créancier impitoyable. Conclusion : il ne lui restait plus qu'à ouvrir sa bouteille de whisky. À sniffer sa ligne de coke, à gober son cacheton de Xanax ou de Vicodin. À pencher la fille en avant et à faire comme si de rien n'était le plus longtemps possible et à remettre ça *encore et encore et encore.*

Comment expliquer tout cela à ce brave docteur ?

Kennedy soupira.

« Vous savez quoi ? dit-il. Vos bons conseils. Vous pouvez vous les carrer où je pense. »

2

« Tu l'auras bientôt, Eric. Très bientôt. Je sais qu'on est un peu en retard, mais, comme tu le sais, Kennedy ne s'engage jamais à la légère. Il prend chacun de ses projets au sérieux. Très au sérieux. Même une simple retouche de script. D'ailleurs, il déteste le mot *retouche*. »

Braden Childs, manageur et ange de patience (car il en fallait, des trésors de patience, pour quiconque était amené à côtoyer Kennedy Marr sur le plan professionnel ou privé – personnel d'entretien, agents ou ex-femmes), guetta, plein d'espoir, la réponse de son interlocuteur. Ce jour-là, il débitait son petit speech habituel avec le ton rassurant et rodé d'un « Bonjour, bienvenue chez Burger King, puis-je prendre votre commande ». Ou celui d'une escort girl aguerrie dressant sa liste d'interdictions. Au début, il avait été sidéré du nombre de fois où il devait débiter les mêmes salades pour couvrir son client. Aujourd'hui, il était blasé, tel le soldat allemand battant en retraite à travers la campagne soviétique en 1944 : à chaque jour son lot d'horreurs.

« Ah ouais, il déteste le mot *retouche* ? » Enfin, une réaction d'Eric Joffe, le producteur émérite de *Demonic Force* ou *Mémoires infidèles*. « Vous avez conscience du putain de retard qu'on a déjà accumulé sur ce film ?

– Je vous sens un peu stressé, Eric. Ça s'entend à votre voix.

– Stressé ? J'ai dépassé le stade du stress depuis le mois d'avril. Là, je suis à deux doigts d'exploser. Je suis l'ange de la colère et de la destruction. Et ne me parlez pas de la Writers Guild, nom de Dieu. Je ne sais pas ce qui me retient d'embaucher des tueurs à gages. ON TOURNE EN SEPTEMBRE ET ON N'A TOUJOURS PAS LE PUTAIN DE SCÉNARIO !

– Vendredi, Eric. Je vous le garantis.

– Écoutez-moi. Si une camionnette UPS ne déboule pas devant chez moi vendredi pour me livrer le scénario, je vous poursuis, vous et votre client, pour rupture de contrat. Vous rembourserez l'avance que j'ai versée à votre branleur d'Irlandais et vous devrez me dédommager des coûts occasionnés par le retard du tournage. Vous m'entendez ? Je ne plaisante pas, hein. Je vous jure que je le ferai.

– C'est bien noté, Eric. Vendredi. On se reparle dans la semaine.

– Vendredi ! »

Clic.

Braden raccrocha son téléphone. Et lui fit un doigt d'honneur. À vrai dire, Joffe ne l'inquiétait pas trop. Il ne valait plus grand-chose à Hollywood. Un has been qui n'avait pas produit un seul film à succès depuis des lustres et qui se raccrochait péniblement à un contrat pour trois films chez Universal. Il se la jouait Don Simpson et Joel Silver, jurant et vociférant comme certains vétérans de l'ancienne génération mettaient encore un point d'honneur à le faire. Il voulait apporter une petite touche prestigieuse à son thriller foireux et s'offrir une pointure pour réviser le scénario ; il avait donc déboursé un demi-million de dollars rien que pour avoir le nom de Kennedy inscrit quelque part en bas de l'affiche d'un navet qui, selon toute probabilité, ferait un bide au box-office. Bref. Au suivant. En parcourant la liste de coups de fil qu'il devait passer cet après-midi, Braden repéra un nom qui, lui, avait de quoi l'inquiéter. Et pas qu'un peu.

Scott Spengler.

Au total, ses quatre dernières productions avaient rapporté 1,2 milliard de dollars rien que sur le territoire américain. Il était malin, branché, il avait le sens du métier et les stars l'adoraient. Il n'était pas du genre à brailler ou à perdre son calme. Il faisait juste en sorte que vous ne soyez plus jamais associé de près ou de loin à aucun des projets sur lesquels il exerçait une quelconque influence. Et dans une ville où l'influence – le « feu vert », autrement dit le droit de vie ou de mort sur un film – était tout, c'était ce qu'on appelait le pouvoir. Spengler avait le bras long. Très long.

« Danny, lança Braden à travers la porte ouverte, tu peux m'appeler le secrétariat de Scott Spengler ? » Il regarda sa montre. « Et tâche de savoir où est passé cet enfoiré de Kennedy. » Dans la pièce d'à côté, Danny – vingt-deux ans, diplômé en cinéma de UCLA – décrocha son téléphone.

Braden posa ses Adidas défoncées (les agents artistiques étaient en costard, les managers en jean-baskets) sur son bureau et parcourut négligemment un dossier constitué d'une demi-douzaine de pages A4 agrafées : le planning prévisionnel de Kennedy. À hauteur de son coude étaient posés une pile de documents expédiés par le fisc, ainsi qu'un rapport rédigé par le comptable de Kennedy, Craig Baumgarten. (Lequel poireautait en ce moment même dans la salle de réunion au fond du couloir.) Et dans sa tête, Braden avait également un Rolodex comportant tous les noms des producteurs, studios et maisons d'édition pour lesquels ils avaient des projets en retard.

Il y a une différence entre un manager et un agent : le manager guide et façonne l'évolution de votre carrière. L'agent – dans le cas de Kennedy, Jimmy Warr, perché dans sa tour de verre de l'agence ICT – cherche uniquement à générer le plus de travail possible pour son client. En plus de Childs & Dunn, Kennedy disposait également des services d'un agent littéraire à Londres, Connie Blatt, et il était rattaché à Stropson & Myers, ses agents pour l'audiovisuel et le cinéma. Ajoutez à cela Craig Baumgarten de chez Baumgarten, Finch & Stunk (ses experts-comptables) et Bernie Wigram (son avocat), et vous aviez devant vous, au grand complet, la fine équipe chargée de veiller sur sa carrière. Chacun prenant, bien sûr, sa part du gâteau au passage.

« Jenny pour Scott sur la 2 ! » s'écria Danny à travers la porte. Braden leva les yeux de la page sur laquelle il venait de voir inscrit un projet de roman intitulé « Sans titre » (juste en dessous d'un autre baptisé « Jamais rendu »), décrocha le combiné et pressa la touche verte qui clignotait.

« Allô, Jenny ?

– Bonjour, Braden. J'ai Scott en ligne pour vous depuis l'Australie.

– Ah, très bien. Merci. » Le grand homme en personne, en direct du pays des kangourous. En plein tournage avec Tom et Scarlett. (L'une des premières leçons qu'on apprenait, dans ce milieu, c'est que les vrais pros mettaient toujours un point d'honneur à vous rappeler en personne. Il n'y avait que les minables et les petits joueurs pour vous faire tourner en bourrique.)

« Braden ?

– Bonjour, Scott. Désolé d'avoir loupé ton coup de fil, l'autre fois. Ça se passe bien, là-bas ?

– Très bien. Écoute… » Autre signe distinctif du nabab : il ne tournait jamais autour du pot. « Michael aimerait rencontrer Kennedy.

– OK.

– Il l'adore. Il a juste envie de le saluer.

– Génial. » Michael Curzon, vingt-six ans, était l'acteur principal du prochain film de Spengler dont Kennedy avait signé le scénario. Un beau gosse, une valeur montante. Pas encore une vraie star.

« Jenny te rappellera pour fixer la date du dîner.

– Avec plaisir. J'en parle à Kennedy. Je dois le voir bientôt.

– Tant mieux. Autre chose... » Il y eut de la friture sur la ligne. La communication fut interrompue pendant un moment. Silence. Braden entendait le vent souffler. Il se représenta Spengler, en train de faire le tour de sa loge personnelle – sans doute une caravane énorme – sur le plateau pour trouver du réseau. « Julie a signé son contrat ce matin.

– Oh, mais c'est... » Merde. Et merde. Et trois fois merde.

« Je tenais à te l'annoncer moi-même, parce que l'info sera sans doute dans toute la presse professionnelle dès demain.

– C'est... wow. Félicitations, Scott. C'est... un gros coup.

– Tu peux prévenir Kennedy. Je pense qu'elle voudra le rencontrer en temps voulu.

– Quelles conséquences sur ton budget ?

– C'est le gros lot, mon pote. On tape dans les cent millions. » Braden émit un petit sifflement admiratif.

« J'imagine que le studio voudra avancer le début du tournage. Kennedy est dans les temps pour la révision du scénar, pas vrai ?

– Absolument, mentit Braden.

– Parfait. On se rappelle bientôt. *Ciao*.

– Au revoir, Sco... » *Clic*.

Braden se laissa retomber contre le dossier de son fauteuil, le temps d'encaisser la nouvelle.

Julie Teal, sans doute la plus grande star féminine de moins de trente ans, venait de signer pour jouer dans le film. De quoi faire exploser le budget, les enjeux et les attentes de tout le monde. Le studio voulait avancer le tournage afin que le film soit prêt pour Noël. Où pouvait bien en être Kennedy, avec le scénario ? Et d'ailleurs... au diable le scénario – où était-il passé, tout court ? Nouveau coup d'œil à sa montre IWC : bientôt 13 heures. À tous les coups, Kennedy exigerait d'aller déjeuner dès son arrivée. Ce qui signifiait que son après-midi de travail était foutu d'avance.

« Danny ? » appela-t-il. Cette fois, Danny apparut dans l'encadrement de la porte : mince, barbu, la chemise blanche dépassant par-dessus son chino. « Craig est déjà là ?

– Oui, il attend en salle de réunion.

– Merci. Essaie de rappeler Kennedy. »

Braden referma les pages agrafées et les posa sur le rapport du comptable et les papiers du fisc. Il ajouta un autre document (de la part de Connie Blatt, à Londres – « Projection sur l'année à venir des avances et droits d'auteur pour toute l'Europe ») au planning prévisionnel, et posa le tout sur l'énorme dossier contenant les relevés bancaires et les historiques des cartes de crédit de son client pour les douze derniers mois.

Autant d'éléments à charge pour la tentative de médiation qui allait suivre.

3

Celui que tous attendaient se tenait debout en plein soleil au coin de Robertson et Wilshire, savourant une ultime bouffée délicieusement toxique de Marlboro avant de pénétrer pour la seconde fois dans l'immeuble. Comme à son habitude, Kennedy s'était garé au sous-sol (« Sacrée caisse, mon pote », avait commenté le jeune voiturier mexicain en contemplant sa DB9 au moteur grondant), puis il avait éteint sa cigarette et pris l'ascenseur jusqu'au rez-de-chaussée où il avait franchi les portes vitrées de la réception, histoire d'aller s'en griller une petite dernière dehors avant de rejoindre les bureaux sans joie et sans nicotine de Childs & Dunn au neuvième étage. Rétrospectivement, cette cigarette inutile et superflue (par opposition aux cinquante-neuf environs autres cigarettes, utiles et indispensables, qu'il fumait au cours d'une seule journée) avait été une erreur. Parce que cela avait laissé le temps à son téléphone de sonner (son portable de rechange – quand on avait la descente de Kennedy, il était prudent d'avoir toujours un second téléphone prêt à servir en cas d'urgence) et, à lui, de le décrocher.

« Allô ?

– Non, mais je rêve, Kennedy ?

– Tiens, Vicky. Salut.

– Comme ça, sans même me prévenir ? »

Vicky Marr, née Lombardi, la future seconde ex-Mrs Marr. Âgée de vingt ans moins que lui, c'était une journaliste de presse écrite qui l'avait interviewé, puis passionnément aimé, une femme que Kennedy avait, de la plus consternante des façons, transformée en ennemie.

« Tu as baissé le plafond de mon AmEx sans me le dire ? Tu te rends compte de la honte dans laquelle tu m'as plongée ?

– J'ai... j'ai fait quoi ?

– Ma carte vient d'être refusée. J'ai appelé la banque et on m'a répondu que le plafond de dépenses avait été diminué. » La force du chagrin qu'elle était parvenue à insuffler au mot « diminué » était impressionnante, songea Kennedy.

« Une seconde, Vicky. Tu as pris du crack, ou quoi ? Tu m'imagines, moi, appeler American Express ? Parler à un abruti, poireauter au son de la musique d'attente, fomenter un truc pareil ? Tu ne vois pas tous les *efforts* que ça exigerait de moi ?

– J'avoue que... je trouvais ça curieux, avoua-t-elle.

– Et puis ce n'est pas comme si j'étais *obligé* de t'autoriser à avoir une carte de crédit sur mon compte. J'ai dit que je te laisserais l'utiliser jusqu'à ce que le divorce soit prononcé parce que...

– Parce que tu culpabilises juste un peu d'avoir sauté ma meilleure amie à notre mariage, peut-être ? Non ? Il n'y aurait pas un peu de ça, Kennedy ? »

Sale affaire. Ouais. C'était moche.

Kennedy n'avait pourtant pas l'intention de se montrer infidèle le jour de leur mariage, deux ans auparavant. Non pas qu'il se soit jamais montré fidèle envers Vicky techniquement parlant, cela dit.

Il se souvenait vaguement d'une séance de tripotage intensif avec l'employée du vestiaire dès son tout premier rencard avec Vicky, dans un grill room très coté de l'Upper West Side. Il avait oublié ses clopes dans sa veste, perdu son ticket, et la fille l'avait laissé entrer pour qu'il la cherche lui-même. Elle étudiait l'anglais à Columbia, était fan de ses livres et, en moins de temps qu'il n'en faut pour le dire, ils s'étaient envoyés en l'air au milieu des pardessus chics et subtilement parfumés de la clientèle de Manhattan tandis qu'à soixante mètres de là, Vicky faisait tournoyer son Barolo à deux cents dollars la bouteille dans un verre gros comme un bocal à poissons. Il se rappelait encore la texture et la fermeté des fesses de la fille sous sa fine robe de coton. Kennedy Marr était incapable de retrouver la date de l'anniversaire de sa fille du premier coup, mais il pouvait vous décrire par le menu le croupion d'une gonzesse qu'il avait sautée, quoi... trois ans auparavant ? Était-ce bien normal ? Franchement, ça vaudrait peut-être le coup d'en parler à un psy. Ah non, oups – il en voyait déjà un.

Mais bref. Revenons-en à leur mariage. Et à Simone, le jour du mariage. Pour sa défense (et il en avait besoin), la journée avait été longue, il tenait déjà une sacrée cuite, et sa nouvelle épouse venait de lui faire la surprise d'une excellente ligne de coke dans leur suite du Beverly Hills Hotel. Titubant dans les couloirs pour regagner le Polo Lounge, il avait alors sans le vouloir bousculé Simone, qui – et là, à nouveau, laissons la parole à la défense – était ridiculement sexy ce soir-là, sans parler du fait qu'il y avait toujours eu un truc entre eux et qu'elle était passablement bourrée elle aussi et que les toilettes pour handicapés (celles situées près de l'entrée) leur tendaient les bras. S'en était suivi un tourbillon flou et dingue. Une corde, tirée au hasard dans les affres de la passion. Mais pas du tout la bonne. Parce que ensuite, Kennedy avait soudain entendu des cris et s'était retourné – littéralement agressé par la lumière –, pour se retrouver face aux membres du personnel qui pensaient avoir accouru à l'appel d'une personne handicapée en détresse coincée dans les toilettes et avaient découvert, à la place, l'heureux marié sur la pointe des pieds, avec la meilleure amie de sa femme penchée devant lui au-dessus des toilettes, agrippée à la barre d'appui pendant que Kennedy la besognait par-derrière. Il y avait eu la vision de Vicky plantée là, au milieu des employés de l'hôtel, encore vêtue de sa robe de mariée, l'écume aux lèvres et les poings serrés, suivie de la découverte sensorielle qu'il était extrêmement désagréable de se prendre un coup en pleine figure pendant qu'une autre partie de votre anatomie était encore enfoncée dans le rectum de quelqu'un d'autre. Le juge avait éclaté de rire – pour de vrai – quand l'avocat de Vicky avait lu le récit (soigneusement aseptisé, Dieu merci) des événements de la soirée. Leur mariage avait duré moins de neuf heures. La procédure de divorce n'était toujours pas terminée. Saloperie de Californie.

Et Vicky n'en avait pas fini, elle non plus. Debout sur le trottoir, Kennedy sentait son iPhone chauffer contre son oreille. « Ah, une dernière chose : Murray va bientôt te contacter à propos du Warhol. » Murray Chalmers, représentant légal de la future seconde ex-Mrs Marr.

« C'est moi qui l'ai acheté, ce Warhol !

– Tu l'as acheté POUR MOI, Kennedy !

– Pour la maison !

– *Notre* maison.

– Écoute, Vicky, je suis sur le point d'entrer en réunion, OK ? On en recause plus tard.

– JE T'INTERDIS DE RACC... »

Clic. Mode silencieux activé.

4

D'un enfer, l'autre. « Ça ne peut pas aller aussi mal que ça, déclara Kennedy en refusant de jeter un œil aux sataniques colonnes de chiffres. Allez, merde, vous vous payez ma tête ou quoi ? »

Quand Braden et lui étaient entrés dans la salle de réunion et qu'il avait aperçu son comptable (Craig quelque chose ?) déjà installé, il avait compris que quelque chose ne tournait pas rond. (Après le rituel de rigueur, bien sûr. Après qu'on l'avait accueilli comme un prince, qu'on lui avait apporté son whisky soda de la mi-journée, qu'un des petits jeunes de l'équipe lui avait expliqué qu'il était « genre mon écrivain préféré de tous les temps » et patati et patata.)

Silence. Braden se leva.

« Craig ?

– L'heure est grave, en effet. Le fisc ne plaisante pas avec les rappels d'impôts. Vos dépenses sont… ce qu'elles sont, mais il n'est pas trop tard pour rectifier le tir. J'ai bien analysé la situation. Regardez… » Il fit glisser une feuille en travers de la table vers Kennedy. Qui s'en servit comme un dessous-de-verre. « Bien. Les débours… »

Kennedy contempla la colonne de zéros qui semblait presque vouloir s'échapper hors de la page, comme la rangée de roues d'une locomotive qui déraille, tandis que Baumgarten détaillait les chiffres. Indemnités versées à Vicky dans l'attente du jugement final – et sans doute exorbitant – du divorce. Pension alimentaire pour Millie et Robin en Angleterre. (Oh, nous reparlerons de Millie et Robin en Angleterre en temps voulu. Pas en plein jour, cela dit. Plus tard, dans le halo ambré d'un verre de scotch et du crépuscule de Los Angeles, une fois que l'Angleterre sera déjà au dodo. Une fois que Kennedy aura ingurgité son demi-litre d'alcool et qu'il se sentira plus ou moins d'attaque pour penser à elles.) Le remboursement du prêt immobilier pour la maison sur Hollywood Hills, les voitures, les billets d'avion, les notes démentes de restaurants, les vacances, les soins médicaux, les frais fonctionnels, les magazines et les périodiques (avait-il vraiment dépensé près de trois mille dollars en magazines et périodiques pendant l'année fiscale 2012 ? Sérieusement ? Où étaient-ils ?), les comptes à crédit chez Barney's et Saks ou Turner's, la boutique de spiritueux sur Sunset, les services hôteliers et « professionnels » – avocats, comptables, attachés de presse –, les locations de limousine, la femme de ménage, le pressing et le jardinier, le type qui s'occupait de la piscine et, cerise sur le gâteau, le fisc qui lui réclamait encore *un million quatre cent mille dollars*. « Voilà, je crois que tout y est », conclut Baumgarten. Sérieusement, c'en était trop. Trop ? C'était de la *folie furieuse*, oui.

Kennedy s'apprêtait à prendre la parole mais Braden leva l'index. Il but donc une gorgée de scotch à la place. « Concernant les rentrées d'argent prévues sur les douze prochains mois... » poursuivit Baumgarten. Il y aurait les paiements à remise pour les divers projets de révision de scénarios sur lesquels il travaillait actuellement, pour des sommes allant de deux cent mille à un demi-million de dollars dans le cas du film de Spengler, dont le montant serait versé dès que le tournage démarrerait. Sans parler de la manne régulière des royalties générées par ses six romans et des droits de diffusion qui lui parvenaient deux fois par an dans les enveloppes vert pâle de la Writers Guild of America. Ce n'était pas rien non plus. De quoi, chaque année, assurer le confort de n'importe quel individu sain d'esprit pour une décennie entière. (Et si c'était bien ça, le cœur du problème, songea Kennedy. Suis-je un individu sain d'esprit ?) Mais il était clair que la colonne des dépenses dépassait largement celle des rentrées d'argent.

« Tu ne peux pas à la fois rembourser le fisc et conserver ce train de vie, Kennedy. C'est impossible. Tu seras ruiné d'ici la fin de l'année.

— OK, OK… Me voilà dans la peau de Wilkins Micawber[1]. J'ai compris.

— Bien. J'ai déjà demandé à Craig de réduire le plafond de dépenses autorisé sur toutes tes cartes auxiliaires. »

Ah. Vicky. Kennedy fit semblant de tomber des nues : « Sans ma permission ?

— Tu ne répondais jamais à mes messages. La situation est extrêmement sérieuse, Kennedy. Craig et moi avons beau retourner le problème dans tous les sens, ça ne va pas être facile. »

Kennedy soupira. « Alors, que me suggérez-vous ?

— Il y a deux solutions, fit Braden. Petit un : nous procédons sur-le-champ à un premier versement de deux cent cinquante mille dollars au fisc – ce qui aura pour effet de siphonner ton

---

1. Personnage de *David Copperfield* qui se retrouve en prison pour dettes. (Toutes les notes sont de la traductrice.)

compte de réserve, hélas – et tu acceptes le plan d'économie indiqué ici par Craig... » Une autre feuille A4 glissa vers lui à travers la table. « D'abord, tu revends la maison pour t'acheter un appartement et tu mets la différence de côté pour rembourser le fisc. Cela devrait te permettre d'empocher six ou sept cent mille dollars, facile. Ensuite, tu peux considérablement réduire tes dépenses. Par exemple... » Il sortit un document – un reçu – de l'un de ses dossiers. « Mille huit cents dollars pour un dîner chez Dan Tana's ? Un mardi soir ? Je peux savoir en quel honneur ?

– Eh bien, je... Un mardi ? Fais-moi voir ça.

– Nom de Dieu, Kennedy, il y a un tas de choses dont tu pourrais te passer sans même t'en rendre compte. Tiens... » Un autre reçu fut extirpé du dossier. « Près de quatre mille dollars pour des chaussures ? Rien que ce lacet » – dit-il en désignant les superbes Richelieu sur mesure que Kennedy portait – « doit coûter dix fois plus cher que n'importe quelle paire de pompes...

– Tu voudrais que je porte des chaussures *ordinaires* ? » répliqua Kennedy, en portant sa main à son cœur, la mine faussement horrifiée. Baumgarten secoua la tête, outré que l'on puisse afficher un tel manque de respect envers l'argent.

« As-tu vraiment besoin d'acheter tes chaussures chez... » – Braden consulta le nom sur le reçu – « John Lobb de Mayfair ?

– Oh, ne raisonne pas le besoin ! s'enflamma Kennedy. Les plus vils mendiants trouvent le superflu dans les plus pauvres choses. N'accorder à la nature que ce dont la nature a besoin, c'est rabaisser la vie de l'homme à celle des bêtes.

– Bravo. Vas-y, déclame du Shakespeare. Tu seras le délinquant financier le plus cultivé de la prison. »

À l'intérieur de sa poche poitrine, Kennedy sentit son portable vibrer. Et l'ignora. Sans doute Vicky. Il avait comme le sentiment qu'il passerait sa journée à ça : ignorer son téléphone. Sauf qu'il devait quand même un coup de fil à Patrick, son frère. Il faudrait bien qu'il le rappelle à un moment ou à un autre.

« Allez, haut les cœurs, déclara-t-il. Résumons : solution n° 1, le plan d'austérité général ? J'avoue que je le sens moyen. Solution n° 2 ?

– Finis ton roman.

– Et merde. »

Tout à coup, la première solution lui semblait bien plus attrayante. Kennedy se voyait déjà seul le soir chez lui, dans son joli petit appart à... Où ça, tiens ? Silver Lake ? Le mont Olympe, peut-être ? À manger des pizzas de chez... Raffallo's, ou des sandwichs de chez Chick-fil-A. Au volant d'une Hyundai. S'habillant chez Ralph's. (Est-ce qu'ils vendaient des chaussures, aussi ?) Passant toutes ses vacances enfermé chez lui. Finir le roman ? Contrairement à ce que croyait Braden – ainsi que Jimmy chez ICT, Connie à Londres, tous les éditeurs à qui ils avaient extorqué des chèques d'avances pharaoniques et tous les journalistes auxquels il avait répondu ces cinq dernières années –, Kennedy n'avait même pas commencé la rédaction du satané bouquin. Il n'avait pas écrit un mot de fiction en cinq ans. Il était beaucoup trop occupé à gagner beaucoup trop d'argent en tant que *script doctor*.

Voilà un terme intéressant et trompeur, analysa Kennedy. À Hollywood, le « script doctor » était quelqu'un qu'on engageait pour remettre d'aplomb les scénarios boiteux ou moribonds. En fait de docteur, on se sentait surtout dans la peau d'un médecin nazi, tant le processus consistait le plus souvent en des interventions inutiles sur des patients parfaitement sains à seule fin d'apaiser les angoisses des studios, des producteurs ou des stars en panique, tous persuadés qu'une lecture supplémentaire, une ultime révision, apportera la touche finale susceptible de propulser leur film vers le sommet. Qui se souciait de refiler quelques centaines de milliers de dollars à un type comme Kennedy quand le budget de prod dépassait déjà la barre des quatre-vingts millions ? À l'inverse, le patient était parfois dans un état tellement désespéré que le terme de « docteur » ressemblait à un doux euphémisme. Il aurait été plus exact de parler d'« exécuteur » ou de « fossoyeur ». Pourquoi Kennedy excellait-il dans cet art de l'ombre, là où tant d'écrivains s'étaient cassé les dents avant lui ? Fitzgerald, Faulkner, Chandler, tous avaient raté leur carrière hollywoodienne. Sans doute parce que, comme l'avait souligné Billy Wilder, ils avaient un peu fait le boulot par-dessus la jambe. Au fond de lui, Kennedy restait lui aussi absolument convaincu de la supériorité du roman, mais il prenait son job suffisamment au sérieux pour que les chèques et les contrats continuent à pleuvoir.

Et ce job consistait à saupoudrer des blockbusters de tirades profondes pour des starlettes qui lisaient en remuant les lèvres. À résoudre les problèmes d'un troisième acte conçu par un scénariste sachant à peine écrire (et souvenez-vous : les problèmes du troisième acte sont déjà ceux du premier). À jongler entre les révisions, les retouches et les réécritures de dialogues parce que, bien sûr, c'était plus facile (et bien plus lucratif) que de *répandre ses tripes sur une putain de page blanche pendant deux ans pour écrire un roman*. Parce qu'il était incapable d'écrire la seule chose qu'il avait vraiment envie d'écrire. Ce n'était pas tant un blocage qu'une... démission. Écrire un roman ? C'était un travail d'homme. Et il avait raccroché les gants. Sauf que personne n'était encore au courant.

« Et la solution n° 3 ? s'enquit-il en faisant tournoyer ses glaçons dans son verre.

– Sérieusement, Kennedy, fit Braden. Parle avec Connie. Tu as laissé passer trop de temps depuis ton dernier livre. Les gens attendent désespérément le prochain. Tes avances sur droits d'auteurs, tous pays confondus... » Il consulta un autre document. « Royaume-Uni, États-Unis, Allemagne... cela ferait tomber plusieurs centaines de milliers de dollars dans ton escarcelle rien qu'à la remise du manuscrit. Sans parler du fait que ton contrat serait enfin honoré et que Connie n'aurait plus qu'à t'en négocier un nouveau pour deux livres supplémentaires. Certes, le marché n'est plus ce qu'il était il y a dix, voire cinq ans, mais elle pense pouvoir placer la barre à un demi-million à signature.

– Cela dit, intervint Baumgarten en tapotant sur sa calculette, même avec tout ça, moins les impôts et la commission... il vous resterait pas moins de sept cents K. » Briques. Billets. K. Bâtons. Patates. Kennedy songea aux Esquimaux, avec leur palette de mots différents pour décrire la neige. « Cela ne résout pas totalement le problème, mais ce serait déjà un bon début. Vous auriez des rentrées d'argent régulières, au moins.

– Et pourquoi ne pas plutôt... partir à la pêche, récupérer d'autres contrats ? proposa Kennedy, plein d'espoir. Quelques petites révisions fastoches, deux ou trois dialogues à réécrire...

– Tu plaisantes ? fit Braden. On est déjà à la bourre sur une demi-douzaine de projets. Eric Joffe a même menacé de me tuer, tout à l'heure au téléphone. »

Kennedy tricota des sourcils. « Eric Joffe ? C'est qui, cet empaffé ?

– *Maximum Velocity* ? La retouche de scénario que tu es en train de faire pour lui ?

– Ah, ça. Presque fini. Juste une dernière couche de vernis. Mais le titre est naze, entre nous.

– C'est un tout petit milieu, Kennedy. Les infos circulent. Ma conscience professionnelle m'interdit d'aller te chercher d'autres contrats alors que je suis harcelé par les studios et les producteurs qui me demandent où en est le boulot.

– Ta conscience ? répéta Kennedy. Tu te prends pour qui, l'agent du Père Noël ?

– Ah. Tu sais que tu n'as pas la réputation d'être quelqu'un de facile…

– Quand n'ai-je pas été gentil ?

– Don Rainer a souligné un problème dans la motivation de son personnage. Tu lui as demandé quel effet ça faisait de vivre avec un cancer du cerveau.

– Et pour cause, il…

– Tu as dit à Tony Scott, paix à son âme, qu'il pouvait se foutre ses notes d'intention dans son putain de trou de balle.

– Oh, mais tu les aurais lues, elles…

– Termine ton roman, Kennedy. »

Kennedy dévisagea ces hommes – ces suceurs de sang, ces parasites qui lui suggéraient de s'enfermer dans un tunnel de plusieurs mois pour un travail cauchemardesque juste pour assainir ses « finances » – et fit sa plus longue déclaration officielle de la matinée.

« Je souhaiterais maintenant aller déjeuner. Braden ? Déjeuner. *Tout de suite.* » Il brandit son verre vide et le retourna.

Braden Childs soupira. Il voyait déjà le reste de sa journée s'évaporer dans un nuage d'alcool, emporté au loin sur les ailes dorées d'une succession d'apéritifs, de vins fins et de digestifs. Saloperie d'Irlandais. Il observa son client, assis là dans son beau costume avec ses Richelieu à quatre mille dollars, son verre vide à la main et son air totalement affligé. *Les Cendres d'Angela* revu par Fellini, en quelque sorte.

5

Le professeur David Bell promena son regard autour de l'immense table pour observer les membres du comité. Ils n'étaient qu'au nombre de cinq, et la réunion aurait tout à fait pu se tenir dans un lieu plus modeste. Mais la grande tradition du prix F. W. Bingham exigeait que les choses se déroulent d'une certaine manière. Ils étaient donc là, dans la plus grande salle de réunion du Shelton's, l'un des plus anciens et plus prestigieux clubs pour messieurs du quartier londonien de Mayfair. Une ondée estivale crépitait derrière les hautes vitres georgiennes. Le professeur s'éclaircit la gorge.

La journée avait été très longue, très longue, et par moments, difficile. La table était jonchée de bouteilles d'eau vides et de tasses à café sales. Partout, des piles de dizaines de livres, avec des bouts de papier et des Post-it coincés entre leurs pages pour retrouver les passages que les défenseurs de tel ou tel auteur avaient choisi de citer afin de démontrer la supériorité de leur chouchou. Toutes les personnes présentes dans la pièce avaient reçu pour consigne de lire l'intégralité de l'œuvre de chacun des auteurs en sélection : au total, deux cents livres pour une vingtaine d'écrivains en lice. Seulement cinq d'entre eux avaient été gardés pour la sélection finale. Le comité s'était réuni dès 9 heures ce matin afin de retenir l'heureux élu parmi les cinq. Et, treize heures plus tard, alors que les aiguilles de l'horloge venaient de franchir le « 10 », ils venaient enfin de remplir leur mission.

Bell examina leurs traits tirés. Trois d'entre eux souriaient. Les deux autres, pas du tout.

Parmi les visages souriants figuraient ceux de la poétesse et critique féministe Petronella Fuente, de Marcus Finn, commentateur culturel de renom, et du professeur Dominic Lyons, doyen de l'université de Deeping où, en son temps, l'immense F. W. Bingham avait étudié. Quant aux deux qui ne souriaient pas, il s'agissait d'Amanda Costello, romancière et éditorialiste, et de l'universitaire Gregor Trencher. Bell, Lyons et Trencher formaient le noyau dur du comité depuis plus de deux décennies et ils s'étaient déjà livrés quatre fois à cet exercice de sélection, le prix n'étant attribué que tous les cinq ans. La seconde moitié du jury changeait chaque fois, afin d'apporter un peu de sang neuf.

«Bien, déclara le professeur Bell. Nous sommes donc tous d'accord ? »

Amanda Costello lâcha un claquement de langue agacé et plia ses bras contre sa poitrine.

« Mademoiselle Costello, fit Bell d'un ton obligeant, nous avons entendu votre point de vue mais, au final, la majorité l'a emporté. Je vous demande de respecter la tradition de ce comité et de soutenir publiquement la déclaration officielle selon laquelle le vote du jury a été unanime.

– Oui, oui, répondit sèchement Amanda en fusillant du regard Petronella Fuente. Mais je n'arrive toujours pas à croire que vous ayez voté pour... un homme comme lui.

– C'est le travail qui est évalué, répliqua la féministe. Pas la vie personnelle de l'individu. Et à mon sens, ses romans sont magnifiques.

– Puis-je vous rappeler les termes exacts des conditions d'attribution du prix ? intervint Trencher. *Qui saura également enrichir la vie de l'université.* » Il jeta un regard circulaire. « Comme l'a souligné Mlle Costello, est-ce bien le profil de notre candidat ?

– Je le crois, oui, rétorqua le professeur Lyons. En tant que seul membre de cette assemblée chargé de côtoyer le récipiendaire du prix après son attribution, je tiens à déclarer qu'à mon avis, il remplira son rôle à merveille. Son nom aura une force d'attrait considérable pour tous nos étudiants et futurs candidats.

– Ah ! s'exclama Costello. Enrichir quoi, les caisses de l'université ou la vie culturelle et intellectuelle du campus ? Ce n'est pas tout à fait la même chose.

– On ne peut avoir l'un sans l'autre.

– Son nom, dites-vous ? fit Trencher. La valeur de sa notoriété ? Pourquoi ne pas élire un sordide petit auteur de thrillers, tant qu'on y est ? Pourquoi pas Stephen King, nom de Dieu ? Comme vous le disiez vous-même, il s'agit de juger la qualité d'une œuvre littéraire, pas le degré de célébrité de son auteur.

– N'est-ce pas indissociable ? avança Fuente.

– Pas nécess...

– Il suffit. » Le professeur Bell tapota son stylo contre son verre. « Je vous en prie, mesdames et messieurs, vos arguments ont bien été entendus, nous avons voté et pris une décision. Je vous remercie toutes et tous pour la rude tâche que vous avez menée à bien avec un dévouement sans borne. À présent, si vous voulez bien m'excuser, je dois aller informer les représentants du lauréat. » Il consulta sa montre – « Oh, Seigneur » – et se leva. « Je vous demande également de garder secrète l'identité du gagnant jusqu'à ce que nous ayons la confirmation officielle qu'il accepte le prix. » Il dévisagea chacun des jurés en s'attardant un peu plus longuement sur Trencher et Costello. « En temps normal, je vous aurais tous invités à rester prendre un verre, mais je suis sûr qu'à une heure pareille vous avez tous hâte de rentrer chez vous. Je vous remercie donc à nouveau. »

Sur ces mots, il alla serrer la main de chacun des membres. Il était heureux, convaincu que la décision du jury était la bonne. Certes, les choses seraient peut-être un peu compliquées, avec l'histoire de l'ex-épouse et tout le reste. Mais de nos jours, les gens géraient ce genre de situation en personnes civilisées, n'est-ce pas ?

À l'instant où il quitta la pièce, la dispute repartit de plus belle.

6

Ils se rendirent chez Orpheus à Beverly Hills, où Kennedy
– bien connu pour ses pourboires ridiculement généreux – fut
salué par le maître d'hôtel tel le Christ en personne accueilli
par le prêtre à la messe dominicale. La comparaison était d'autant
plus justifiée que le déjeuner tenait presque de la religion pour
Kennedy Marr : une institution sacrée, avec ses propres rites
ésotériques à respecter.

D'abord, comme le savait Braden, Kennedy aimait commencer
par prendre l'apéritif au bar, d'où, tenant délicatement son verre
de martini (gin, sec, deux olives), par la tige ou le col, afin de ne
surtout pas réchauffer son précieux contenu ne serait-ce que d'un
degré, il pouvait contempler à loisir l'ensemble de la congréga-
tion, le balancement des fessiers et le frottement de cuisses des
femmes riches dans leurs vêtements moulants. Ce passage au bar
était primordial, selon Kennedy, car il constituait le prologue, le
premier acte.

À l'acte deux, et Kennedy le savait mieux que personne, le héros
devait choisir d'affronter une situation nouvelle et inconnue.
Luke devait *choisir* de monter à bord du *Faucon Millenium*.
Aussi, une fois ce premier martini ultra-revigorant achevé, et
alors que Braden, à ce stade, commençait déjà à sentir son front
perler et son cerveau chatoyer, Kennedy faisait-il signe au maître

d'hôtel afin qu'il les conduise à leur table. Là, il était impératif que l'écrivain occupe la place offrant le plus grand angle de tir sur l'ensemble du restaurant. En embuscade. Braden avait souvent vu son client se livrer à de complexes calculs intérieurs, à la *Un homme d'exception*, avec des diagrammes et des équations qui semblaient se matérialiser dans l'air tout autour de lui tandis qu'ils traversaient ensemble des salles bondées, pressant le pas à mesure qu'il calculait trajectoires et vecteurs d'approche, contournant les serveurs et les chaises avec l'agilité d'un *quaterback* afin d'aller furtivement ravir la place de son choix. Une fois, il l'avait même vu sur le point d'en venir aux mains avec une immense star du cinéma alors qu'ils se livraient tous les deux à la même manœuvre, contournant en même temps la table ronde du milieu et abaissant simultanément la fesse droite pour l'un et la gauche pour l'autre vers la chaise alpha.

Une fois bien installé, le Livre sacré du menu dans une main, la tête dévotement inclinée pour écouter le serveur psalmodier la liste des plats du jour, Kennedy se voyait apporter le deuxième martini, qu'il avait commandé juste avant de quitter le bar afin de le siroter pendant l'éprouvant processus de décision. Trois plats. Toujours. Des vins différents pour l'entrée et le plat de résistance. Un vin sucré pour le dessert. Puis un verre de cognac – ou de grappa, d'amaretto ou autre – pour accompagner la valse des expressos noirs et amers.

L'AmEx professionnelle de Braden se convulsait comme un foie cirrhotique chaque fois que se profilait la menace d'un nouveau déjeuner avec Kennedy.

Ce midi, sous la fresque qui ornait les hautes voûtes du plafond, dans le tintement du cristal et de l'argent, Kennedy commanda des couteaux de mer suivis d'un foie de veau à point. Une bouteille de chablis serait servie avec les coquillages, et un pinot avec la viande. Braden opta pour une soupe et une salade verte – le régime de base du cadre sup hollywoodien. Il se nourrissait de la même façon tous les jours et se rendait à la salle de sport quatre fois par semaine. Kennedy, jamais – cela allait sans dire. Braden était toujours sidéré de constater qu'il ne semblait pas prendre le moindre kilo.

Kennedy étala sa serviette en lin sur ses cuisses, se cala bien en arrière sur sa chaise avec son martini à la main et soupira d'aise en laissant son regard errer à travers le restaurant. « Sainte Marie, mère de Dieu et des vibromasseurs, vise-moi un peu ce morceau, là-bas !

– Bon sang, Kennedy, pour un type qui doit un million au fisc, tu n'as pas l'air de t'en faire.

– Bah, t'inquiète pas pour ça. Intéresse-toi plutôt à ce spécimen ! Qu'est-ce qui te prend ? Tu sais que t'es vraiment trop con, des fois. »

Braden soupira. « J'ai quand même une bonne nouvelle à t'annoncer. Je ne pouvais pas en parler devant Craig. J'ai eu Scott Spengler au téléphone ce matin, et... » Il marqua une pause, histoire de créer un petit effet de suspense, et plaqua d'un coup ses deux mains à plat sur la nappe. « Julie Teal a signé le deal ! »

Kennedy grimaça. « Ta rime est nulle, mon pote. Ça manque d'audace. Ça pourrait faire un limerick. Ou une comptine, à la limite : *Julie Teal / a signé le deal / et* fissa *acheté trois barils / à son deal... er.*

– C'est une excellente nouvelle, insista Braden. Julie est une star. Tu pourrais avoir ton nom associé à un gros succès. Plus rien ne pourra empêcher la production du film, désormais. Et je te trouve injuste. Elle a fait une cure de désintox. Elle ne touche plus à la coke.

– Sacrée cochonne... Tu paries quoi pour les tétons ? Avec ce teint ? Je dirais bruns, chocolatés... » Kennedy semblait hypnotisé, les yeux rivés à l'autre bout de la salle.

– Oh, et on cherche à t'organiser un dîner avec Michael Curzon. »

Cette fois, c'était la bonne. Kennedy tourna aussitôt la tête. « Hein ?

– Il t'adore, apparemment. Il tient à te rencontrer.

– Plutôt crever. Tu plaisantes ? » Kennedy sentit de nouveau son téléphone vibrer contre son cœur.

« Écoute, ces gens te paient près d'un million de dollars pour réécrire leur scénario. L'acteur principal veut bouffer un soir avec toi. Tu n'as pas le choix, mon pote.

– Je ne veux pas de cette vie.

– Quatre-vingt-dix-huit pour cent de la population tuerait pour vivre ta chienne de vie, je te signale.

– Je dois être en enfer.

– C'est juste un dîner, nom de Dieu !

– Juste un dîner ? Tu sais que t'es drôle, toi ? Espèce de sangsue de mes deux ! *Juste un dîner ?* Deux heures entières passées à écouter un petit morveux de... quel âge a-t-il, d'ailleurs ?

– Vingt-six ans.

– Ben voyons. Quel cauchemar. Mais quel cauchemar ! Deux heures à écouter un petit morveux de vingt-six piges m'expliquer comment il "voit" le personnage ? Me parler de "motivation" et de "contexte psychologique" ? Je préfère encore tailler une pipe à un porc !

– On le dit plutôt intelligent.

– Ah oui ? *Plutôt* intelligent ? Wow. Tu sais, Braden, ça a toujours été ma plus grande ambition, le rêve de ma vie si tu veux, à condition de travailler suffisamment dur, de lire tous les bouquins nécessaires et d'amasser assez de blé, de pouvoir alors, un jour, peut-être, atteindre ce stade supérieur de la réussite où j'aurais la chance de dîner régulièrement avec des acteurs plutôt intelligents de vingt-six ans. Pour moi, ça a toujours été le comble de la félicité. "Plutôt intelligent", hein, c'est ça. Je haïssais les connards plutôt intelligents de vingt-six quand j'en étais un moi-même. »

Quand Kennedy Marr avait vingt-six ans, deux décennies ou presque en arrière, John Major était alors à la tête du Royaume-Uni, Tony Blair en pleine ascension, et lui-même était plongé dans l'écriture de ce qui allait devenir son premier roman, *Impensable*. Il vivait et écrivait dans un minuscule deux-pièces sous les combles du quartier de Maida Vale, avec Millie qui vaquait sans bruit autour de lui, des envies de bébé dans l'air, heureux. Elle travaillait. Subvenait seule aux besoins du ménage.

« Écoute, le supplia Braden, tâche de ne pas tout faire foirer, OK ? Sois gentil avec ce gamin, je sais que tu peux le faire. Sors-lui tes anecdotes, ton charme à l'irlandaise.

– Je. Ne. Veux. Pas. De. Cette. Vie », asséna Kennedy en accompagnant chaque mot d'un coup de lame de son couteau sur la table.

Mais son visage s'éclaira soudain, à l'approche des serveurs qui annoncèrent : « Votre entrée, monsieur. » À la vue de la bouteille de chablis dont on lui montrait, pour approbation, l'étiquette humide et légèrement décollée par l'eau glacée du seau tandis qu'il finissait les dernières gouttes de son martini. À la vision de la fille à la beauté quasi pornographique qui officiait en tant que sommelière. « Le service est impeccable, ici », déclara-t-il en se penchant vers Braden, un sourire carnassier aux lèvres, avant de coincer sa serviette dans son col de chemise. « Carrément impeccable. » Son téléphone se remit à vibrer. Il l'ignora et transperça de sa fourchette la chair nacrée du premier couteau de mer long et fin posé dans son assiette. Comment éteignait-on le mode vibreur sur un portable ? Autant éteindre l'appareil, songea-t-il. Avec le risque de louper un coup de fil vraiment important, comme celui de Monica de Venice Beach. Ou de Katrina dans la Vallée ou de Pam de Coldwater Canyon.

Sa pique méprisante de tout à l'heure sur la facilité de la rime « Teal/deal » était venue du cœur. Car Kennedy Marr avait écrit de la poésie, jadis. Il connaissait le pouvoir envoûtant du distique nocturne écrit au whisky derrière une fenêtre glaciale donnant sur une rue mouillée. Il avait ressenti – certes rarement mais très distinctement – le plaisir de la strophe bien tournée, de l'univers latent esquissé en quelques lignes, son ADN codé et enroulé attendant d'être décortiqué afin que son sens puisse se développer à l'infini. Il y touchait encore un peu, de temps à autre… mais il n'avait plus le courage de s'y frotter. Pas assez endurci. Écrire de la poésie, aujourd'hui ? À l'heure d'Internet et de la VOD, de l'extension continue du tarmac des aéroports de Londres et de L.A., des animateurs radio vulgaires, des reality-shows et de la remise en jeu du jackpot ? Écrire de la *poésie* au milieu de ce bordel ? Il fallait de sacrées couilles. Kennedy n'avait déjà plus le courage d'écrire un roman, exercice qui nécessitait un tout autre genre de couilles. Pour ça, il fallait devenir un punching-ball et être suffisamment endurci pour encaisser tout ce qu'on vous balançait dans la tronche au fil des mois et des années. Il fallait de l'endurance. Pénétrer sur le ring et se tenir encore debout à la fin du dernier round. On ne venait même pas à bout d'un roman par K.-O. Ça se gagnait au point – avec de la chance. Or regardez-le aujourd'hui, les artères de son talent bouchées et ravagées par plus d'une décennie de filets de bœuf chateaubriand et de bouteilles de pinot, de talk-shows (« Oui, Jane/Mike, ce livre est très différent du précédent... »), d'avances sur droits d'auteur à sept chiffres et de tournées promotionnelles (« Oui, mec lambda de Kiel/de Turin/de l'Idaho, ce livre est très différent du précédent... »), par ces milliers d'heures passées dans des salles de réunion, des restaurants et des bureaux à écouter parler des *cons*.

À écouter des « Il faudrait accroître le capital sympathie du personnage ».

À écouter des « L'arc narratif est trop plat ».

Des « Où est la tension dramatique ? ».

Des « Stephen est 100 % OK pour faire le job ».

Hollywood était vraiment un endroit magique. Quand on a envie de fabriquer une nouvelle voiture, la logique voudrait qu'on s'adresse à un fabricant de voitures qui connaît son boulot depuis des années et qu'on le laisse faire son travail. Le contraire de la logique serait de demander au type de concevoir la voiture, puis de laisser une bande d'incapables critiquer et bousiller ses plans pendant des mois alors qu'ils n'ont jamais fabriqué une foutue bagnole de leur vie. Et qu'ils savent à peine *conduire*.

Sérieusement, se disait souvent Kennedy au cours de ces réunions interminables, autant demander à une équipe d'eunuques de fabriquer un sex-toy.

7

Renonçant au téléphone pour le moment, Patrick Marr termina la rédaction du court e-mail qu'il adressait à son frère, cliqua sur «Envoyer» et, par la fenêtre de son minuscule bureau – en réalité, un placard amélioré coincé sous l'escalier, étant donné qu'il avait dû abandonner son bureau à l'étage à la naissance du petit troisième il y a deux ans –, contempla le jardin balayé par le vent et la pluie. En plein jour, il aurait pu voir la mer d'Irlande au loin, ou même la tache d'un ferry fendant lentement les eaux vers Dublin, un peu plus au nord. Il aurait vu aussi les jouets qui jonchaient sa pelouse : la cage de foot en loques, le toboggan en plastique rouge et jaune, la piscine à demi dégonflée, installée au mois de mai lors d'un grand élan d'optimisme généré par deux ou trois jours de beau temps. Débordant à présent d'eau de pluie, bien sûr. L'été irlandais. Patrick entendit une porte se refermer dans le couloir et se leva pour aller voir.

Le Dr Bourke, à peine sorti de la salle à manger reconvertie temporairement en chambre à coucher – ou en chambre de malade, pour être plus précis –, vint à sa rencontre. «Comment va-t-elle, docteur ? demanda Patrick.

– Allons plutôt discuter dans la cuisine », répondit le médecin.

Quelques minutes plus tard, Patrick lui fit un signe de la main tandis qu'il s'éloignait en voiture. Anne, sa femme, descendit l'escalier avec un panier de linge. Il referma la porte de la maison et se tourna vers elle.

« Il semblerait qu'on retrouve bientôt la jouissance de notre salle à manger, déclara-t-il.

– Oh, chéri… » Anne posa son panier à terre et prit son mari dans ses bras. « Tu as réussi à joindre Kennedy ? » Elle le sentit secouer la tête contre sa nuque. « Quel imbécile, celui-là.

– Je viens de lui envoyer un e-mail. Je pense qu'on aura de ses nouvelles dans la matinée.

– Oui, et je te parie qu'il sera bourré », dit Anne. Pas vraiment la fan numéro un de son beau-frère. (Les épouses de ses amis et des membres de sa famille étaient rarement fans de lui – sauf celles avec lesquelles il couchait, bien sûr.)

« Sûrement », répondit Patrick en se fendant d'un sourire. Dans le salon, derrière lui, trônait une photo de son frère. En compagnie de Sean Penn, l'acteur. Ronds comme des queues de pelles.

Un tintement résonna depuis l'ex-salle à manger. Une ancienne clochette d'école, qu'il avait achetée pour elle au vide-greniers de Wicklow le mois dernier. « J'arrive, maman », soupira Patrick en repartant dans le couloir. *Inutile de lui en dire trop*, avait spécifié Bourke. *Il ne faut surtout pas l'effrayer.*

Anne regarda son mari s'éloigner et, comme souvent, se dit dans son for intérieur : *Tu es trop bon, Patrick Marr. Trop bon pour ton bien.*

8

Quelques miettes de tarte au citron dans son assiette, sirotant un fond de sauternes à vingt-trois dollars le verre, épais comme du sirop contre la toux, l'écrivain commençait à se sentir expansif dans les rayons obliques du soleil qui couraient à travers la salle. À 4 heures de l'après-midi, l'endroit dégageait cette ambiance aquatique propre aux digestifs prolongés. Le resto s'était transformé en sous-marin, en cloche de plongée. Kennedy était seul à table. Braden était sorti répondre à un appel ; son téléphone avait commencé à s'affoler vers la fin du repas. Tout comme celui de Kennedy, superbement ignoré au fond de la poche intérieure de sa veste. S'offrir une pause-déjeuner de deux heures était la norme pour un auteur. Pour un manager, à Hollywood, c'était l'équivalent d'un congé sans solde. Kennedy brandit son verre et murmura : « Aux amis absents. Qu'ils aillent se faire foutre. » Puis il le vida d'un trait. Avant de se commander un brandy. *Pour sûr, c'est sûrement pas comme ça que je t'ai élevé*, aurait dit sa mère.

Limerick dans les années 1970, 1980. Une époque rugueuse, lointaine, et un endroit à l'avenant. Une ville située suffisamment au sud pour être assimilée à la campagne, au monde rural, mais qui n'en demeurait pas moins un coin de monde difficile avec son lot de fous et de désespérés. Bien avant l'ère du « Tigre celtique » et de toutes ces conneries. Le désespoir, Kennedy l'avait connu lui aussi, pas au point de revendre de la drogue ou de braquer une banque avec un fusil, ni de foncer en bagnole dans la vitrine d'une station-service, comme certaines de ses connaissances l'avaient fait, mais assez pour se plonger dans les bouquins, histoire de se tirer de là le plus vite possible. Et pas pour aller étudier au Trinity College de Dublin, ce qui aurait *a priori* semblé le choix le plus évident. Kennedy avait besoin de mettre une mer entre lui et sa famille, la daronne, le paternel, Patrick et Geraldine. (Gerry la jolie. L'enfant du milieu. Déjà mal partie.) Il avait beau les aimer de tout son cœur, à dix-huit ans, sa famille lui faisait l'effet d'une paire de menottes en chair humaine. Ou disons, du troupeau de ses albatros personnels, agglutinés tous les soirs devant la télé. (*Penser à chercher le nom collectif de l'albatros*, songea-t-il.) Il avait besoin de sentir une masse terrestre différente sous ses pieds.

« *Je ne veux pas servir ce en quoi je ne crois plus, que cela s'appelle mon foyer, ma patrie ou mon Église. Et je veux essayer de m'exprimer, sous quelque forme d'existence ou d'art, aussi librement et aussi complètement que possible, en usant pour ma défense des seules armes que je m'autorise : le silence, l'exil et la ruse*[1]. »

Pour être tout à fait honnête envers le grand James J., ce n'était pas tout à fait aussi glorieux pour lui. Il sentait juste qu'il n'avait rien à faire là. Et aussi loin que remontaient ses souvenirs, ce sentiment l'avait toujours accompagné. Sa chambre dans la maison familiale minable au crépi granité, avec la lumière orange du lampadaire juste devant sa fenêtre. Quelqu'un avait forcément

---

1. Citation de *Portrait de l'artiste en jeune homme* de James Joyce, traduction Ludmila Savitzki révisée par Jacques Aubert, Gallimard, 2007.

loupé un truc quelque part. Il n'aurait jamais dû grandir là. Ce n'était pas sa place. Et il devait bien en avoir une ailleurs. Il avait traversé la mer d'Irlande, direction l'Écosse, pour étudier l'anglais au milieu des courettes gothiques de l'université de Glasgow, dans le quartier verdoyant du West End. C'était en 1987.

Une femme – séduisante, trente-cinq ans – passa d'un pas léger devant sa table et lui sourit. Il lui rendit la politesse et se mit à fredonner intérieurement une chanson des Pernice Brothers : *Yes, I feel the pull, but a major part of me is unavailable, what I had I gave, resist the urge to save me, I will not be saved*[1]. »

À l'autre bout de la salle, il vit revenir Braden, son téléphone à la main. « C'est le magazine *Variety*, murmura le manager en couvrant l'appareil d'une main. Ils sont au courant pour Julie, ils veulent que tu leur dises quelque chose.

– Oh, dieu du ciel…

– Le staff de Spengler est d'accord, mais tâche de faire simple et court, OK ? "Quel honneur de travailler avec elle, c'est une actrice formidable", tu vois le genre ?

– Simple et court. C'est tout moi, fit Kennedy en lui prenant son BlackBerry. Oui, allô ?

– Kennedy ? Bonjour. Ici Nathan Castle, de *Variety*. Alors. Julie Teal. Wow. Ça vous fait quel effet de l'avoir au casting du film ?

– Je suis ravi, Nathan. C'est une immense comédienne. » Kennedy se braqua un flingue imaginaire sous le menton. « J'ai hâte de… de voir ce qu'elle va faire du personnage que j'ai inventé. » Il fit semblant de presser la détente et rejeta la tête en arrière au moment où le serveur lui apportait son verre de Hennessy XO.

---

1. « Oui, je sens l'attirance, mais une part majeure de moi est indisponible, j'ai donné ce que j'avais, résiste à l'envie de me sauver, rien ne me sauvera. »

« Vous vous êtes déjà rencontrés ?

– Non, pas encore. Mais je n'ai entendu que des éloges à son propos. » *Par exemple, que c'est une pute cocaïnée dotée d'un QI d'huître qui, à ses débuts, n'aurait pas hésité à gang-banger une décharge entière de clodos pour décrocher un second rôle muet dans une pub pour des tampons hygiéniques.*

« Avec des stars comme Julie et Michael à l'affiche, le budget du film a dû grimper en flèche. Ça ne vous met pas un peu la pression ?

– Bah, vous savez, Nathan, je ne pense pas à ces choses-là. Peu m'importe que le budget soit de cinq ou quatre-vingts millions. Le boulot reste le même : offrir aux acteurs et aux réalisateurs le meilleur scénario possible. » Braden hocha la tête, satisfait, et leva le pouce en l'air tandis qu'il touillait son café. Kennedy mima une fellation sur un sexe énorme.

« Génial. C'est génial, répondit le journaliste. Vous avez la réputation d'être un auteur qui, comment dire... veille jalouse-ment au respect de son œuvre.

– Mmmm », fit Kennedy, sirotant enfin son cognac.

« Jalousement », hein, rien que ça. À ses yeux, lorsqu'un écri-vain chevronné, ayant de plus de vingt ans d'expérience dans l'art de la fiction, passait des mois à écrire ou à peaufiner un scénario, on pouvait quand même s'attendre à un résultat *légè-rement* meilleur que les pseudo-trouvailles improvisées en plein tournage d'un crétin d'acteur à peine sorti du lycée. Et pour ça, on vous accusait de « veiller jalousement » au respect de votre travail. Cette ville ! Cette putain de ville !

« Au vu des récentes déclarations chocs de Julie à propos du rôle des acteurs dans le processus créatif, seriez-vous disposé à réécrire le script pour coller davantage à sa vision du rôle ?

– Ah, et qu'a-t-elle dit ?

– Juste une seconde. » Il y eut des bruissements de papier à l'autre bout du fil. Kennedy visualisait Nathan Castle dans son box, à la rédaction de *Variety*, sur Wilshire. « Elle a déclaré... Voilà, j'y suis. "Bien sûr, les scénaristes sont essentiels, mais on n'accorde que trop rarement aux acteurs le crédit qu'ils méritent dans la création d'un personnage. Quel que soit le nom du scénariste, je finis toujours par écrire beaucoup de mes propres dialogues." »

Kennedy sentit ses doigts se crisper autour de son verre. « Elle a vraiment dit ça, cette petite... » À ces mots, Braden émit une succession de signaux d'alerte : non vigoureux de la tête, doigt passé en travers du cou, incitation gestuelle à raccrocher le téléphone. Kennedy éloigna le portable de son oreille et but son verre d'un trait. « Vous savez, poursuivit-il au prix d'un effort surhumain, je crois que les auteurs sont toujours heureux quand des... des acteurs de talent ont quelque chose à apporter à leur travail. » *Sale connasse nulle à chier.*

« OK. Génial. Tous mes vœux de succès. Scott Spengler, Julie Teal, Michael Curzon, Kennedy Marr... le destin du film semble assuré, non ?

– Bah, je ne crois pas au destin, Nathan. Disons que nous avons la chance d'avoir réuni une belle équipe autour de ce projet. Je ne sais pas si je mérite d'en faire partie, ajouta-t-il en riant.

– Génial. Super, Kennedy. Merci d'avoir pris le temps de répondre à mes questions.

– Oh, pas de problème. À votre service. » *Clic.* Kennedy raccrocha et jeta le BlackBerry sur la table.

« Tu as assuré, commenta Braden.

– Une belle équipe ? maugréa Kennedy. Belle équipe de cons, oui. Cette pétasse... »

Braden sourit et posa sa carte American Express professionnelle par-dessus l'addition. Le plastique vert pâle rappela à Kennedy les petites criques de la mer d'Irlande en été.

« C'est la rançon de la gloire, Kennedy.

– Pff... Merci pour le déjeuner, en tout cas.

– Tout le plaisir était pour moi. Écoute... Tu sais, cette histoire
de fisc ? Ils ne vont pas te lâcher. Le plan d'économies, ton roman
à finir, c'est ça, la réalité. Tu dois y réfléchir. Sérieusement.

– Ouais, ouais... »

Enfin dehors, sur le trottoir, il tira de longues bouffées sur
sa Marlboro pour clore le repas tout en attendant avec Braden
le retour des voituriers avec leurs bagnoles respectives. Il sortit
son téléphone de sa poche. Cinq appels en absence : deux en
provenance de Connie à Londres, un d'une certaine Saskia (qui
ça ?) et deux de son frère Patrick à Dublin. Connie passait sans
doute son coup de fil réglementaire d'agent (« *Hello darling, je
venais juste aux nouvelles. Tout va bien ?* » Venir aux nouvelles ?
se disait souvent Kennedy. Je ne suis pas une putain de chaîne
d'infos en continu), mais Patrick ? Il réfléchit un moment puis
vérifia la date sur la bulle en cristal de sa Rolex. On était le
premier. Ah, voilà. Tout s'expliquait. Cela signifiait qu'il devrait
également dire quelques mots à sa mère. Il les rappellerait plus
tard. Kennedy devait être pinté, *vraiment* pinté, pour s'adresser
à sa famille. Genre, du scotch à la place du sang dans les veines.
Bourré dans les grandes largeurs, quoi. Pas cette parodie de
gueule de bois au vin blanc, cette biture *light*.

9

Pendant que Kennedy Marr jurait ne pas croire au destin dans un restaurant de Beverly Hills, il était près de minuit dans le sud-ouest de Londres, à neuf mille kilomètres de là, quand le destin, justement, fit sonner un téléphone portable.

« C'est pas vrai », grommela Connie Blatt dans son lit. Elle venait de laisser glisser sur sa poitrine le manuscrit qu'elle était en train de lire et sur lequel elle s'était légèrement assoupie. Son iPhone pépiait et vibrait dans un tiroir près de la fenêtre. Elle croyait pourtant l'avoir éteint. Elle jeta un regard mauvais en direction du bruit. Mais lorsqu'on avait des enfants adolescents ou des parents âgés, on ne pouvait décemment plus ignorer un coup de fil à minuit, et c'est pourquoi Connie se leva péniblement pour traverser sa chambre, immense et glaciale. (En pur produit de la haute société britannique, habituée aux manoirs à la campagne et aux pensionnats chics, Connie tenait à ce qu'il fasse un froid de canard chez elle en toute saison.) Dehors, derrière les fenêtres de sa maison victorienne, un vent humide fouettait les arbres de Clapham Common. Connie s'empara de son téléphone et sentit son pouls s'accélérer en voyant s'afficher les mots « NUMÉRO PRIVÉ ». Était-ce la police ? Les urgences ? Elle fit glisser la barre en travers de l'écran pour décrocher.

« Allô ?

– Miss Blatt ?

– Oui ?

– Navré de vous déranger à une heure pareille. Je suis le professeur David Bell. Nous avons déjà eu le plaisir de nous rencontrer... lors d'une réception à la Royal Society of Arts, me semble-t-il ». L'accent était britannique, très bourgeois, huppé. Très semblable à celui de Connie. Mais l'homme semblait avoir un certain âge.

« Je... oui. Pardonnez-moi, quelle heure est-il ?

– Il est près de minuit. Je vous présente toutes mes excuses. Mais je tenais à vous annoncer la décision du comité le plus rapidement possible. »

Quel comité ? Quelle décision ? *Qui était ce type ?*

« Je vois, fit Connie, qui ne voyait rien du tout.

– De nos jours, avec Internet, la "Twittosphère" et toutes ces choses... » – elle l'entendit presque dessiner des guillemets en l'air avec ses doigts – « les nouvelles filtrent à toute vitesse et nous tenons toujours à informer le récipiendaire avant qu'il découvre la nouvelle par un autre biais.

– Certes, mais je ne suis pas sûre de...

– En outre, en ma qualité de président du comité, je dois m'assurer que le récipiendaire, n'est-ce pas... accepte le prix.

– Je suis navrée, professeur Bell, mais...

– Comme vous le savez, le prix n'est décerné qu'une fois tous les cinq ans, et nous venons de vivre le vote le plus serré de notre histoire. Mais je reste convaincu que nous avons pris la bonne décision, et... »

OK. Stop. Qui était ce vieux givré ?

« Professeur, pardonnez-moi, mais je vais être franche avec vous : j'ignore totalement de quoi il s'agit... De quel prix parlez-vous ? »

Silence. « Excusez-moi, je croyais l'avoir dit. Très chère, je vous parle du prix F. W. Bingham. Je suis président du jury !

– Oh, fit Connie. Je vois. » Le prix F. W. Bingh... N'était-ce pas ce prix littéraire qui... Nom de Dieu !

Six minutes plus tard, dont quatre passées à se répandre en remerciements auprès du professeur Bell, de tous ses collègues, de la fondation et même du squelette de l'estimé F. W. Bingham lui-même, Connie composait le numéro de Kennedy en se demandant de combien était le décalage horaire entre Londres et Los Angeles.

10

Conduire bourré à Hollywood. Si vous étiez un Blanc au volant d'une bagnole relativement correcte, vous n'aviez qu'une seule règle à respecter : éviter Sunset Boulevard le soir, du vendredi au dimanche inclus. À part ça, aucun problème. Kennedy avait donc un itinéraire *bis* pour rentrer chez lui depuis le Chateau Marmont : contourner l'hôtel par l'arrière, emprunter une série de rues secondaires et atterrir directement sur Franklin sans passer par l'artère interdite. Mais puisqu'on était lundi après-midi, il conduisait son Austin Martin avec une langueur alcoolisée le long du Strip, direction plein est, et passa devant les tours blanches du Chateau sur sa gauche. Il s'arrêta au feu qui régulait l'intersection avec Laurel et, tout en avalant une petite rasade fortifiante de la mignonnette de whisky qu'il venait de retrouver dans le montant de sa portière, contempla ses congénères automobilistes. Le couple dans la Bentley décapotable d'à côté. L'homme dans la BMW devant lui, en train d'aboyer dans son kit mains libres. La fille qui s'appliquait du gloss dans le rétroviseur de sa Mazda, juste derrière. Un peu plus loin devant, un bus rempli de Mexicains écrasés par la chaleur. (Sur le flanc du véhicule, en énorme, s'affichait le visage parfait et souriant de Julie Teal, chacune de ses dents de la taille d'un journal – pour une comédie dans laquelle elle avait joué il y a quelques mois, gros succès au box-office.) Bentley, Beamer, Mazda, bus et, pour finir, dernier élément logique de cette trajectoire vers le bas, moulinant des bras sur Sunset Strip : un piéton. Un *homme du dehors*.

Kennedy adorait cette expression. Il n'y avait qu'à L.A. qu'un SDF pouvait espérer décrocher un titre pareil. Comme si, parmi toutes les opportunités que l'existence lui avait offertes, il avait choisi de dormir sur le trottoir dans son pantalon trempé de pisse, par près de trente degrés. « Ouais, j'étais accepté à la fac de droit d'Harvard, mais j'ai préféré mener la vie de plein air des gens du dehors. »

Le spécimen en question était particulièrement beau, en plus. Noir, la quarantaine, c'est à dire grosso modo le même âge que Kennedy. De loin, il semblait porter un costume respectable agrémenté d'un nœud papillon. À bien y regarder, toutefois, son costume était en loques, élimé aux genoux, et sa chemise n'était plus qu'un formidable patchwork de taches. Il était du genre prolixe, visiblement, jacassant dans le vide, maudissant et invectivant les dieux, ses partenaires en affaires, ses ex-femmes ou tout autre responsable de sa déchéance, quelle que soit la raison qui l'avait fait atterrir ici, complètement taré, à L.A. Beaucoup des clochards de cette ville étaient des bavards, comme l'avait souvent observé Kennedy. À Londres, ils se contentaient d'une pancarte en carton et d'un regard abattu. Mais ici, il fallait qu'ils racontent leur vie en beuglant le long du Strip, de Silver Lake à Santa Monica, du lever du soleil jusqu'à la tombée de la nuit. Cet incroyable besoin de partager leur histoire. D'en faire un récit. Ils étaient peut-être tous scénaristes, après tout. D'ailleurs, de l'autre côté de la rue, Kennedy apercevait une ribambelle de futurs gens du dehors attablés chez Peet's Coffee & Tea, le nez rivé à leurs MacBook, en train de pondre des scénarios de *buddy movies*, de thrillers et de comédies romantiques ayant tous un point commun : personne n'en voudrait jamais. Le SDF avec son nœud papillon passa à côté de sa voiture et Kennedy lui tendit un billet de vingt par la vitre. L'homme le vit et s'approcha aussitôt. Il attrapa le billet sans un regard, sans même lui adresser le moindre signe de reconnaissance et sans interrompre une seconde le flot de son monologue. Impressionnant, songea Kennedy. Il donnait toujours de l'argent aux clochards, parfois même de très gros billets. « Tu sais pourquoi tu fais ça ? » lui avait un jour reproché l'une de ses ex-femmes, Millie ou Vicky, impossible de se souvenir laquelle – sans doute Vicky, car il était beaucoup plus pauvre du temps où il vivait avec Millie. « Non, pourquoi ? » avait-il répondu, docile. « C'est ton assurance-vie. Ton épargne, lui avait-elle répondu. Un investissement dans la bonté humaine. Parce que tu penses que tu finiras comme eux. » À bien y réfléchir, c'était du Millie tout craché.

Avait-il peur de finir à la rue ? Et plus encore depuis la réunion de ce matin ? (« C'est la réalité. C'est en train d'arriver. ») Oui, c'est vrai, Kennedy payait toujours sa tournée. Il ne disait jamais : « Voyageons en classe éco. » Il préférait régler l'addition tout seul plutôt que de se lancer dans des débats sans fin, genre « Qui n'a pas mangé de riz ? ». Non, plutôt se couper la bite et la jeter sur la table que de subir ça. Tout finirait par s'arranger. Braden adorait s'affoler pour rien. Il regarda autour de lui, admira la lumière du soleil. Les palmiers. Les voitures. Il aimait cet endroit. Il était fait pour vivre ici, et nulle part ailleurs. Il observa de nouveau le couple dans sa Bentley. La fille avait la trentaine, jolie, en jogging moulant, la poitrine saillante, sortie tout droit de la gym ou de son cours de yoga. Le conducteur, sans surprise, était bien plus âgé qu'elle : la cinquantaine bien tassée, le genre vieux requin cramé à la crinière argentée avec un début de calvitie et une Rolex en or au poignet.

Ces types-là, Kennedy les croisait partout dans Hollywood Hills. La bedaine proéminente, le cheveu poivre et sel, le front luisant d'une fine pellicule de sueur, ils se traînaient de leur villa jusqu'au carport pour s'asseoir au volant de leur grosse Fusillade, leur Sturmbucker ou leur Carrion vintage. Ils achetaient leurs steaks chez Bristol Farms sur Sunset Boulevard ou étudiaient d'un air pénétré la sélection de cigares chez Ivan's. Le plus souvent, ils étaient accompagnés d'une minette de vingt-six ans en short en jean et tee-shirt qui sautillait devant et remplissait son chariot d'endives et de salade verte. Mais aussi de radis, de graines de soja et de champagne.

Au moment des vacances, Kennedy prenait l'avion avec eux pour Hawaï. C'était des gens de son milieu. Il était l'un des leurs. Les filles étaient guillerettes et joyeuses, grisées par le rhum et le luxe de la première classe. (Et après tout, pourquoi pas, à vingt-six ans ? Avec si peu de dettes au compteur général ? Et un planning de souffrances comparable à de vagues griffonnages sur une serviette en papier ? Rien à voir avec le grand livre aux pages noircies d'encre qui viendrait plus tard, un véritable roman russe.) Les hommes ? Moins enthousiastes. Sourcils froncés, les yeux rivés sur leur exemplaire de *GQ*, leur écran d'ordinateur ou leur gros thriller. Les filles entamaient juste leur tour de manège : l'excitation en entendant le rail vibrer sous le siège, l'ascension vers le sommet, le cœur qui se décroche, l'ivresse du bleu tout autour. Les hommes, ces crapules de plus de cinquante ans, dévalaient déjà l'autre pente et abordaient avec fracas leur dernier virage. Et que faisait-on dans ce cas-là ?

On *criait*.

Ces hommes-là étaient tous coupables de crimes contre l'amour. Ils avaient péché, et ils en payaient désormais le prix. Dans de luxueuses suites d'hôtel, ils avaient hurlé des insanités et invoqué le nom du Christ entre les omoplates humides du même genre de filles que celles avec lesquelles ils parcouraient aujourd'hui les rayons des épiceries fines. Les photos de leurs femmes et de leurs enfants réduits à l'état de témoins muets sur les écrans de leurs iPhone et de leurs BlackBerry en mode silencieux, tandis qu'ils se livraient à des actes inavouables sur des draps de location. Ils avaient prétexté à leurs épouses des réunions et des plannings serrés alors que ces filles dormaient juste à côté d'eux, une fine couche de sperme séchée sur leurs flancs hâlés. Pendant le vol retour, confits dans le luxe de la business class, ils avaient effacé les messages compromettants, les e-mails et l'historique des appels, lissé leurs mensonges et leurs cheveux tout en matant les jambes de l'hôtesse.

Et l'amour s'était vengé. Ils avaient brisé le cœur des êtres qui leur faisaient confiance et voilà qu'ils se réveillaient au beau milieu de la nuit, dégoulinants de sueur et hurlant en plein cauchemar, pour n'entendre résonner que l'écho de leur cri dans leurs belles maisons vides. Plus d'épouse pour les attirer contre elle et murmurer « Chut, ce n'est qu'un mauvais rêve. Rendors-toi ». À présent, les seuls mots qu'ils entendaient prononcer par cette voix, cette voix qui leur parlait tout bas, jadis, pour les rassurer, étaient des chiffres et des échéances de paiements. Des dates de planning pour la garde des enfants. Des mots d'argent. Des mots de haine. Tout le contraire de l'amour.

Et enfin, quand la torture de la nuit s'achevait (*Oh, ces nuits !* songea Kennedy, *ces putains de nuits*), aucun enfant ne venait grimper sur leur lit dans la lueur laiteuse de l'aube. (Le drame ordinaire du divorcé quinqua qui ne voit pas ses enfants tous les jours. Mais qui est incapable de se sortir leurs visages de la tête. Comment gérer de telles pensées ? « *Il n'y a rien à faire lorsqu'on a de telles pensées* » de Kingsley (Amis) le père, à Martin (Amis) le fils. « *On peut juste espérer coexister avec elles. Elles ne vous quittent jamais. Elles vous accompagnent partout.* ») Plus de petites jambes potelées ou de petits bras tout chauds étalés en travers de leur torse au réveil. Rien que ce poids. Le poids de la lucidité : la fin était proche, le planning de souffrances serait bientôt validé et les zéros s'amoncelaient dans la colonne des débits. Ils avaient péché contre l'amour, ces vieux salopards. Avec des gamines de vingt-six ans. Ils s'imaginaient quoi ? Que l'amour allait tout encaisser sans broncher ? Bien se caler dans son fauteuil en mâchonnant son chewing-gum et en disant « T'inquiète pas, mon pote » ? Que dalle, oui. L'amour s'en prenait à eux la nuit et leur ôtait toute virilité. Il leur faisait se remémorer les Noëls d'autrefois pendant qu'ils salissaient leurs draps pure soie. Il les faisait se réveiller au bord des larmes, se lever de leur lit humide et tituber d'un air morne jusqu'au rez-de-chaussée où le seul bruit qui les accueillait était le goutte-à-goutte de la cafetière automatique. Avec peut-être, certains jours, le vrombissement de l'aspirateur assorti du « *ola* » de la femme de ménage. Ils bravaient l'arroseur de la pelouse pour aller récupérer leur courrier et leurs journaux et, dans leur dos, à l'intérieur de leurs grandes maisons, leurs affaires restaient tristement échouées à l'endroit où ils les avaient jetées la veille au soir. Le ruban solitaire de la chaussette noire abandonnée par terre dans la chambre. Le verre d'eau poussiéreuse.

Kennedy observa le couple dans la Bentley et récita intérieurement :

> *Viens, mon aimée,*
> *Festoyer au bord de l'abîme,*
> *Oublieux du vide tandis qu'en bas, légions noires,*
> *Des oiseaux aveugles lentement et atrocement tournoient.*

Plutôt content de lui et de son utilisation des adverbes, Kennedy remarqua, au moment où le feu passait au vert, que la fille portait des lunettes. Il n'était pas peu fier de la résonance particulière que des lecteurs britanniques auraient relevée dans le dernier vers.

11

L e Dr Dennis Drummond (auteur de la thèse *Vecteurs du pouvoir : les poètes romantiques, une construction politique*, université de Manchester, 1989), responsable du département d'anglais de l'université de Deeping et professeur de théorie critique marxiste, s'empara du téléphone qui sonnait sur sa table de nuit, faisant tomber au passage le mémoire d'étudiant qu'il était en train de corriger. (Et de corriger salement. Ce petit avait encore beaucoup à apprendre, tout empêtré qu'il était dans des notions de valeur narrative dignes du XIXe siècle.) Drummond avait quarante-sept ans, le cheveu rare et filasse, aussi fin qu'un mémoire d'étudiant de licence. De l'autre côté du lit, sa femme dormait du sommeil nerveux, tendu de quelqu'un qui n'a pas été baisé depuis très longtemps.

« Allô ?

– Bonjour, Dennis. C'est Amanda.

– Amanda. Merci de m'appeler.

– Vous m'aviez dit que je pouvais, à n'importe quelle heure, même tard.

– Ne vous inquiétez pas pour ça. » Ils se connaissaient depuis le début du nouveau millénaire ; tous deux avaient participé à un débat à l'université de Loughborough intitulé « Le fascisme intra-textuel : Defoe, Dickens, Lawrence et le maintien de l'hégémonie culturelle de 1720 à 1930 ». À la fin de l'après-midi, après avoir déclaré que tous ces auteurs étaient des violeurs impérialistes et décatis, ils avaient quitté la conférence avec un sourire satisfait et s'étaient offert un frugal déjeuner végétalien. Amanda Costello était le genre d'auteur qui commençait chacun de ses romans par des introductions telles que : « *Écrivant du point de vue d'une femme cisgenre et hétérosexuelle issue des classes moyennes et dont le style de vie petit-bourgeois est susceptible d'être influencé par des facteurs très éloignés de l'expérience quotidienne des minorités engagées dans la lutte...* » Drummond appréciait particulièrement sa prose. Si tant est qu'« apprécier » soit le terme exact. Disons qu'à ses yeux, elle abordait en profondeur toutes les questions politiques délicates en choisissant de poser clairement les bases du sujet plutôt qu'en prenant de haut le lecteur avec des notions aussi archaïques et vieux jeu en une phrase intéressante et bien tournée. C'était une jusqu'au-boutiste qui remettait sans cesse ses prérogatives en question. « Je vous écoute », poursuivit Drummond.

Elle lui annonça la nouvelle. Drummond en fut saisi de dégoût. Presque au point d'avoir un malaise.

Ils passèrent les quelques minutes suivantes à exprimer leur indignation partagée, répétant plusieurs fois les mots « honteux », « scandaleux » et « invraisemblable ».

« Ton supérieur, le professeur Lyons, était absolument ravi, fit Amanda.

– Oh, ce vieux fossile, maugréa Drummond. Ça fait un moment qu'il sucre les fraises, celui-là.

– Vive le monde universitaire d'aujourd'hui ! » Elle soupira. « C'est un peu comme s'ils avaient choisi quelqu'un de... Je ne sais plus le nom. Ce truc, là. Dans la jungle. Bref.

– Bien. Merci de m'avoir prévenu, en tout cas. » La jungle ?
Quel « truc » dans la jungle ? Faisait-elle allusion à ce récent
recueil d'inédits de Lévi-Strauss ? « Comme on dit, un homme
averti...

– Mon pauvre. Cet horrible étron misogyne dans ton département pendant une année entière !

– Mmm. On verra bien, conclut Drummond. Encore merci.
Bonne nuit, Amanda. »

Il raccrocha et éteignit la lumière. Étendu dans son lit, les
yeux grands ouverts dans le noir en direction du plafond de cette
maison qui était devenue, depuis longtemps déjà, bien trop petite
pour sa famille, Drummond sentit son cœur se serrer. Pourquoi
ce type-là et pas un autre ? Il aurait préféré n'importe qui, absolument n'importe qui, plutôt que ce... ce *gangster capitaliste*.

12

Il tourna à gauche, direction La Brea, traversa Hollywood Boulevard, passa devant chez Ivan's où il achetait toujours ses clopes et ses cigares (fumer comme un pompier était une activité bon marché, ici : cinquante dollars la cartouche de Marlboro Lights ? Ça vous faisait le paquet à un peu plus de trois livres sterling, contre neuf à Londres. Pas facile de trouver des cigares cubains, en revanche ; il se contentait d'imitations honduriennes). Puis il tourna à droite sur Franklin et, enfin, une dernière fois à gauche pour s'engager sur Hillcrest, à l'assaut des collines d'Hollywood Hills.

Il se gara sur son emplacement de parking personnel et ouvrit le portail d'entrée pour découvrir – comme il l'avait espéré – que les activités de la journée touchaient à leur fin : au bord de la piscine à débordement en mosaïque verte, Raoul remballait ses produits chimiques et son épuisette télescopique ; Hector, le jardinier, chassait les dernières feuilles et brindilles du patio à l'aide d'une souffleuse manuelle ; Maria et Selina, les femmes de ménage, venaient à sa rencontre en traînant de gros sacs-poubelle à travers la pelouse, leur ultime tâche de la journée.

« Bonsoir, tout le monde ! lança Kennedy à la cantonade.

– *Hola*, Mr Kennedy ! lui répondit en chœur le quatuor.

– Mr 'Ennedy ? » C'était Raoul, toujours engagé dans sa croisade discrète contre les consonnes. Kennedy ôta ses Ray-Ban

Clubmaster, desserra son nœud de cravate et le rejoignit près du bassin. « Y' ai mis un nouveau 'roduit 'imique dans le ya'uzzi. » Il sortit le filtre de l'eau. « Ça devrait être bon, maintenant, mais si y' étais vous, y' attendrais deux heures avant d'aller dedans. » Le Jacuzzi à huit places se trouvait à l'extrémité de la piscine, légèrement en hauteur. Derrière, en contrebas, on apercevait le quartier de Downtown ondoyer dans le smog. Kennedy longea le bassin pour jeter un œil au Jacuzzi. L'eau bouillonnait, moussait, et semblait nettement plus propre que lorsqu'il était parti ce matin. « Merci, Raoul.

– Yé 'rois qué le 'roblème, c'était... »

Kennedy fit alors ce qu'il faisait chaque fois que quelqu'un se lançait dans ce genre d'explications : il pensait à quelque chose d'agréable et de joyeux. Chaque fois qu'un plombier commençait à lui raconter ce qui bouchait la canalisation, un électricien, comment il avait résolu tel problème de circuit, ou que n'importe qui d'autre tentait de lui révéler comment l'homme pouvait intervenir sur le monde physique, il cessait d'écouter. Les mots se fondaient en un plaisant brouhaha, tel un bruit de ressac chatouillant son oreille, tandis qu'il ponctuait le discours de son interlocuteur de « Ah oui », de « Hmm » et de « Je vois » jusqu'à ce que ce dernier se taise ou s'en aille. Qu'avaient-ils tous, ces cow-boys de la mécanique, ces adorateurs de la réalité, avec leur manie de vouloir lui expliquer le fonctionnement des choses, avec leurs oraisons funèbres à la mémoire du joint d'étanchéité du frigo, du collecteur ou de la pompe à fuel, avec leurs diatribes à l'encontre des gouttières et des tuiles du toit ?

Rien que de penser au nombre d'heures perdues à écouter ces inepties... Est-ce qu'on ne pouvait pas lui foutre la paix ?

C'était comme quand Millie – ou plus tard Vicky, et plus récemment, l'une des Samantha, des Christine ou des Laura qui duraient un peu plus d'un jour ou deux – se mettait en tête de lui raconter sa journée, généralement sur les coups de 18 heures, alors même que Kennedy était dans la cuisine, sur le point de se livrer à son rituel sacré : gin, vermouth, glaçons et olive dans un verre à pied givré. Commençait alors un long monologue détaillant qui avait dit quoi à qui. Au bout de quelques phrases, Kennedy ne percevait déjà plus qu'un bruit blanc, le clapotis des vagues sur la plage de sable de son cerveau. *Pourquoi est-ce tu me racontes tout ça ?* Imagine, songeait-il. Imagine que toi, tu éprouves le besoin de raconter ta journée à quelqu'un. N'empêche, il fallait bien respecter certaines conventions immuables de la vie au quotidien. « Hmm », « Oui », « Je vois », disait-il alors.

« Vous 'omprenez ? » lui demanda soudain Raoul, au bord de la piscine, dans le jour déclinant, et Kennedy comprit qu'on attendait une réponse de sa part. Et que le silence s'était installé. Hector venait d'éteindre sa souffleuse et rangeait son matériel.

« Ouais, dit-il. Bien vu. Bon travail. Merci beaucoup, Raoul. À la semaine prochaine, hein ? »

L'employé hocha la tête, satisfait, ramassa sa boîte à outils et se dirigea vers la sortie avec Hector. Le claquement métallique du portail retentit derrière eux et Kennedy se retrouva enfin seul dans son jardin, avec pour seuls bruits le glouglou du Jacuzzi et le lointain bourdonnement d'un hélicoptère au-dessus de la route 101.

Il franchit la porte d'entrée, qui donnait directement sur l'immense salle de séjour. Quelques marches permettaient de descendre dans ce qu'on appelait le carré *lounge* : deux canapés longs et profonds disposés autour d'une table basse en verre et entourés d'étagères de livres, avec un écran plasma multi-positions fixé au mur, juste au-dessus de la cheminée qui surplombait l'ensemble. Kennedy longea le carré, traversa la pièce en faisant craquer le parquet et passa sous la voûte qui séparait le salon de la cuisine, une autre salle démesurée avec un îlot central entièrement équipé chez Viking. Des casseroles en cuivre et une batterie de cuisine Le Creuset étaient suspendues au-dessus. Du matériel de pro, même si, cela va sans dire, les talents culinaires de Kennedy s'exerçaient ailleurs. Dans sa faculté à abaisser le levier du grille-pain Dualit. À utiliser la fonction numérotation rapide de son téléphone pour réserver un resto. À décrocher une table à la dernière minute alors que le service était déjà complet. À glisser le billet de vingt ou de cinquante dollars flambant neuf dans la paume du chef de salle ou dans la poche poitrine du maître d'hôtel préféré. À poser son épaisse et étincelante carte de crédit sur le long serpentin de papier d'une addition à la fin du repas.

Kennedy jeta ses clés de voiture sur le plan de travail et poursuivit son chemin. Il sortit de la cuisine, passa sous une autre voûte et longea un couloir. La porte à sa gauche donnait sur un deuxième salon, équipé, celui-ci, d'une table de billard recouverte d'un tapis doré et d'un bar au fond. Les affiches promotionnelles des romans ou des films qu'il avait écrits recouvraient les murs. Sur sa droite, une autre porte donnait sur la salle à manger, avec sa longue table en chêne capable d'accueillir quatorze convives. Kennedy fila jusqu'au bout du couloir et monta l'escalier.

Au premier se trouvait la partie de la maison qu'il habitait réellement, à savoir une enfilade de trois pièces comportant son bureau, une salle de bains et sa chambre à coucher. Il pénétra dans son bureau, strictement interdit d'accès aux femmes de ménage.

(Trop de bouts de papier, de serviettes jetables, d'enveloppes et de pochettes d'allumettes recouverts de ses pattes de mouche illisibles avaient disparu.) La pièce était spacieuse – disons six mètres de long sur cinq de large –, de larges baies vitrées ouvraient sur un balcon surplombant le jardin et la piscine.

Dans un coin, un sofa et deux gros fauteuils. Il y avait en réalité deux bureaux dans la pièce : au centre, une grande table faisait face au mur du fond. C'était l'espace de travail de Kennedy. Son iMac trônait au milieu, énorme et dominateur. Le disque dur, les ouvrages de référence, les piles de scénarios et les romans dont ils s'inspiraient gisaient en tas désordonnés autour de l'écran vingt-huit pouces. Sur la gauche, un tableau en liège fixé au mur était recouvert de Post-it et de petites fiches cartonnées : plans, structure des scènes. Un sachet en plastique transparent conte-nant des pièces de monnaie était punaisé dans le coin inférieur gauche du panneau. Le second bureau, plus petit, et installé à l'autre bout de la pièce, croulait sous une montagne de courrier, déjà lu ou toujours pas ouvert. Lettres et livres envoyés par de jeunes éditeurs quémandant une petite phrase promotionnelle de sa part. Invitations à des réceptions, des soirées de lancement, des lectures, des conférences, des symposiums, des retraites et des conventions. Relevés de royalties émanant de ses agents. Juste au-dessus du bureau, sur le mur, un immense cadre en verre exposait quinze feuilles au format A4 alignées en trois rangées de cinq : les lettres de refus qu'il avait reçues pour *Impensable*, toutes envoyées pendant l'hiver 1995. HarperCollins, Jonathan Cape, Faber, Penguin, John Murray, Canongate, Picador, Fourth Estate... et consorts. L'autre aiguillon qu'il employait pour se motiver tenait en une simple phrase, imprimée en Courier Bold – sa police de caractères préférée – sur un morceau de papier scotché au bas de son iMac, par-dessus le logo d'Apple. C'était une citation de James Joyce, qui, il y a bien longtemps, dans son enfer étudiant de Glasgow ou dans le coin bureau de sa minuscule chambre à coucher de Maida Vale, était déjà scotchée sur son premier portable Olivetti, puis sur son Amstrad en plastique gris. Elle disait :

ÉCRIS-LE, NOM DE DIEU. QUE SAIS-TU FAIRE D'AUTRE ?

Il savait que d'autres préféraient des citations différentes. Certains écrivains aimaient particulièrement celle d'Iris Murdoch « Chaque livre est le naufrage d'une bonne idée gaspillée ». C'était à la fois très bien trouvé, et très juste – les os blanchis du roman publié devenaient le squelette d'un monstre colossal dont la véritable identité n'était connue que d'une seule personne... et encore, cette personne se contentait de n'y jeter qu'un regard de temps à autre tandis que le monstre disparaissait à nouveau dans la jungle épaisse où on était venu le traquer – mais Kennedy trouvait qu'il manquait à cette citation la niaque, l'énergie et l'injonction brutale de son illustre compatriote.

Il gagna sa chambre en traînant les pieds et découvrit, Dieu merci, que toutes les traces du carnage de samedi soir avaient été effacées par les employées de ménage. Que trouvait-on, chez les femmes célibataires ? Des frigos remplis. Un intérieur propre. Des factures payées. Des vêtements repassés, bien pliés et rangés dans leurs tiroirs. Mais chez les hommes ? À moins de faire comme Kennedy et de payer des gens pour régler le problème à votre place, le chaos régnait en maître. Une porcherie. Des tee-shirts et des bas de pyjamas bouchonnés au fond du lit, passant peu à peu du stade de vêtements de nuit à celui de haillons couverts de sperme, avant de relever carrément de l'expérience scientifique. Sur une étagère, des lettres de sommation de paiement avant poursuites côtoyaient une boîte en carton radioactive ayant contenu de la nourriture chinoise à emporter et un pot de moutarde. Si seulement, songea-t-il pour la énième fois, si seulement ses employées pouvaient également faire le ménage dans sa tête ! Voilà ce dont son cerveau avait besoin : de personnel d'entretien.

Il ôta sa chemise (pourquoi portait-il des chemises blanches ? pourquoi pas plutôt un veston ramasse-miettes en Velcro ?), regagna son bureau et sa table de travail, fit courir sa main sur son clavier, respira bien à fond et cliqua sur l'icône « Agenda » de la barre d'outils. Sa semaine entière affichée sur l'écran : le rituel immuable et redouté du lundi.

L'agenda et le téléphone n'étaient rien d'autre à ses yeux que des instruments de torture très efficaces. Quand vous étiez aspirant écrivain et fauché, comme tout écrivain confirmé l'avait été un jour (derrière le cadre en verre, juste devant lui, ces mots : « ... *bien qu'*Impensable *soit un roman prometteur, nous craignons que dans le contexte commercial actuel...* »), vous regardiez fixement votre... à vrai dire, Kennedy n'avait pas d'agenda en ce temps-là, mais en imaginant qu'il en ait possédé un, celui-ci serait resté vierge, peut-être piqueté ici ou là de mots comme « lessive » ou « appeler maman », bref, en tout cas, vous regardiez fixement votre téléphone en priant pour qu'il sonne et que quelqu'un vous propose un contrat, un boulot, *n'importe quoi*. Une fois, Kennedy avait improvisé une danse de la joie dans la cuisine de Maida Vale, grande comme un placard à balais, parce que le rédac chef de *Time Out* lui avait passé commande d'une chronique d'une centaine de mots sur le film *Die Hard 3*. Il se rappelait encore la frénésie avec laquelle – deux mois après le coup de fil, peut-être – il avait déchiré l'enveloppe contenant son chèque. Dix-huit livres sterling. Sa mémoire s'efforçait toujours d'inventer le souvenir du truc sympa qu'il avait offert à Millie avec cet argent. En réalité, la somme avait aussitôt été absorbée par les agios, tel un petit caillou jeté dans les chutes du Niagara. Aujourd'hui, quand le téléphone sonnait (et à ce propos, il entendait – à nouveau – retentir les piaillements lointains de son iPhone, resté dans la chambre), les premiers mots qui lui venaient à l'esprit étaient : « Oh, quoi encore ? » (Même chose, analysa-t-il, avec certains individus ou organismes dont la place évoluait peu à peu dans votre vie : par exemple, le banquier, qui passait du statut de figure terrifiante et haïe à… rien du tout. Une non-entité. Son rôle, toutefois, était brillamment repris par les services des Impôts. Merci, la Vie, de toujours t'arranger pour qu'on ne soit jamais à court de Némésis.)

Il regarda la page affichée en caractères d'une grosseur obscène sur le gigantesque écran de l'iMac. En ce moment, son agenda était géré par Stephanie, l'une des assistantes de Braden, une ravissante diplômée en cinéma que Kennedy savait charmer en entonnant *Stephanie Says* du Velvet Underground chaque fois qu'il la voyait. Il l'avait aussi fait pleurer plus d'une fois. Essentiellement parce que, phénomène troublant, elle s'obstinait à se raccrocher à ce concept éculé qui veut que l'on respecte toujours ses engagements.

Menaçant, cet écran. Beaucoup de texte en bleu, synonyme de « réunions ». Une quantité non moins inquiétante de rendez-vous notés en orange, autrement dit les mondanités. Ce code couleur avait été choisi arbitrairement par Nancy, l'assistante précédente. (Nancy ? Oui. Fait.) Son regard survola l'écran, saisissant des mots terribles au hasard : *Projection. Générale. Apéro. Pitch. Dîner. Interview. Warner Bros. Dîner d'anniversaire de Charlie.* (Au nom de l'anus de Satan, qui diable était Charlie ?) *Déjeuner. Réunion. Fox. Petit-déjeuner.* (« Petit-déjeuner » ? Ben voyons. Kennedy s'autorisa un petit éclat de rire sans joie. Il devait avoir fumé la putain de moquette pour accepter un truc pareil.) *Pitch. Apéro. Générale.*

La « réunion générale ». Dans le jargon de studio, ça voulait dire jacasser pour rien, puisqu'il n'en ressortait jamais rien au final. Vous y alliez et on vous disait : « Bonjour, mon nom est Steve Ducon, vice-président de Mes Couilles, et voici Barbara Connasse, directrice de Mes Fesses Sur La Commode et Cie. On adore ce que vous faites. Dites, vous travaillez sur quoi, en ce moment ? » Alors vous leur répondiez, et ils s'exclamaient : « Oh, wow. Génial. Il faut absolument qu'on bosse ensemble. » Après quoi, le plus souvent, vous n'entendiez plus jamais parler d'eux. Le « pitch », à présent. Vous entriez, on vous disait : « Bonjour, mon nom est Helen Pouffe, directrice de Foutage-de-Gueule Inc., et voici Kevin Fion, vice-président d'Astrologie. Parlez-nous de votre projet. » Alors vous leur racontiez en détail le film que vous aviez envie d'écrire, depuis le plan d'ouverture jusqu'au fondu au noir final, et ils s'exclamaient : « Wow. Ça a l'air super. On revient vers vous pour en discuter », après quoi, le plus souvent, vous n'entendiez plus jamais parler d'eux non plus. Même si, dans le cas de Kennedy, le contraire se produisait suffisamment souvent pour lui garantir un afflux régulier d'autres réunions et de chèques.

Pourquoi ? Pourquoi devait-il subir ces corvées ? Parce que, en réalité, *tout* lui était une corvée. Enfin, pas tout à fait. Ce que Kennedy aimait, c'était travailler, manger et boire des verres avec des gens qu'il connaissait bien, dans des bars et des restaurants situés à un quart d'heure de bagnole maximum de chez lui. Et pourtant, il allait se retrouver à traverser l'agglomération de Los Angeles pour aller casser la croûte – enfin, le sashimi, le filet mignon ou la putain de mamelle d'autruche frite dans du sperme de poisson-globe – avec… avec… un connard prénommé Charlie? Oh, ça s'annonçait mal. Ouais. Très mal.

Paramount. Générale. HBO. Pitch.

Soudain, il tomba sur ces mots qui lui glacèrent le sang :

19 h 30. Saskia Kram : lecture de poésie, Downtown.

Qui était cette Saskia Kram? L'événement était noté pour demain soir. Ça ne pouvait pas arriver. Le centre ne pouvait plus tenir[1]. T'entends ça, le fauconnier? Le faucon vient de brancher son iPod et de lancer un bon gros son de drum and bass pour que tout le monde en profite. *Lecture de poésie?* Kennedy aimait la poésie comme n'importe quel adulte sain d'esprit : chez lui, seul, tard le soir, lové contre une bouteille de whisky, un recueil de Yeats ou de Larkin posé sur les genoux et le visage noyé de larmes, à sangloter sur l'échec de sa vie. Se rendre à une *soirée* poésie? Rester assis dans une pièce sans rien boire, bêtement sobre, à écouter… heu… Saskia Kram (merde, mais qui ça?) déclamer ses vers devant un parterre d'imbéciles? Seul un malade mental ferait une chose pareille. Pourquoi pas aller au théâtre, tant qu'on y était. C'était inimaginable. *Impensable.*

---

1. Allusion à ces vers célèbres de *The Second Coming*, l'un des poèmes les plus connus de William Butler Yeats : « *The falcon cannot hear the falconer / Things fall apart; the center cannot hold.* » (Le faucon n'entend plus le fauconnier / Tout se disloque, le centre ne peut tenir.) Traduction Yves Bonnefoy, « Quarante-cinq poèmes », Gallimard/NRF, 1993.

Kennedy mit son téléphone sur haut-parleur et enfonça furieusement la touche « numérotation rapide ».

« Bonjour, agence Childs and...

– Stephanie, ici Kennedy.

– Oh, bonjour ! J'allais justement vous appeler pour...

– Qu'est-ce que c'est que ces conneries de soirée poésie de mes deux ?

– Ah, désol...

– Saskia Kram ? Qui est-ce, nom de...

– Oh, elle est fa-bu-leuse ! Une seconde, j'ouvre votre agenda...

– Annulez-moi ça. Annulez-moi ça. *Annulez-moi ça.*

– Ah, ça y est. J'y suis. Heu... Kennedy ? C'est vous qui m'avez demandé de le noter dans votre agenda. Ça fait un moment, même.

– Je devais être perché. Meth. Coke. Annulez. » Il chantonna le dernier mot avec une voix de soprano flûtée.

« Vous êtes censé la présenter au public. C'est à la librairie Barnstaples, dans le centre-ville.

– A.N.N.U.L.E.Z.

– Si vous pouviez...

– Négatif.

– Kennedy, si...

– Qu'elle aille au diable avec ses strophes de merde !

– Kennedy, si vous regardiez sa photo sur Google, je crois que vous... »

Il était déjà en train de taper son nom dans la fenêtre de recherche.

« Elle vient de publier un recueil intitulé *Arbres*, une série de poèmes ayant pour toile de fond le... »

Elle venait d'apparaître, en énorme, sur l'écran de Kennedy. Et à l'instant où il découvrit son visage, tout lui revint. Parce que

Saskia Kram était... Comment dire... Aucun poète ne... aucun poète ne ressemblait à *ça*, d'habitude. À la vue des longs cheveux blonds qui encadraient ses pommettes, des pommettes, ah, aiguisées comme des couteaux de mer, en plongeant son regard dans le bleu de ses yeux ourlés de longs cils noircis de khôl, en s'attardant sur son expression timide, ses lèvres légèrement entrouvertes, Kennedy se souvint : ce dîner, un soir, chez son éditeur de poche américain à Pacific Palisades. Saskia Kram était assise à côté de lui. Absolument fan de ses livres. La discussion avait porté sur le lancement de son nouveau recueil de poèmes, ici à L.A., deux mois plus tard. Ce serait un honneur pour elle qu'il présente la soirée. Et avec quelle bonhomie enjouée – carrément ivre mort – il avait accepté. (La remémoration déclencha un double frisson d'horreur : 1/ il avait forcément dû la draguer ce soir-là. Que s'était-il passé ? Et 2/ son éditeur à elle avait dû lui envoyer une exemplaire du recueil. Son regard balaya la pièce et s'arrêta sur la montagne chancelante de lettres ouvertes ou pas contenant manuscrits et épreuves reliées.)

Pendant ce temps, Stephanie continuait à parler. « ... *New York Times* dit de son travail qu'il "redéfinit la notion de féminisme, en tout cas ce que cela signifie d'être une femme à cette charnière historique". » Ben dis donc. Une poétesse féministe. Millie devait sûrement la connaître. Millie, l'universitaire.

« Oui. Ça me revient. Désolé, Steph. J'y serai.

– Vous regardez sa photo, je parie ? » Il entendit son sourire. Il l'ignora.

« Est-ce qu'ils m'enverront une voiture ?

– Kennedy... c'est une soirée poésie dans une librairie indépendante. Je vous réserverai une voiture par le biais de votre compagnie préférée, si vous voulez.

– OK. Parfait. Mais pas chez Lincoln Town Car, d'accord ? Ces idiots m'ont envoyé une limousine longue la dernière fois. Je me serais cru à un enterrement de vie de jeune fille. » *Pour sûr, c'est sûrement pas comme ça que je t'ai élevé.* « Désolé pour tous les gros mots que je vous ai dits tout à l'heure.

– Ça ne fait rien. Au fait, pendant que je vous tiens, pour le dîner avec Michael Curzon... Jeudi, ça vous irait ?

– Oh, Seigneur.

– Braden a dit...

– Ouais, ouais. Je sais. Passage obligé. On ne pourrait pas juste prendre un verre ?

– Star de ciné vouloir dîner au restaurant avec charmant écrivain irlandais.

– Et merde. OK, OK...

– Il souhaite aller chez Chav. Près d'Hollywood Boulevard.

– Oh non... Est-ce qu'on ne pourrait pas plutôt aller chez Animal ?

– Star de ciné manger végétarien.

– Ces empaffés. Le Chateau, alors.

– Star de ciné vouloir Chav. Chav branché.

– OK, je m'incline. Nom de...

– C'est noté. Jeudi, 20 heures Amusez-vous bien.

– Je vis un enfer, Stephanie. Je vis *en* enfer.

– Haut les cœurs, Kennedy. Bisous, bisous ! Oh, et tous mes vœux de bonheur avec Saskia demain soir !

– Oh, hein, ça va avec vos vœux. Vous savez où vous pouvez vous les mettre », répondit Kennedy – mais avec tendresse. « Au fait, Steph ? Vous êtes toujours là ?

– Mmmm ?

– J'ai besoin d'un nouvel ordinateur portable.

– Encore ?

– Oui, j'ai… renversé mon verre sur le clavier. »

Soupir théâtral à l'autre bout du fil. « Vous consommez les portables comme la plupart des écrivains normaux consomment du papier, vous savez.

– Oui, oui. »

Il raccrocha et contempla avec révérence le visage de Saskia Kram pendant quelques instants (notant pour plus tard dans un coin de sa tête de rechercher d'autres photos de la célèbre poétesse féministe sur Google à des fins purement masturbatoires). Puis, sans réfléchir, il ouvrit d'un clic sa boîte mail. Horreur – pire que la scène finale d'un film d'épouvante. Du sang, des viscères et des cris. Un sinistre mur de mots, en gras et en noir, un écran entier de messages non lus. Kennedy avait un principe : il fallait lui écrire trois fois avant qu'il considère que le sujet était suffisamment urgent pour mériter une réponse. Autrefois, c'était deux. Parmi les multirécidivistes du jour, son frère (objet du message : « Maman ») et Connie Blatt (*trois* e-mails en l'espace de vingt-quatre heures : « Appelle-moi », « Appelle-moi ! » et « APPELLE-MOI ! »). Sur la messagerie vocale de son téléphone, il effaça deux nouveaux messages de Vicky (le Warhol, le plafond de sa carte de crédit) et écouta le dernier en date, laissé par Connie. Il commençait, comme toujours avec elle, par quelques secondes de silence. De grésillements statiques. Un bruit de fond de poche, suivi d'un long « Aaah, heu… » – ça, c'était Connie tentant de se souvenir qui elle était en train d'appeler – « Oui, bonjour, heu… Kennedy, darling ! C'est Connie. Écoute, mmm… » – il y eut une pause, elle couvrait son téléphone d'une main pour s'adresser à quelqu'un d'autre, un chien ou une assistante – « … Oui, il s'est passé quelque chose d'assez, comment dire, incroyable, dont il faut absolument que je te parle. Ne crains rien : c'est une excellente nouvelle. Potentiellement. Bref… » – autre série de « ah », de « heu » et de « mmm » – « … rappelle-moi dès que tu auras ce message, darling. Je t'embrasse. Tchao ! » Kennedy raccrocha et consulta sa montre. Bientôt 18 heures – 2 du mat' là-bas en Angleterre. Tant pis – il s'en occuperait demain.

Pas de verre en vue sur son bureau. Il but une gorgée de Macallan directement au goulot de la bouteille qu'il conservait dans le tiroir du haut, s'alluma une Marlboro et sortit sur le balcon dans le crépuscule qui s'annonçait : des sirènes de police au loin, le bourdonnement sourd et régulier des hélicos survolant l'autoroute. Savourant la brûlure du pur malt et le parfum cendré de la nicotine, Kennedy Marr se mit à extrapoler :

Derrière nous soufflent les vents arides
Des choix que nous avons faits
Ceux qui nous ont portés jusqu'ici
À ce dernier banquet

Le centre-ville commençait tout juste à scintiller au sud. On percevait les crissements des pneus et des klaxons sur Franklin. La lune scintillante s'élevait déjà dans le ciel de plus en plus sombre, « aussi blafarde qu'un Sex Pistol ». L'expression était de Martin Amis. Pas mal. Pas mal du tout.

Devant lui, immenses, les fesses béantes de Los Angeles.

13

« T u peux répéter, Connie ? »

Braden se tenait sur le balcon de son appartement de Brentwood, son regard survolant les lumières de la ville pour se poser sur le quartier d'Hollywood Hills, au nord-est, où vivait Kennedy. Il l'imaginait aisément, ivre mort, affalé en travers de son lit. Ou pire encore, en train de vider un bar quelque part. Connie répéta le chiffre en prenant soin d'ajouter cette fois la mention « net d'impôts ». Elle appelait de sa cuisine ensoleillée de Clapham, son pain grillé et sa tasse de thé posés sur la table, avec, en toile de fond, les marmonnements feutrés et nasillards de John Humprys sur Radio 4. Elle avait renoncé à tenter de coincer Kennedy au téléphone et s'attendait à un peu plus de bon sens et d'enthousiasme de la part de Braden. Elle ne s'était pas trompée.

« Net d'impôts ? » répéta-t-il. Ces mots étaient du miel pour ses oreilles d'agent américain, aussi doux que ceux de « paix dans le monde ». C'était même pour lui la formule la plus divine qui soit, hormis peut-être « pourcentage garanti sur les recettes brutes ».

« Comme je te le dis, très cher.

– On parle bien en *livres sterling* ? » demanda à nouveau Braden. Le nom de la devise semblait désuet et archaïque dans sa bouche de Yankee.

– Absolument, darling. Notre bonne vieille livre britannique.

– Oh, putain...

– En effet. Si seulement il daignait décrocher son satané téléphone.

– À vrai dire, on a longuement déjeuné ensemble hier. Quelque chose me disait qu'il ne comptait pas en rester là. » Braden s'appuya contre la rambarde du balcon et examina son salon à travers la baie vitrée coulissante : un océan de tons beige, et de verre. Seules ses clés de voiture et la bouteille d'Évian posées sur la table basse prouvaient qu'il s'agissait bien d'un lieu habité et non d'un appartement témoin. « Je dois avouer que ça résoudrait un paquet de problèmes.

– Je n'en doute pas. Même si ça en pose d'autres... notamment Millie et Robin, pour ne pas les nommer. Aura-t-il le temps d'achever tous ses projets ciné, d'ici là ? » (L'expression « projets ciné » semblait aussi étrangement décalée dans sa bouche de Britannique BCBG que celle de « livres sterling » dans celle de Braden un instant plus tôt.)

« Je me posais justement la question. Quand est-il attendu là-bas ?

– L'année universitaire commence en octobre, mais ils souhaitent qu'il arrive dès la mi-septembre pour préparer la rentrée.

– Wow. Il faudrait qu'il bosse comme un fou pour avoir tout bouclé d'ici là. Nous devrons sans doute annuler les plus petits contrats, rembourser les avances et merci, bonsoir. Le seul problème, c'est Scott Spengler. Techniquement, il ne lui doit plus qu'une dernière retouche sur le script... mais avec l'arrivée de Julie Teal au casting, qui sait combien de remaniements il pourrait encore y avoir ?

– Julie Teal ? N'est-ce pas elle qui jouait dans ce film avec Machin-Chose, là ? Ce truc très cow-boy ? Oh, je l'adore !

– Dis-moi, les conditions de ton prix littéraire, là... Ça s'appelle comment, déjà ?

– Le prix F. W. Bingham.

– Voilà. C'est un package, je suppose ? Intégralement non négociable ?

– Je le crains. Une année universitaire complète.

– Des semestres entiers ?

– On appelle ça des « terms », ici, darling. Et il y a quand même un autre problème : Kennedy lui-même.

– Pourquoi ? Je veux dire, en dehors de ce qu'on sait déjà, toi et moi ?

– Eh bien, est-il partant ?

– Il n'a pas le choix. Il *doit* le faire. »

Connie laissa échapper un petit cri de joie juvénile.

« Ah ! Tu devrais pourtant savoir que Kennedy et la notion de devoir font deux, Braden.

– Je crois que tu devrais venir lui parler. Il t'écoute.

– En fait, j'avais déjà anticipé les réticences et comme le jeu en vaut largement la chandelle, j'ai déjà préparé mes bagages. » Elle jeta un coup d'œil à sa valise, dans le couloir. Quelque part à l'étage, ses deux fils adolescents dormaient d'un sommeil de plomb et ne se réveilleraient pas avant plusieurs heures. Toute cette belle énergie de la jeunesse, pour en faire quoi ? Branlette et picole. « Je prends le vol de 16 heures au départ d'Heathrow. Je serai parmi vous dès demain.

– C'est génial, Connie. Merci. Tu as besoin d'une voiture à l'aéroport ?

– Je prendrai un taxi, darling. J'ai réservé une chambre au Chateau Marmont. Mais souviens-toi : pas un mot ! Ils sont terrifiés à l'idée qu'il y ait des fuites dans la presse, au cas où Kennedy refuserait.

– Pas de problème. Appelle-moi dès ton arrivée à l'hôtel. Je vais consulter son planning pour voir où on pourrait le coincer demain.

– Parfait. J'avoue que... je m'en réjouis d'avance. J'adore les embuscades ! »

14

Peu après la fin de cette conversation téléphonique – à 9 h 30 précises selon l'heure d'été britannique, trois minutes pile après qu'elle fut entrée dans son bureau du département d'anglais de l'université de Deeping, dans le Warwickshire –, une autre femme, jouant elle aussi un rôle non négligeable dans la vie de Kennedy Marr, apprenait la nouvelle de l'attribution du prix F. W. Bingham.

« Vous vous fout… heu, pardon ? » s'exclama Millie Dyer (anciennement) Marr, docteure en littérature médiévale et maître de conférences, les poings serrés sur ses hanches, son expression incrédule accentuée par son essoufflement. À l'approche de la cinquantaine, Millie était toujours une très belle femme, capable de rentrer dans le jean qu'elle portait vingt ans plus tôt, au moment de sa rencontre avec Kennedy. Son visage n'accusait aucune ride ni aucun signe des petits désagréments liés à l'âge. Le visage de quelqu'un qui se couchait généralement à 22 heures après s'être contenté d'un verre de vin – jamais davantage. Debout dans son bureau, elle dut faire un effort pour reprendre son souffle.

Dennis Drummond, le responsable du département d'anglais, l'avait appelée à 9 h 01, et il lui avait fallu une poignée de minutes pour traverser le long couloir et grimper les trois étages qui séparaient leurs bureaux. Son regard se posa d'abord sur Drummond, puis sur les deux hommes qui se tenaient de part et d'autre de son bureau : les professeurs Dominic Lyons (le doyen de l'université) et David Bell, qu'elle ne connaissait que de réputation. Tous deux arboraient un sourire radieux. Drummond, au milieu, un peu moins.

« Mais oui, déclara David Bell. C'est une nomination dont on peut se réjouir. Je suis sûr que vous en conviendrez, Dr Dyer. En dépit de vos... antécédents personnels.

– C'est un nom prestigieux, renchérit Lyons. De quoi faire une publicité considérable à notre établissement et augmenter considérablement le nombre d'inscriptions. »

Millie dévisagea Drummond. Les yeux fixes devant lui, il tordait un stylo qui semblait à deux doigts de se briser. Son bureau était un modèle de rangement. Il avait même prévu une petite boîte spéciale pour les trombones et les élastiques. Aucun trombone ne traînait du côté des élastiques, et vice versa.

« Je suis sidérée qu'il ne me l'ait pas annoncé lui-même, dit Millie.

– Il n'a pas encore accepté le prix, nuança Bell. Je me demande même s'il est au courant. Il vit à Hollywood, vous comprenez, alors...

– Merci, je suis parfaitement au courant que mon ex-époux habite Los Angeles.

– Oui, bien sûr. Veuillez m'excuser. Le comité a pris sa décision tard dans la soirée. J'ai parlé à son agent, Miss Blatt... » Connie. Millie l'avait toujours appréciée. « ... et elle nous a promis une réponse rapide. Bien qu'il soit maintenant... » Il consulta l'heure à son poignet. Millie fut surprise de constater qu'il portait un bracelet-montre moderne en acier inoxydable, et non une montre à gousset. « Voyons, le décalage horaire est de huit heures, n'est-ce pas ?

– Il est 1 heure du matin là-bas, dit Millie.

– Oui. Il doit dormir, je le crains... »

À ces mots, l'ex-Mrs Marr ne put s'empêcher de sourire. Elle imaginait plutôt Kennedy accoudé à un comptoir en bois poisseux, à essayer de draguer une pauvre gamine de vingt ans en brandissant un billet de cinquante dollars sous le nez du barman.

« Et c'est la raison pour laquelle notre entrevue doit rester strictement confidentielle. Je tenais à vous informer personnellement de la situation, compte tenu du caractère... particulier, disons, de vos... relations avec le lauréat. »

David Bell prit son imperméable, qu'il avait posé sur le dossier de son fauteuil. « Nous sommes en train de rédiger le communiqué de presse. Si tout va bien, nous aurons sa réponse – et je pense pouvoir affirmer que nous espérons tous, pour le bien de l'université, qu'elle sera positive – d'ici demain au plus tard, et nous serons alors en mesure de faire une annonce officielle aux médias avant la fin de la semaine. Professeur Lyons... » Ils échangèrent une poignée de main tandis que ce dernier se levait. « Dr Drummond... » Celui-ci se contenta de tendre la main depuis son fauteuil, avec une très légère inclinaison du buste semblant signifier qu'il aurait presque pu envisager de se lever. « Ravi de vous avoir rencontrée, Dr Dyer. » À son tour, Millie lui serra la main, une main rêche comme du parchemin et parsemée de taches brunes.

« Oui, dit-elle. Merci de m'avoir tenue au courant. »

Bell sourit et referma la porte derrière lui. Un silence de rigueur s'abattit entre les trois collègues, histoire de laisser à Bell le temps de s'éloigner suffisamment dans le couloir. Lyons se

fendit alors d'un geste conciliant, et alla même jusqu'à déclarer :
« Écoutez, je sais que... » avant d'être aussitôt interrompu par
Drummond :

« Vous vous foutez de moi ?

– Dennis...

– Pour services rendus aux lettres britanniques ? Kennedy
Marr ? Il n'a pas écrit un seul roman depuis des années. Quant à
ceux qu'il a publiés, vous appelez ça de la littérature ?

– Enseigner, lui ? » renchérit Millie. Pour appuyer encore ses
mots, elle aurait pu frissonner d'horreur.

« Il a passé l'essentiel de cette décennie à se *prostituer* pour
l'industrie du cinéma, s'enflamma Drummond. À pondre des
buddy movies et des *romcoms* et Dieu sait quoi encore...

– Écoutez... tenta à nouveau Lyons.

– C'est surtout Kennedy Marr qui va bénéficier de... »
Millie fut interrompue.

« C'est de bon augure pour l'université », trancha Lyons.

Surtout pour les pubs, les restaurants et les dealers du coin,
songea Millie.

« Alors qu'il y avait tant d'autres candidats dignes d'estime ! se
lamenta Drummond.

– Bien, fit Lyons en se levant, conscient qu'il était temps de
réaffirmer un peu son autorité. J'en ai assez entendu. Première-
ment, Dr Drummond, vous n'ignorez rien des liens historiques
qui relient cet établissement au prix F. W. Bingham, dont le jury
est constitué de membres indépendants sur lesquels je n'exerce
aucune influence personnelle.

– Mais vous en faites vous-même partie !

– Je ne suis qu'une voix parmi les autres. En outre, le vote était
unanime. »

Drummond soutint son regard. *Ton supérieur, le professeur Lyons, était absolument ravi.* « Vous approuvez donc cette décision ? insista-t-il. En dépit des...

– En effet, répondit Lyons. La réalité, c'est que les universités doivent désormais fonctionner comme des entités commerciales sur un marché compétitif. Mr Marr est un auteur populaire qui a également contribué à l'écriture de nombreux films à succès et dont la présence sur notre campus, j'en suis certain, suscitera un grand intérêt médiatique, ce qui aura un impact sur les nouvelles inscriptions – dans *votre* département, Dennis – et générera des revenus non négligeables pour l'établissement. »

Lyons traversa la pièce et contempla, par la fenêtre, les bâtiments blancs et modernes ainsi que le campus luxuriant où quelques étudiants – ceux qui repassaient leurs examens à la session de rattrapage ou bien qui devaient finir des travaux de recherches – se hâtaient sous une averse légère en se protégeant comme ils le pouvaient à l'aide de leurs livres ou de leurs parapluies. Dans son dos, Drummond et Millie échangèrent un regard. « Certes, sa personnalité est un peu... haute en couleur, comme le Dr Dyer doit le savoir mieux que personne. Et certes, nous pourrions débattre jusqu'à la rentrée prochaine de ce qu'est la littérature, il n'en demeure pas moins que... cet homme *est* un nom. » Il se tourna vers eux. « Et si je suis ravi de recueillir vos doléances en privé, j'insiste sur le fait que nous devons absolument présenter un front uni et afficher une satisfaction commune quant au caractère positif de cette nomination pour notre université. »

Silence. D'une voix bourrue, croisant les bras et se repoussant de son bureau, Drummond finit par rétorquer :

« En tant que responsable de ce département, j'exige de connaître son programme le plus rapidement possible. Liste de lectures et tout le reste.

– Naturellement. »

Aux mots « programme » et « liste de lectures », le visage de Millie s'illumina. Car tout à coup elle tenta d'imaginer Kennedy établir une bibliographie, préparer un plan de cours, relire le devoir d'un étudiant ou corriger une dissertation.

« Bien. Je ferais mieux d'y aller. On rentre le menton, on fonce dans le tas et haut les cœurs ! Drummond, Dr Dyer... »

À peine la porte refermée, Millie se tourna vers son collègue. « Tu sais quoi ? Nous sommes tous en train de nous monter la tête.

– Comment ça ?

– Parce que dès que Kennedy découvrira ce que ce prix implique, jamais il n'acceptera de le recevoir.

– On peut toujours rêver », conclut Drummond.

15

« L e… hein ? Tu m'as *quoi* ? »

Braden et Connie arboraient tous deux un sourire figé et idiot. Kennedy n'avait même pas encore son verre à la main. On lui demandait de digérer la nouvelle à froid, comme ça !

Il avait déjà été sacrément surpris de tomber sur Connie en chair et en os. Aveuglé par la lumière du soleil alors qu'il émergeait du vestibule sombre du Chateau Marmont (après avoir échangé en chemin les amabilités d'usage avec le personnel car, en dépit de quelques malheureux incidents, dirons-nous, il était très apprécié ici), il descendait les marches menant au patio et l'avait aperçue là, attablée avec Braden sous la galerie de colonnades, les traits tirés mais radieuse dans sa robe estivale en imprimé, un immense chapeau de paille sur la tête. Posés devant elle, un verre de vin blanc et un épais roman faisaient face à l'eau minérale et au BlackBerry de Braden. (Parfaite illustration de la rencontre de ces deux mondes, songea Kennedy : à ma droite, l'agent littéraire britannique ; à ma gauche, le manager américain.) Après les effusions de rigueur et après que Kennedy lui eut demandé : « Mais qu'est-ce que tu fabriques là ? Pourquoi tu ne m'as pas dit que tu venais ? », Connie lui avait pris la main et l'avait fait s'asseoir sur une chaise en osier avant de déclarer : « Eh bien, darling, une chose extraordinaire s'est produite sur notre chère île... »

Il ne lui avait fallu qu'une ou deux minutes pour tout expliquer mais, dans ce laps de temps, Kennedy avait réussi à alpaguer une serveuse pour passer commande du martini qu'on était maintenant en train de lui préparer derrière le bar.

Connie termina son petit laïus et éclata de rire devant son visage ahuri.

« Oh, putain... et c'est qui, ça, F. W. Bingham ? » demanda Kennedy.

Connie reprit la parole. Francis Weldon Bingham avait, dans les années 1930, enseigné la littéraire à l'université de Deeping, qui n'était encore qu'une modeste fac de province. Il était du genre vieille tante qui aime faire la fête, un type très porté sur la bouteille, et l'un de ses hobbies consistait à inviter des conférenciers prestigieux. « En gros, darling, il faisait de la lèche aux stars. Il leur déroulait le tapis rouge et leur versait des cachets astronomiques pour qu'elles viennent raconter des trucs aux étudiants, juste histoire de prendre des cuites avec des gens célèbres. » H. G. Wells, Scott et Zelda Fitzgerald, Huxley, Dorothy Parker, Hemingway et bien d'autres, tous étaient venus donner des conférences à Deeping pendant l'ère Bingham. La vieille tante fêtarde était également très riche (disposant d'une fortune familiale, disait-on, bâtie sur le trafic d'esclaves à la fin du XVIIIᵉ siècle). À sa mort, Bingham avait fait en sorte qu'une part très importante de sa succession soit consacrée à la création d'un prix littéraire qui perpétuerait la tradition qu'il avait instaurée.

Le verre de Kennedy arriva. En le soulevant du plateau, il en commanda déjà un deuxième. Connie marqua une pause, le temps de lui laisser vider la moitié de son dry martini glacé en une gorgée, avant de poursuivre.

Apparemment, le deal était le suivant : le prix était remis tous les cinq ans à un « écrivain au mérite exceptionnel et reconnu, considéré comme l'un des plus hauts représentants des lettres ». L'heureux lauréat était censé dispenser des cours magistraux pendant une année universitaire complète (de septembre à mai) aux étudiants de Deeping « sur tous les aspects de la littérature, notamment sa conception », mais aussi « contribuer à l'enrichissement de la vie de l'établissement » pendant toute la durée de sa résidence.

Kennedy se rembrunit. Enfin, ce n'était pas tout à fait exact : il avait l'air morose depuis le début. Disons que sa morosité se fit plus intense. Connie l'observait en attendant, pas vraiment surprise qu'il mette autant de temps à faire le rapprochement. La vie des autres n'avait que peu d'intérêt aux yeux de Kennedy.

« Une seconde. Deeping ? bredouilla-t-il. C'est… N'est-ce pas là que Millie… ? »

Connie hocha la tête. « Oui. C'est fou, le hasard, hein ?

– Nom de Dieu… »

L'écrivain retenu était censé encadrer des travaux dirigés, lire et corriger les devoirs des étudiants. L'université le défrayait pour tous ses déplacements (« Première classe, darling, évidemment ») et se chargeait de lui trouver un logement. En échange, il percevrait des honoraires de cinq cent mille livres sterling.

Nets d'impôts.

Braden secoua lentement la tête, émerveillé.

Kennedy finit son martini d'un trait et sentit sa vessie gonfler. « Soyons clairs. Ils veulent me filer un demi-million de livres pour que j'aille m'enterrer au fin fond du Warwickshire… » – il s'y était déjà rendu deux ou trois fois pour rendre visite à Robin lors de ses passages à Londres. Deux bonnes heures de route par la M40, dans ses souvenirs. Kennedy mettait rarement les pieds en dehors des quartiers du code postal W1 – «… pendant un an, sur le même campus que mon ex-femme, à animer un *atelier d'écriture* » – il prononça ces mots comme il aurait dit «séminaire de sodomie infantile » – «pour une bande de demeurés?

– Oui, darling, répondit Connie. C'est assez bien résumé. » Elle gloussa et bâilla en même temps. Elle était épuisée. Arrivée la veille au soir, elle n'avait pu trouver le sommeil à cause du *jetlag*. Aussi était-elle venue faire un tour ici même, dans ce patio, où un verre à la belle étoile avait débouché sur une discussion avec un producteur, puis sur un dernier verre dans sa chambre, le tout s'achevant sur une partie de jambes en l'air plutôt sportive jusqu'à ce que Connie vire l'intéressé de son lit juste avant l'aube. Un petit jeune charmant, en plus. « Drôle d'histoire, n'est-ce pas? ajouta-t-elle en bâillant.

– Drôle d'histoire? C'est… pervers, tu veux dire, répliqua Kennedy. Remercie-les de ma part, bien sûr, mais c'est hors de question. Je suis trop occupé ici. Nous avons… combien, Braden? Trois ou quatre films en pré-production? Plus quelques autres en développement…

– À vrai dire, intervint Braden, je pense pouvoir annuler la plupart de tes projets. Le cas Scott sera plus problématique, évidemment, mais…

– Minute. » Kennedy souleva son deuxième martini du plateau, et Connie se commanda un deuxième verre de vin. « Si j'ai bien compris… tu veux que j'y aille? »

Braden soupira. «Kennedy, je crois que tu ne m'as pas écouté. Si on ne rembourse pas un million de dollars au fisc avant la fin de l'année, ils vont venir te mettre à poil. Ce prix à la con vaut un demi-million de livres. Autrement dit, avec le taux

actuel… » – Braden se mit à taper sur la calculette qui venait
de surgir de sa poche comme par magie pendant que Kennedy
faisait tourner dans sa bouche une olive imprégnée de gin. « …
ça nous fait dans les sept cent cinquante mille dollars. *Nets
d'impôts*. En plus, comme tu vis depuis longtemps aux États-
Unis, on pourrait réduire ton taux d'imposition sur cette somme
l'année prochaine. »

Ses prunelles scintillèrent tandis qu'il prononçait ces mots
sacrés. Ces saletés d'Amerloques et leur phobie pathologique
de l'impôt. À plusieurs reprises, des dîners auxquels il avait
été invité avaient failli tourner au pugilat à cause d'une simple
conversation sur ce sujet. Ces gens semblaient considérer que le
fait de devoir verser ne serait-ce qu'un *cent* au Trésor public était
en soi une idée ridicule de communistes. Lorsqu'un producteur
ou un quelconque magnat de studio lui sortait une phrase du
type : « Hey, tu devrais y réfléchir. C'est mon comptable qui m'en
a parlé. L'argent va aux îles Cayman, puis… », sa réponse était
invariablement la suivante : « Ça vous plaît de voler les pauvres ?
Pourquoi ne pas aller agresser des SDF, maintenant, tout de
suite ? Mettre le feu à leur matelas ? Espèce de brute ! » Mais ici,
même les pauvres ne supportaient pas l'idée de payer des impôts.
Dans des États comme le Kentucky, des zones où la majorité de
la population vivait grâce aux bons alimentaires, les gens étaient
profondément républicains. À l'instar de l'obèse pauvre, le pauvre
de droite était un curieux phénomène des temps modernes.

Pour Kennedy, tout cela était lié au mythe d'Horatio Alger
et à toutes ces fadaises sur l'ascension sociale miraculeuse
auxquelles tant d'Américains s'obstinaient à croire. La fin
heureuse du troisième acte, où tout le monde devenait millionnaire. Ils n'aimaient pas l'idée de payer des impôts parce que

même lorsqu'ils dormaient sur le trottoir et se nourrissaient de crottes de chiens, ils restaient convaincus d'être à deux doigts de dénicher l'affaire du siècle, celle qui transformerait leur vie. Kennedy, lui, croyait fermement à l'adage « par chacun en fonction de ses moyens, pour chacun en fonction de ses besoins ». Comment s'était-il retrouvé avec un arriéré d'un million de dollars ? L'explication était simple : il avait beau aimer le concept de redistribution des richesses, Kennedy Marr aimait surtout claquer son argent en belles bagnoles, en costards de marque et en bouteilles de champagne. Il tendit de nouveau l'oreille vers Braden.

« En fin de compte, ce que tu voudrais, c'est que je mouille ma chemise pour aller te dégoter un chèque d'un million et demi sur lequel il te resterait la moitié après déduction des impôts et de ma commission. Désolé, mec, mais c'est hors de question. »

Kennedy réfléchit un moment. « Dans ce cas, je terminerai tous les projets en souffrance. Avec les paiements à remise…

– Ça ne suffira pas à rembourser ce que tu dois au fisc et à te maintenir à flot l'année prochaine.

– Tu ne penses vraiment qu'au fric, toi.

– Grandis un peu, OK ? rétorqua Braden.

– C'est ta carte Sortie de prison, darling, ajouta Connie.

– Plutôt un ordre de déportation, oui ! Retour forcé à la mère patrie ! »

Kennedy soupira et se détourna de ce duo diabolique, visiblement déterminé à le priver de sa liberté. Il promena son regard autour du luxuriant patio du Chateau Marmont. Le soleil déclinant filtrait à travers les arbres, le murmure de la circulation sur Sunset était à peine audible derrière les haies hautes et épaisses qui maintenaient le monde extérieur à distance. Une rouquine en robe noire moulante croisait ses longues cuisses délicieusement lustrées. Un serveur versait du champagne. Un homme découpait son hamburger à la cuisson parfaitement bleue à côté d'une montagne tremblante de frites ultrafines. Quelques tables plus loin, une brune lui souriait. Elle devait approcher de la fin de la trentaine. Si jamais ses seins étaient naturels, cette fille devrait bosser à la télé, sérieusement. Pendant un instant, les yeux levés vers le soleil couchant de L.A., Kennedy ressentit un amour profond pour tout ce qui touchait à cette ville. La circulation. Les gens du dehors. Ces réunions grotesques et inutiles auxquelles il devait se traîner de force. Il éprouvait même de l'amour pour les agents avec leurs petits appareils Bluetooth greffés à l'oreille en permanence qui enregistraient chacune de ces réunions.

Alors, pendant un instant fugace, il entrevit la chose, et ses inconvénients, avec une clarté limpide : le bureau minuscule, le vent qui cinglait la fenêtre, lui plongé dans la correction d'une nouvelle dont l'action se déroulait, au choix, dans la Pologne de l'entre-deux-guerres ou la campagne québécoise début XIXe. Quelques coups frappés à la porte, et un grand dadais acnéique de vingt ans viendrait le bassiner avec ce qu'il « cherchait à exprimer dans son travail ». Les pubs et les «restaurants» du Warwickshire rural, avec leurs steaks trop cuits et leur absence totale de service de voiturier. Planté dans la... la... *salle des profs*, à écouter les autres pérorer sur la déconstruction, la théorie marxiste ou encore Lacan et Derrida – parlait-on encore de ces trucs-là dans les universités, de nos jours ? Robin et Millie. Patrick et maman. Les inévitables allers-retours obligatoires avec Dublin une fois par mois.

L'attente sur le tarmac d'Heathrow, laminé par la pluie un vendredi soir à 19 heures en plein hiver. Suivie de l'interminable trajet en taxi à travers tous ces quartiers pourris jusque chez son frère. Millie et Robin... Et merde.

« C'est non. Pas question. Je refuse.

— Parfait, dit Braden. Alors tu peux dire au revoir à ta maison. J'entame les démarches pour la mise en vente. Bienvenue dans le monde des économies drastiques ! Si on se serre la ceinture comme il faut pendant les deux prochaines années, on s'en sortira peut-être... d'un cheveu.

— Épargne-moi ton mélodrame, fit Kennedy en consultant sa montre. Bon, faut que j'y aille.

— Ou alors... termine ton roman pour Noël », asséna Connie.

Kennedy prit sa tête entre ses mains et lâcha un grognement sourd. Il avait une envie pressante à satisfaire.

« Il doit bien y avoir une solution, dit-il. Un truc pour la télé. Une nouvelle série. Un pilote.

— Très bien, fit Braden. Je t'écoute. Ton pitch ?

— Mais on s'en fout, du pitch ! Deux pétasses colocataires. Non, mieux : une pétasse et une sainte-nitouche. La pétasse veut convaincre la sainte-nitouche de devenir une grosse chaudasse comme elle.

— Wow, commenta Braden. Et le titre ?

— *Les Pétasses* ? proposa Kennedy d'un ton plein d'espoir.

— Seigneur...

— Allons, intervint Connie. Ce n'est pas la mer à boire ! Neuf petits mois. Tu serais auprès de ta famille. De Millie, de ta fille. De ta vieille mère, qui n'est pas en...

— Connie ? La ferme.

– Vois les choses autrement, insista-t-elle. Ça ne te plairait pas de… » – il n'y avait pas trente-six façons de le dire, réalisa-t-elle – « … *renvoyer un peu l'ascenseur ?* »

Cette fois, ce fut au tour de Kennedy de le dire :

« Grandis un peu, OK ? »

16

En retard, comme toujours, suant à grosses gouttes et au bord de la panique, Kennedy se frayait un chemin à travers la foule compacte qui encombrait la librairie. Foule majoritairement féminine, ne put-il s'empêcher de noter au passage. Pourquoi accepter de telles invitations – ces lectures, ces discours, des débats, ces conférences ? Pour des raisons bien ordinaires, disait Kingsley Amis, « mélange de curiosité et d'orgueil ». Et, dans le cas de Kennedy, il fallait bien l'avouer, le stupre, également. L'objet de sa convoitise sexuelle, à savoir la poétesse elle-même, lui adressa un sourire et un petit geste de la main depuis le côté de l'estrade où elle semblait prise en otage par les organisatrices de l'événement, un couple de lesbiennes butch proches de la soixantaine et affublées de salopettes en toile de jute, cheveux coupés en brosse et bottes de motard aux pieds. Kennedy, lui, portait un costume noir Paul Smith à deux boutons. Choisi au terme de longues délibérations avec lui-même.

Ah, Kennedy Marr et ses costards…

Plus tôt dans la journée, alors qu'il sirotait un bon petit rhum-Coca pour se requinquer, en faisant tinter les glaçons contre le lourd verre en cristal, dans un bruit de carillon, Kennedy avait étudié son dressing afin de choisir sa tenue pour sa soirée de poésie féministe. Que fallait-il porter ? Le mince recueil de Saskia Kram était négligemment posé sur son lit.

Il avait passé en revue le portant de costumes devant lui. Des hommes pendus. Tous coupables. Celui-ci, par exemple, le pied-de-poule sur mesure, avait été le complice consentant du cunnilingus sous cocaïne qu'il avait pratiqué sur une scripte lors d'une soirée de fin de tournage, alors qu'à une trentaine de mètres à peine de là, le petit ami de la fille bavardait avec le réalisateur. Ah, et celui-là, le gris anthracite à rayures : témoin direct d'une engueulade, imbibée de whisky, avec un critique de cinéma. La scène s'était déroulée sur le trottoir devant le Plaza, après une cérémonie de remise de prix à New York, parce que le type, ce Machin-Truc dont il avait oublié le nom, avait lancé tout bas sur son passage et d'un ton goguenard que Kennedy n'aurait « pas dû gagner ». Ni une ni deux, Kennedy avait fait volte-face et envoyé son poing dans l'œil de ce sale con, lui faisant exploser en pleine poire la cigarette qu'il tenait à la main. Un véritable feu d'artifice miniature qui avait même projeté un geyser de cendres sur son propre torse. Une infime trace de brûlure attestait encore la chose, juste au-dessus de la poche poitrine de la veste. Mais continuons sur notre lancée. Dossier suivant ! Ah, évidemment : le complet bleu marine à un bouton de chez Lesley & Roberts. Serviteur fidèle. Présent, bien sûr, à la soirée que Connie avait organisée chez elle, il y a quelques années, pour fêter sa nomination dans la dernière sélection du Booker Prize. Il était là quand Kennedy était sorti s'acheter des clopes avec cette fille, une attachée de presse quelconque, qui l'avait suivi. Millie l'avait appelé au moment où il partait pour lui demander de lui rapporter du Nurofen. Le costume Lesley & Roberts ne l'avait pas quitté quand Kennedy s'était accouplé à la hâte avec l'attachée de

presse dans les buissons de Clapham Common, une très bonne
cachette, et et ce malgré une branche qui lui avait écorché le
genou. Ces taches légères, ces traces de brûlure, ces accrocs qu'il
avait fallu repriser. Autant de preuves irréfutables. À charge.

Oui, tous coupables.

Sa main s'était arrêtée sur le compagnon idéal. Un costume
Paul Smith à deux boutons et revers étroits. Noir. Toujours un
bon choix, le costume noir : effet amincissant garanti, adapté
à toutes les circonstances ou presque, capable d'absorber tous
les péchés dans son cœur sombre. Kennedy l'avait complété
d'une chemise anthracite et d'une cravate noire avant de
terminer son verre – et ce n'était pas rien : une bonne grosse
demi-pinte de rhum-Coca – et de se précipiter au rez-de-
chaussée pour s'engouffrer dans le véhicule avec chauffeur
qui le conduirait d'abord au Chateau Marmont, emportant
au passage son recueil de Saskia, *Arbres*, qu'il avait glissé *in
extremis* dans sa poche.

L'ouvrage gisait à présent, abandonné, sur le siège à côté de
lui. Il croisait et recroisait les jambes fébrilement. Le trajet avait
été mouvementé, Kennedy ayant préféré opter pour un troisième
martini au comptoir – et pour un brin de causette avec la jolie
brune trentenaire – plutôt que de profiter de son unique fenêtre
de tir pour aller pisser. Son envie était déjà pressante lorsqu'il
était monté en voiture, mais le besoin de soulager sa vessie avait
atteint le DEFCON 2 le temps de rejoindre l'Olympic pour filer
droit vers le centre-ville. Il avait dû demander au chauffeur un
arrêt d'urgence devant un Burger King, où il avait attendu en
vain que les toilettes se libèrent tout en se dandinant d'un pied
sur l'autre. Une dizaine de minutes plus tard, craignant que le
monstre de sa vessie dilatée n'avale carrément ses reins, son

cœur et son foie, il avait hélé un membre du personnel. «Hors service, lui avait lancé le type, un jeune Noir au regard las.

– Pardon?

– Elles sont hors service», avait répété le mec avec un haussement d'épaules.

Kennedy était reparti à la voiture en courant, laissant un torrent de jurons derrière lui.

À présent, dans cette librairie où régnait une chaleur étouffante, sa vessie lui faisait l'effet d'un ballon de football américain qu'on aurait rempli d'eau pour le faire doubler de volume et le transformer en ballon de basket – voire, pire, en ballon sauteur.

«Bonsoir, Saskia, déclara-t-il en franchissant les cordons de sécurité, la main tendue.

– Kennedy! Vous êtes venu, finalement! C'est si gentil.»

Elle le prit dans ses bras. La pression infime de son abdomen contre le sien faillit provoquer un débordement incontrôlable. Elle était mince, dotée d'un sourire étincelant et d'une cascade de cheveux blonds. Elle sentait la plage – les vagues, le bois de santal – et il se souvint qu'elle vivait à Malibu, Point Dume pour être précis. «Je vous présente Janet et Willow, les organisatrices», ajouta-t-elle en désignant les deux goudous qui le fusillaient déjà du regard. À cause de son retard, de ses livres ou simplement de l'odieux pénis et de la paire de testicules qui lui pendaient entre les jambes tel un couteau de boucher flanqué de deux grenades? Allez savoir.

«Bonsoir, leur lança-t-il.

– Bon, maugréa Janet, allons-y.

– Si je pouvais juste faire un petit saut aux toilettes avant de…

– Un saut aux toilettes? répéta Willow comme s'il venait de demander l'autorisation de lui déféquer dans la bouche.

– C'est tout au fond, soupira Janet. Derrière la réserve. Nous sommes déjà très en retard, vous savez. » Elle désigna le public, environ deux cents personnes bavardant à qui mieux mieux. « Ça peut sûrement...

– Écoutez, je... » Kennedy réfléchit une seconde. Ce n'était qu'une présentation. *On a dit d'elle que blablabla, pour moi sa poésie est blablabla, merci d'accueillir...* Deux minutes de parlotte grand maximum, après quoi sprint jusqu'au pipi-room, sortie ni vu ni connu par la porte du fond pour rejoindre le bar qu'il avait repéré sur le trottoir d'en face, descente de quelques godets bien peinard et retour juste à temps pour le traditionnel verre de vin et les mondanités de fin de soirée. Proposer à Saskia de la raccompagner, lui suggérer de s'arrêter quelque part pour manger un morceau, une petite table chez Dan Tana's par exemple, la ramener chez lui après, et hop ! Mission accomplie. « Bah, ça ira », conclut Kennedy.

Escorté de Saskia, il suivit le fessier de Janet (et quel fessier – on aurait dit deux vaches accrochées l'une à l'autre) et grimpa les marches de l'estrade pour pénétrer dans le cercle de lumière lorsqu'il eut soudain un choc.

Un bureau.

Deux chaises.

Deux micros.

Oh, Seigneur. Allait-il devoir...

« Heu, excusez-moi. » Il se retourna pour tenter de glisser quelques mots à Willow (comment pouvait-on s'appeler Willow, d'ailleurs ? Sérieusement ?), qui fermait la marche derrière lui. « Je suis censé...

– Chut », lui lança-t-elle d'un ton sévère, un doigt sur la bouche. Janet était déjà en train de parler et il entendit son nom.

Les applaudissements retentirent et on le poussa sous le feu des projecteurs.

« Bonsoir à toutes et à tous », déclara-t-il en s'asseyant, et la compression de sa vessie fut telle qu'il sentit venir le moment où l'urine serait propulsée d'un jet jusqu'à l'intérieur de son crâne. « J'ai l'immense plaisir... »

En vérité, il avait déjà traversé de pires épreuves. Mais pas souvent, et pas depuis longtemps. Après sa (courte) présentation, il tenta de s'éclipser de l'estrade – pour se retrouver nez à nez avec Janet et Willow, et il lut sur leur visage la magnitude de l'insulte que représenterait son départ. Il se rassit donc sur sa chaise au moment où Saskia prononçait ces mots fatals : « C'est un poème assez long... »

Quant à son introduction, on peut dire qu'il l'avait bien loupée. « Bonsoir à toutes et à tous » ? S'il y avait des représentants de la gent masculine dans la salle, c'était forcément des travestis. Le public n'était qu'une mer, un *océan* de lesbiennes.

Comparées aux spécimens du premier rang, Janet et Willow auraient pu passer pour deux actrices huilées, en string et talons aiguilles, jouant dans la série télé *Escort girls dans la vallée de San Fernando*. Certaines semblaient vêtues de sacs à patates et de fil de fer barbelé. Kennedy aurait à peine été surpris de leur voir deux bombes lacrymo pendues aux lobes en guise de boucles d'oreilles. Plusieurs d'entre elles avaient exactement le même look : un jean brut, de gros godillots, un carré plongeant sévère et ces espèces de foulards particulièrement prisés des rebelles afghans. Kennedy se demanda s'il leur arrivait parfois de se pointer à des événements de ce type et de se regarder entre elles en pensant : *Mon dieu, je suis un clone.* (Mais après tout, tempéra-t-il, nous avions tous nos uniformes, à commencer par lui-même et ses copains, faisant la foire à l'étage du Soho House en tee-shirt blanc, jean, blazer et Richelieu, une Rolex au poignet.) Une part non négligeable de l'assistance regardait Saskia avec des yeux de merlan frit – debout sur l'estrade, les seins bombés sous la fine cotonnade de son chemisier – tandis qu'elle se lançait d'une voix roucoulante dans ce qui semblait être au moins la dix-septième strophe du dixième chant de son poème. Lorsque Kennedy eut le malheur de croiser le regard d'une de ces femmes, il surprit un niveau de mépris irradiant de ses yeux noirs qui explosait les compteurs. Il aurait arboré un badge indiquant « Bonjour, je suis un violeur récidiviste et j'aime ça » que ça n'aurait pas été pire.

Il se trouvait face à un monde en colère et politisé, du genre qui se déclinait en acronymes et qui passait son temps à traquer le faux pas. Le monde des NB (Non-Blancs), des FdC (Femmes de couleur), des FRET (Féministes radicales d'exclusion trans) et des MID (Minorités issues de la diversité), un monde qui fabriquait les néologismes comme on multipliait les billets de banque sous la république de Weimar, qui déversait sa rage sur des blogs, dans des recueils d'essais ou de poèmes sans en tirer un seul dollar, ni la moindre compensation. Ce monde ne faisait pas vraiment envie de là où il se tenait, assis sur son perchoir avec sa peau de Blanc et son costume chic, son organisme en parfaite santé, ses revenus à sept chiffres, son torse plat du fait de l'absence d'utérus et de trompes de Fallope aux cornes recourbées comme celles d'un bouc, son esprit jamais troublé par des pulsions libidineuses envers les personnes du même sexe ou par la folle envie de trancher son propre pénis. Un prédateur alpha.

Kennedy repassa ses privilèges en revue et les apprécia à leur juste valeur.

Mais, malheur, que se passait-il à l'intérieur de lui ? À croire que sa vessie, après avoir annexé son estomac, s'attaquait maintenant à ses poumons, son sternum et sa gorge. Il craignait presque d'ouvrir la bouche de peur d'en voir jaillir un geyser fâcheux. Il se faisait ni plus ni moins l'effet d'une gigantesque poche d'urine. Ses pieds raclaient doucement le sol et, de temps à autre, il laissait échapper un gémissement inaudible.

Enfin retentirent les applaudissements et les acclamations du public, et Kennedy se joignit à l'euphorie avec enthousiasme, trop heureux d'avoir enfin une occasion de bouger, de grogner et de mugir tout son soûl. Il commençait à gentiment mettre ses pieds en ordre de marche lorsqu'il entendit Saskia déclarer : « J'ai écrit cet autre poème il y a trois ans, alors que j'étais... »

Il se renfonça lentement dans sa chaise, et ce simple mouvement eut pour effet de propulser l'urine dans la hampe de son pénis. Seul le ratatinement extrême de ses testicules et de son urètre lui évita de justesse de passer au DEFCON 1. Des points lumineux dansaient devant ses yeux. La sueur perlait à son front. Il posa les coudes sur la table et prit sa tête à deux mains, comme s'il se concentrait sur le poème de Saskia – « *Lacère-moi, lui demandai-je, et c'est ce qu'il fit, lacérations, lacérations...* » – alors qu'en réalité, elle aurait aussi bien pu se dénuder entièrement et se donner du plaisir sur la table avec un godemiché de cinquante centimètres qu'il ne s'en serait pas aperçu. Les yeux clos, il se répétait en boucle, comme un mantra : « *Ma-vessie-rétrécit-ma-vessie-rétrécit-ma-vessie-rétrécit...* » Des visions étranges commençaient à apparaître derrière le rideau noir de ses paupières : il mangeait du pain par terre dans la cuisine de la petite maison familiale, encore bébé, accroché aux chevilles de sa mère. Il pédalait sur un vélo, à huit ou neuf ans, à travers les rues de Limerick. Il dévorait Joanna Mulreany des yeux pendant la leçon d'anglais au CP. Il révisait dans la salle de lecture circulaire de l'université de Glasgow, pour les partiels de fin d'année. Au lit avec Robin et Millie blotties dans ses bras, alors que Robin était encore tout bébé.

Kennedy comprit alors qu'il voyait sa vie défiler devant ses yeux.

Alors, par miracle, son calvaire s'acheva. Les membres de l'assistance se levèrent pour applaudir à tout rompre et il les imita, pour la troisième fois, lorsqu'il sentit une main se poser sur son épaule. Willow – ou Janet – le rassit de force sur sa chaise avant d'attraper le micro posé devant lui pour déclarer : « Merci, Saskia. Y a-t-il des questions ? »

DEFCON 1.

En voyant la forêt de mains qui se dressait dans la salle, Kennedy abdiqua. *Et merde*, songea-t-il. Son soulagement fut immense. Une sensation de chaleur, de libération. C'était presque encore meilleur que le plus beau des orgasmes. Il sentit le flot ruisseler sur sa cuisse gauche, s'infiltrer sous son postérieur, poursuivre sa course le long de sa jambe et inonder sa chaussure. C'était sans fin. Il devait bien y en avoir deux ou trois litres. Kennedy Marr demeura assis sans bouger, un sourire béat aux lèvres.

Décidément, le costume noir était idéal en toutes circonstances, pensa-t-il quelques instants plus tard en se faufilant prestement vers la sortie arrière de la librairie. (« Non, non, tout va bien. Juste un petit souci gastrique. Veuillez m'excuser. ») Surtout lorsqu'on avait besoin de se pisser dessus en public sans se faire remarquer.

17

Les bâtons phosphorescents de son radioréveil indiquaient 5 h 15 quinze. Bah, tant qu'elle dépassait le cap fatidique des 5 heures du matin, Kathleen Marr avait à présent le sentiment d'avoir eu une vraie nuit de sommeil. Elle n'avait jamais été une grosse dormeuse, pas comme son Rory (vingt ans qu'il avait passé l'arme à gauche). Kennedy tenait d'elle, pour sûr. Toujours debout jusqu'à pas d'heure. Patrick était davantage comme son père. Geraldine aussi. Elle se redressa contre son oreiller, grimaça un peu (son dos n'avait plus jamais été le même après la naissance de la petite, sacrée Gerry, cette tête de mule qui ne voulait pas sortir) et alluma sa lampe de chevet. Le buffet du salon lui servait de commode. Une drôle de chambre qu'ils lui avaient improvisée dans le salon de Patrick, depuis quelques mois. Mais c'était la dernière fois qu'elle se réveillait dans ce lit. Sa valise était prête, posée contre le meuble, à côté du sac en plastique contenant sa nouvelle brosse à dents, ses pantoufles et les articles de toilette que lui avait achetés Patrick. Quel brave garçon. Il avait toujours pris soin d'elle. *Pas comme d'autres*, songea Kathleen, non sans une pointe d'amertume. Les enfants avaient chacun leur personnalité. Et chacun des talents différents. Son Patrick, lui, savait s'occuper des autres. Il suffisait de voir le métier qu'il faisait. Les choses terribles auxquelles il était confronté tous les jours avec ces pauvres gosses détraqués.

Elle observa le fouillis des photos sur la table de nuit, celles qu'elle avait emportées de chez elle : la famille au grand complet sur le port de Kilrush, au milieu des années 1980. Il faisait grand beau temps, mais Kennedy était déjà tout en noir, avait-il seize ou dix-sept ans ? Geraldine devait en avoir quatorze. En jogging, la mine boudeuse. Sans doute à la suite d'une dispute quelconque. Et son Pat chéri, encore un petit garçon malgré ses onze ans. Souriant de toutes ses dents. Toujours le plus gentil des trois. Rory et elle se tenaient assis derrière eux sur un muret de pierre devant l'océan Atlantique. Sur la photo d'à côté, Kennedy foulait le tapis rouge à l'occasion d'une avant-première, il y a quelques années. Il désignait quelqu'un en riant, le bras autour de Vicky, sa seconde épouse. Un beau brin de fille. Kathleen ne l'avait rencontrée qu'une seule fois, lors d'un déjeuner à Dublin, dans l'hôtel qui appartenait à ces garçons du groupe U2. Était-ce le Clarence ? Kennedy y était descendu pour quelques jours. Ce déjeuner avait duré plus longtemps que leur fichu mariage. Il aurait dû rester avec Millie – elle avait toujours adoré Millie. Il y avait aussi les portraits de ses petits-enfants, bien sûr : Robin, âgée de trois ou quatre ans, sur les épaules de son père, à la plage, tous deux avec leurs lunettes de soleil de nez, ainsi que les trois petits de Patrick déballant leurs cadeaux au dernier Noël. Sur le devant de la table de nuit trônait un portrait de Gerry, riant aux éclats pendant une soirée. Elle l'avait trouvée parmi ses affaires. Après. Kathleen ignorait de quelle soirée il s'agissait et ce qui se passait exactement au moment où la photo avait été prise, mais elle aimait cette image car c'était la seule où on la voyait sourire. Elle tenait une canette de cidre et on distinguait nettement les coupures et les bleus sur sa main. Oh, Gerry. Dix ans déjà. Elle aurait eu quarante-deux ans cette semaine. Et Rory, soixante-dix-neuf. Cela paraissait incroyable.

Kathleen Marr resta allongée un moment encore avec ses disparus, dans sa chambre de fortune, tandis que l'aube pointait dehors, venue d'Angleterre à travers la mer d'Irlande. Elle se demanda si Patrick avait eu son frère au téléphone. Elle aimerait tant le revoir. Elle en avait besoin. Il se comportait vraiment comme un mufle, ces temps-ci, mais elle savait qu'il était débordé, qu'il travaillait dur et que les billets d'avion coûtaient cher. Il viendrait bientôt la voir, elle en était sûre.

À l'étage, elle entendit un bruit de chasse d'eau. 6 heures. Patrick venait de se lever. Il se préparait avant de s'occuper des enfants et de prendre le Dart pour se rendre à son travail à Dublin. Il ne tarderait pas à frapper délicatement à sa porte. Pour lui apporter sa tasse de thé du matin. Lui demander si elle désirait un toast. Elle n'en voulait jamais. Pas en ce moment. Mais il lui posait quand même la question. Quel bon garçon. Tous si différents, ses enfants. Elle roula sur le flanc – si légère qu'elle s'enfonçait à peine dans le matelas – et se rendormit en regardant la photo de Kennedy, souriant sur son tapis rouge devant cette espèce de pagode chinoise où avaient toujours lieu les avant-premières.

18

Dîner avec une star de cinéma impliquait toute une ribambelle de rituels à respecter, même avec quelqu'un comme Michael Curzon qui, bien que ne comptant pas encore parmi l'élite, jouissait déjà d'une notoriété suffisante pour avoir un potentiel de nuisance certain. Le lendemain du naufrage à la librairie, le secrétariat de l'acteur avait appelé le secrétariat de Spengler qui avait contacté le secrétariat de Braden qui avait appelé Kennedy à trois reprises pour lui parler du dîner ; la première fois pour changer le lieu du dîner (l'info avait fuité sur Internet et Michael craignait la présence d'une horde de fans devant le restaurant), la deuxième pour tout annuler (Michael faisait un saut de dernière minute à Las Vegas dans le jet privé d'un ami, pouvait-on décaler la soirée ? Rien n'aurait pu faire davantage plaisir à Kennedy), et la troisième pour annoncer que le dîner était bien maintenu au resto initial.

Kennedy était donc au rendez-vous, sur Hollywood Boulevard, accoudé au bar du Chav[1] (quel nom imbécile ! Ces clowns ne réalisaient-ils pas à quel point c'était insultant ? Non, ils avaient dû trouver ça drôle, exotique. Ils auraient aussi bien pu baptiser

---

1. Terme d'argot typiquement britannique, équivalent de « caillera » en français.

leur bouge Le White Trash Édenté), à s'enfiler des doubles vodkas glaçons avec rondelle de citron et à observer la foule tandis qu'il respectait bien malgré lui l'un des sacro-saints rituels de la star de cinéma : le retard systématique.

Pour couronner le tout, sa journée n'avait pas été folichonne. Il avait d'abord appelé Saskia Kram pour s'excuser d'avoir filé comme un voleur sans lui dire au revoir la veille au soir, et aussi pour avoir limité sa participation au débat à une série de grognements et de petits bruits plaintifs. Pendant qu'il lui parlait, affalé sur son lit avec la gueule de bois, il jouissait d'une vue imprenable sur la baignoire de la salle de bains dans laquelle flottait, tel un cadavre de noyé, son costume noir.

Après quoi – alors qu'il essayait en vain de bosser sur le scénario de Spengler – il avait dû répondre aux coups de fil de Connie et Braden, qui s'étaient apparemment mis d'accord pour le harceler en stéréo afin de le convaincre d'accepter ce prix littéraire à la noix. Puis, cerise sur le gâteau, le cauchemar ultime – ça n'aurait d'ailleurs jamais dû arriver, si peu de gens avaient son numéro et le décalage horaire était tel qu'il n'aurait jamais cru une seule seconde, en entendant son téléphone fixe sonner à une heure pareille... – bref, sur le coup de 18 heures, alors qu'il était en train de s'habiller, après s'être servi un verre avec quelques glaçons, il avait décroché le combiné et reconnu la voix de son frère.

« Nom de Dieu, Kennedy.

– Patrick. Wow. Ça roule ?

– Oh, ça va super, Kennedy. C'est surtout pour toi que je m'inquiète. Ça fait deux jours que j'essaie de te joindre, bordel.

– Ah bon ? Mon téléphone devait...

– Tu ne consultes jamais tes e-mails ?

– Oups, sûrement mon filtre anti-spams qui… »

Kennedy entendit son petit frère soupirer à l'autre bout du fil. Il se représenta ce soupir, en train de courir le long du câble posé au fond de l'Atlantique depuis l'Irlande. « Alors », déclara-t-il en tâchant de reprendre ses esprits. Il consulta sa montre et fit le calcul. « Que se passe-t-il ? Il se fait quelle heure, chez toi, là ?

– Deux heures du mat'.

– Qu'est-ce que tu fais debout au milieu de la nuit ? Attends, ne me dis pas que tu viens d'avoir un autre enfant ?

– Non, Kennedy. J'ai veillé tard exprès parce que c'était la seule chance de t'avoir au téléphone.

– Allez, je plaisante. Écoute, je m'apprêtais à sortir alors je ne peux pas te parler longtemps. On pourrait peut-être…

– Elle est au plus mal, Kennedy.

– Bah, arrête ça. On connaît la chanson. » Il sentait déjà son bon vieil accent irlandais revenir au galop, après seulement deux minutes de conversation avec son frère.

– Je suis sérieux, nom de Dieu.

– Je vais l'appeler. Demain. Promis, juré. J'ai juste… un emploi du temps d'enfer, en ce moment.

– Il faut que tu viennes la voir.

– Je viendrai. Oui, je viendrai. Ça devrait se calmer un peu d'ici deux ou trois mois.

– Écoute, je sais que tu es incapable de t'en occuper. Ça ne fait rien. J'assumerai pour nous deux. Je me chargerai des allers-retours à l'hôpital. Je lui ferai ses courses, je passerai le soir et tout le reste. Mais il faut absolument que tu viennes la voir.

– J'entends bien, Patrick. Mais je suis en pleine phase de pré-prod sur ce putain de film et…

– Kennedy, elle…

– … ils risquent de m'attaquer pour rupture de contrat si je ne leur rends pas le scénario…

– Kennedy ?

– … d'ici la fin…

– KENNEDY !

– Merde ! Quoi ?

– Elle pèse trente-cinq kilos. »

Silence.

« Nom de… oh, putain.

– Elle ne voulait pas que je t'en parle parce que… tiens-toi bien… » Patrick laissa échapper un petit rire sec. « Ton travail est *trop important*. »

Trente-cinq kilos ? Quand l'avait-il vue pour la dernière fois ? Il y a un an, par là ? Après être allé voir Robin ?

« Voilà. Tu sais, maintenant.

– OK. Bon. Je… je l'appellerai dans la matinée.

– Elle n'avait pas trop le moral cette semaine. Tu sais. À cause de…

– Oui. » L'anniversaire de Gerry. « Je sais. Je suis désolé, Patrick. J'aurais dû appeler. Je… je ne suis qu'une merde.

– Ouais, bon. On le savait déjà.

– Écoute, il s'est passé pas mal de choses de mon côté, rien n'est sûr pour le moment, mais il se pourrait que je revienne m'installer quelque temps en Angleterre. À la fin de l'été. Je serai dans le coin. Je viendrai vous voir et je passerai du temps avec elle. Je veux dire, elle ne va quand même pas…

– Je ne pense pas. C'est une dure à cuire.

– Et je l'appellerai.

– OK. C'est noté. Tout va bien, chez toi ?

– Bah, ça va.

« – Tu vas où, là ?

– Hein ?

– Tu m'as dis que tu étais sur le point de partir. » Sacré petit frère, il écoutait vraiment ce que disaient les autres. Quel être remarquable.

– Oh, j'ai un dîner qui m'emmerde. Avec un acteur. Michael Curzon.

– Sérieusement ? Celui qui jouait dans ce truc avec la machine à remonter le temps et je ne sais plus quoi ?

– Lui-même.

– Félicitations, mec.

– Excuse-moi, Patrick.

– *Absolvo te*. Prends bien soin de toi, Kennedy.

– Toi aussi. Embrasse Anne et les enfants. »

Kennedy avait raccroché et s'était assis au bord de son lit, en caleçon, la chemise ouverte, son verre rempli de glaçons à la main. Patrick. Le bébé de la famille. Même pas encore la quarantaine et marié à la même gonzesse depuis quinze ans. Avec trois gosses, en prime. Et le même boulot depuis aussi longtemps. Il vivait dans un petit cottage à quelques kilomètres de Dublin et prenait le Dart tous les jours pour se rendre dans le centre-ville, puis le bus pour rejoindre son lieu de travail. (Oui. Un bus. Un putain de bus. Kennedy s'efforça de visualiser la chose.) Atout non négligeable lorsqu'il s'agissait de gérer le tempérament de son grand frère, Patrick était travailleur social. Il s'occupait surtout de grands ados issus des pires quartiers de Dublin. Il les aidait à trouver un logement. À régler leurs problèmes d'abus sexuels et d'addictions diverses. À remplir la paperasse pour les demandes d'aides sociales. À rattraper leur retard scolaire. Pour lui, le quotidien consistait à côtoyer le pire de ce que l'humanité était capable de s'infliger à elle-même. Les enfants violés, battus et jetés à la porte de chez eux. Les filles de dix-huit ans déjà mères de deux ou trois gamins qui ne savaient ni lire ni écrire. Les pauvres gosses avec leurs deux parents en prison. Patrick faisait le boulot sans se plaindre, jour après jour, depuis des années, fidèle au poste malgré les horaires difficiles et le salaire minable. Kennedy aurait sans doute pu rédiger le pitch des *Pétasses* en quarante-cinq minutes et ressortir avec un chèque dépassant largement ce que son frère pouvait espérer gagner en une année. Il faisait un scandale si le gin n'était pas assez frais. Il se plaignait davantage au cours d'un seul repas que Patrick ne l'avait fait de toute sa vie.

« *Parce que ton travail est trop important.* »

Comme Patrick, Kennedy se fendit à ces mots d'un petit rire amer. Il sortit la vodka du mini-frigo de sa chambre, se servit un verre et écouta le délicieux craquement des glaçons.

La véritable raison pour laquelle il freinait tant des quatre fers pour aller voir sa mère était impossible à formuler pour un athée de son espèce. Parce qu'il ne croyait pas à toutes ces conneries. N'empêche, une pensée superstitieuse le hantait. « *Elle meurt d'envie de te voir.* » En un sens, c'était on ne peut plus vrai.

Maman voulait le voir avant de mourir.

Tant qu'il n'y allait pas, elle ne mourrait pas.

C'était aussi simple que ça.

« Excusez-moi, Mr Marr ? »

Il leva les yeux de son verre. « Oui ? »

Le serveur qui l'avait accueilli à son arrivé au Chav – jeune, incroyablement beau, très efféminé, sûrement un acteur – se pencha vers lui pour déclamer d'une voix grave et ridiculement théâtrale : « Votre rendez-vous est arrivé. Laissez-moi vous conduire jusqu'à votre table. »

Il traversa la première salle en rendant quelques civilités et hochements de tête sur son passage, puis la seconde où, tout au fond, sur une banquette le long du mur, occupant seul une table pour quatre, l'attendait Michael Curzon, qui se levait déjà pour le saluer. Kennedy s'efforça de modeler ses traits en une sorte de masque souriant et bienveillant. Curzon avait opté pour un look farouchement sobre, bien planqué sous la capuche de son sweat gris qu'il abaissa tout de même lorsque Kennedy lui tendit la main.

« Bonsoir, Michael.

– Kennedy. Enchanté. »

Son visage, que Kennedy connaissait pour l'avoir déjà vu à l'écran, était bêtement, odieusement beau. Tout chez lui – des pommettes à la mâchoire en passant par le nez et la barbe de trois jours – semblait avoir été tracé d'après un plan de fabrication intitulé « Star de cinéma 200010877 ». Il avait des yeux vert alcool, genre Midori ou absinthe.

Ils échangèrent une poignée de main sous les coups d'œil discrets de quelque curieux qui tournèrent la tête de leur côté, et Curzon se rassit lourdement dans la semi-pénombre du coin banquette. Sur la table devant lui, l'incontournable assortiment d'accessoires : Marlboro Lights, eau minérale, BlackBerry. Le serveur leur tendit les menus. Il semblait nerveux, conscient qu'il avait du lourd en face de lui. « Puis-je vous apporter quelque chose à boire ?

– Vodka rondelle avec glaçons », répondit Kennedy.

Curzon fit non de la tête, sourire aux lèvres, l'air de dire : « Rien pour moi, merci… pas comme d'autres, hein ? » Saloperie de ville à la con où boire un cocktail équivalait à fumer du crack. Kennedy changea d'avis. « Mettez-m'en un double », dit-il. Qu'il aille au diable et qu'il y reste, ce petit con.

Le garçon prit note. «Permettez-moi maintenant de vous présenter nos plats du jour...» Ah, ces serveurs de L.A. et leurs interminables listes de plats du jour. C'étaient tous des acteurs, soucieux de montrer qu'ils étaient capables non seulement de mémoriser leur texte, mais également d'ajouter leur petite touche personnelle, mélodramatique ou humoristique, à des expressions comme «sur son lit de», «poêlé», «pêché à la ligne», «élevé en plein air» ou encore «nourri au pâturage». Tandis qu'il l'écoutait, Kennedy réalisa soudain que Curzon avait dû être à la place de ce type dans un passé pas si éloigné. Avant que le doigt imprévisible de la célébrité le désigne, il avait dû lui aussi passer entre les tables dans son petit pantalon ajusté, remplir des verres d'eau et réciter sa liste de plats du jour. Curzon attendit que le serveur termine et commanda une salade composée. Kennedy opta pour la dorade au four et demanda qu'on leur apporte une bouteille de sancerre avec les plats. «Heu... je ne bois pas?» intervint Curzon, formulant sa phrase comme une question, l'air de dire : «Non, mais ça va pas, la tête?»

«Parfait», répondit Kennedy. Le serveur les dévisagea l'un après l'autre, visiblement perplexe. L'acteur esquissa un hausse-ment d'épaules à la «C'est ton foie, pas le mien», et le serveur partit au bar s'occuper de sa vodka.

«Tu sais, Kennedy, déclara Curzon, je suis l'un de tes plus grands fans, pas seulement à cause d'*Impensable*, mais de l'en-semble de ton œuvre. Tous tes autres bouquins, tes films...

– Merci. Moi aussi, j'aime beaucoup ce que tu fais.» Kennedy tira sur ses manchettes et se pencha au-dessus de la table. «Alors, Michael. Qu'avais-tu de si important à me dire?

– Tu vas droit au but, hein? fit Curzon en riant.

– En effet.

– On m'avait prévenu que tu étais, comment dire... du genre direct. OK, écoute. Je trouve que le scénario, qui est génial d'ailleurs, décrit la relation entre mon personnage et celui de Julie d'une manière qui manque un peu... de chair. D'étincelles. Appelle ça comme tu voudras.

– De la chair ?

– Oui.

– Des étincelles ?

– Mmm.

– Je vois », fit Kennedy d'un air pensif. Mais un air seulement.

« J'ai juste le sentiment, poursuivit Curzon, qu'on pourrait apporter une dimension supplémentaire à leur relation. Qu'avec... » Kennedy sentit sa colonne vertébrale se raidir. « Apporter une dimension supplémentaire » constituait l'une des expressions favorites des acteurs, des producteurs, des réalisateurs et des directeurs de studios, tous persuadés que ça voulait vraiment dire quelque chose. En vérité, le sens caché de cette phrase était : On va te rendre marteau en te faisant réécrire de A à Z un scénario qui tient parfaitement la route, et puis, au final, on reviendra à ta première version. « ... deux êtres si passionnés, poursuivit Curzon, entre lesquels règne une telle tension dramatique sur le papier... je pense que ça rendrait leur relation, comment dire, plus forte... plus crédible – plus *cathartique*, même ? – s'ils... heu... »

Kennedy cessa de l'écouter et l'observa en train de chercher ses mots. Il essaya de se rappeler comment il était, lui, à vingt-six ans. Avait-il autant de mal à s'exprimer ? À formuler ses idées ? À un moment donné, au milieu de ce laborieux monologue truffé d'expressions à la noix comme « arc narratif », « background psychologique » et « évolution du personnage », un verre de vodka se matérialisa comme par enchantement près de son coude. Il en but la moitié d'un trait, leva un doigt pour interrompre le gamin en plein milieu de ce qu'il était en train de dire («... si cette tension pouvait, je ne sais pas, être renforcée d'une façon ou d'une autre... ») et lui demanda de but en blanc :

« Tu veux sauter Julie, c'est ça ?

– Pardon ?

– Dans le scénario. Dans le film. Tu voudrais que ton personnage, Will, se tape Gillian, la fille interprétée par Julie ?

– Heu, je...

– Pas de problème, fit Kennedy. Je vais voir ce que je peux faire. »

Curzon le dévisagea en haussant ses sourcils parfaitement dessinés. De toute évidence, il ne s'attendait pas à remporter la partie aussi facilement. Mais à quoi bon tergiverser ? songea Kennedy. Autant dire tout de suite à ce merdeux ce qu'il voulait entendre, qu'on en finisse. Kennedy ne tiendrait absolument pas compte de ses desiderata par la suite, de toute façon. Curzon n'avait sûrement pas le bras assez long pour le faire virer. Julie Teal, par contre... ce serait une autre paire de manches. Avec elle, il était sûr de se farcir tous les poncifs imbitables à la Strindberg.

« Je pense qu'en termes de tension dramatique, ça renforcerait l'histoire. En termes de... du... du message du film... » Curzon tentait encore de se justifier lorsque leurs plats arrivèrent.

La dorade était encore emballée dans sa papillote en papier alu, le pli du dessus légèrement noirci, cramé par la cuisson au four. Kennedy l'ouvrit. Un nuage de vapeur parfumée s'en échappa, puis le poisson apparut, agrémenté de petits piments, d'ail et de tomates cerises rouges et jaunes, cuit à la perfection, presque sur le point d'exploser.

Le papier alu.

Il l'avait emmenée déjeuner, ce jour-là. Geraldine. Il était passé la prendre chez elle, dans son minuscule appart' HLM à Limerick, au volant de la Mercedes qu'il avait louée à l'aéroport de Dublin. Et ils étaient allés manger un morceau. C'était il y a combien de temps, maintenant ? Neuf, dix ans ? Il avait trente-quatre ans, encore fraîchement grisé par la jeunesse et le succès. Encore fraîchement amoché par son divorce d'avec Millie. Gerry avait deux ans de moins que lui. Maman se faisait beaucoup de souci pour elle. Elle avait perdu pas mal de poids. Ne répondait jamais au téléphone, parfois même pas aux coups de sonnette, alors que maman savait pertinemment qu'elle était là. Elle avait entrouvert la porte avec méfiance, laissé la chaîne de sûreté. «Kennedy ? C'est toi ? La vache… Tu m'as foutu une de ces trouilles. » Elle avait oublié leur rendez-vous. Il avait bien remarqué l'état de nervosité dans lequel l'avait plongée cette visite inattendue. De même que les éraflures visibles sur sa porte (des coups de pied ?). Ses yeux rouges, sa toux sèche.

Elle était allée se préparer en lui proposant de tirer quelques lattes sur le joint de skunk âcre qui se consumait dans le cendrier rempli à ras bord et de se servir dans le paquet de Benson & Hedges posé juste à côté. (Pour Kennedy, seuls les aristocrates et les chômeurs longue durée se payaient encore le luxe de fumer chez eux, désormais. Fumer à domicile, tout comme le fait d'avoir une tripotée de gamins, ne se faisait plus chez les classes moyennes. C'était désormais l'apanage des riches ou des pauvres.) Il avait ouvert une fenêtre, préféré au joint une rasade de sa flasque en argent, et s'était assis sur le sofa en similicuir. Cette pièce, quelqu'un comme Truman Capote aurait parfaitement su la décrire. Le parquet en stratifié qui grinçait sous vos

pas. Le canapé hideux. La table basse en verre chromé antédi-
luvienne que Kennedy se souvenait vaguement d'avoir aperçue
jadis chez l'un de ses oncles, tantes ou cousins. La table ronde de
salle à manger, installée dans un coin, croulant sous la vaisselle
sale. La déco murale : une affiche mal encadrée d'Al Pacino dans
Scarface. Les photos sur la cheminée, dans leurs cadres en faux
étain ornés d'inscriptions censées décrire le thème des images
qu'ils contenaient – « Jours heureux », « Love » – et, parmi elles,
un cliché récent de sa fille Robin (six ans, folle de joie, serrant
contre elle sa toute première guitare) et de Rowan et Eamonn,
les enfants de Patrick. Sa bibliothèque tenait sur une étagère
basse : les trois romans que Kennedy avait publiés jusqu'alors, un
exemplaire de *Mr Nice* et deux ou trois *Harry Potter*. Au milieu
de la pièce trônait le seul objet de valeur de tout l'appartement,
l'immense télé à écran plat, avec sa Xbox rangée en dessous. Le
résultat semblait tout droit sorti des pages d'un magazine de
déco intérieure intitulé *L'Art de vivre des dealers de bas étage*.

En traversant la cuisine, il avait jeté un coup d'œil dans l'étroit
couloir et remarqué que la porte de sa chambre était fermée. La
cuisine n'était en réalité qu'un placard, où on avait tout juste la
place d'écarter les bras. La fenêtre donnait sur les cours arrière
des immeubles voisins : vue imprenable sur le spectacle des pou-
belles à roulettes, des vieilles boîtes de conserve et des détritus
qui voletaient au sol. Au mur, un calendrier resté bloqué au mois
de mars (alors qu'on était déjà en mai). Il le feuilleta. Toutes
les pages étaient vierges à l'exception d'une case, de temps en
temps, annotée d'une écriture de petite fille – « Anniv maman »,
« Docteur », « RV aide sociale ». (Cela lui avait bizarrement serré
le cœur car, déjà au bout de quelques années de succès, Kennedy
rêvait d'avoir un agenda si peu rempli. Le sien était devenu un

instrument de torture. *8 h 55 : Heathrow. Le 12 : Librairie Water-stone, Manchester. Dîner : Connie. Déj @ ICM. RDV : Curtis Brown. L.A. Berlin. Dublin. Remise de prix.*) Il avait ouvert le petit frigo : une croûte de fromage, une bouteille de ketchup et une grosse bouteille de cidre White Lighting. Le compartiment congélateur n'était qu'un solide bloc de glace fendu au milieu, même pas de quoi y insérer une pizza toute plate. Dans un tiroir, il avait découvert une lettre officielle imprimée, avec des mots encadrés en rouge – « Si le paiement n'a pas été effectué d'ici... ». Et il y en avait toute une pile en dessous. Il avait ouvert le placard. Une odeur de moisi et de renfermé lui avait sauté aux narines. Deux boîtes de soupe aux champignons, une autre de haricots en sauce et un assortiment de flacons de médicaments : Lorazepam, Diazepam, codéine. Il avait appuyé sur la pédale de la poubelle : à l'intérieur, un carton de pizza éventré recouvert de petits morceaux de papier alu calcinés.

Un cauchemar. Partout, de mini-cercles de l'enfer.

Kennedy dressa mentalement la liste des adjectifs qu'il venait d'employer. *Étriqué, hideux, faux.* En excluant la télé et la console, l'ensemble du mobilier ne devait pas valoir plus de deux cents euros.

Quand Gerry était enfin reparue pour enfiler son manteau, elle semblait plus heureuse, les yeux brillants. Ils étaient sortis ensemble dans l'air vif et venteux du printemps. La bagnole l'avait impressionnée. Elle lui avait posé mille questions sur ce qu'il faisait, les gens qu'il rencontrait, l'avait complimenté sur ses bouquins. De temps en temps, lorsqu'elle riait ou s'exclamait « Nan, c'est vrai ? » d'un ton émerveillé, Kennedy retrouvait la petite sœur qu'il avait connue autrefois. Puis son téléphone avait sonné, et elle avait décroché. Écouté un moment sans rien dire avant d'exploser. « Écoute-moi bien, sale raclure, je vais venir faire un tour chez toi, je vais venir faire un tour chez toi avec Billy Williams, eh ouais, mon gars, et on va te trancher ta putain de gorge, tu m'entends ? Vendredi, ça veut dire vendredi. Pas demain. Pas la semaine prochaine. Vendredi, bordel. Ouais, ouais. T'as intérêt, pauvre tache, t'as intérêt pour ta gueule, tas de merde. » Et elle avait continué, oubliant visiblement la présence de son frère au volant. « ... manque de respect... le petit truc avec le silencieux qui fait pff pff, bye bye... à la putain de morgue... »

Lorsqu'elle avait raccroché, Kennedy s'était arrêté le long du trottoir et l'avait dévisagée avec stupeur. Il ne la reconnaissait plus.

« Gerry, c'est quoi, ce cirque ?

– Quel cirque ?

– C'était qui, au téléphone ?

– Bah, juste un pauvre débile qui essayait de m'arnaquer. Un truc de business. Des conneries.

– Pourquoi tu lui parlais comme ça ?

– Comment, comme ça ?

– Comme un gangster décérébré.

– Eh, tu sais pas tout ce qui se passe, ici, lui avait-elle rétorqué, agacée, désignant d'un geste vague les rues de Limerick derrière le pare-brise, l'arrêt de bus, la vieille dame qui traversait la chaussée en traînant son caddie. Le vent. « Il faut savoir s'affirmer, des fois. »

Ils s'étaient rendus dans un bon petit pub gastronomique sur la route de Shannon. Elle n'avait rien mangé. À peine une cuillerée de soupe. Une bouchée de purée, peut-être. Elle avait trempé ses lèvres dans une pinte de bière pendant que Kennedy se sifflait à lui seul une bouteille de Claret très correct. Il l'avait observée pendant qu'elle lui parlait. La grosse chevalière clinquante à sa main droite. Sa chaîne en or autour du cou. Les cerises tatouées à son poignet. Sa façon de scruter la salle d'un œil méfiant chaque fois que quelqu'un venait dans leur direction. Le malaise évident qu'elle ressentait dans ce genre d'endroit, avec les verres à pied, l'argenterie, les serveurs.

Il avait fini par craquer. « Gerry, lui avait-il demandé en se penchant par-dessus la table, qu'est-ce que tu comptes faire ?

– Hein ?

– Le reste de ta vie. Que comptes-tu en faire ?

– Comment ça ?

– Eh bien, si je te pose la question, c'est parce que ce que tu fais pour le moment n'a pas l'air de te réussir. Quand t'étais petite, tu imaginais ta vie comment ? Genre, ton métier idéal ? »

Elle le dévisageait comme s'il avait perdu la boule.

« Arrête tes conneries », avait-elle répondu en riant. Il était en colère, ou quoi ?

« Sérieusement », avait-il insisté.

– Mon métier idéal ? Ben merde. Aucune idée. Des fois, je me dis que j'aurais bien aimé être infirmière. » Elle avait dit ces mots presque en s'excusant. Comme si c'était une idée délirante. Comme si elle avait parlé de devenir PDG. Chancelière. Astronaute. « Mais pff, faut des diplômes, des machins comme ça. Ton style, quoi. » Elle avait fait tournoyer sa bière dans son verre.

« Ça n'a rien d'impossible. Tu n'as que trente-deux ans. Prends des cours du soir. Retourne passer ton…

– Ouais, ouais. C'est sûr », avait soupiré Gerry. Cette conversation ne l'intéressait déjà plus.

« Je pourrais t'aider.

– Nan, c'est vrai ?

– Bien sûr.

– Écoute, si tu veux m'aider, il vient de m'arriver une tuile. Ce truc qu'on a retrouvé dans ma bagnole, c'était pas de ma faute mais... »

Kennedy l'avait écoutée en hochant la tête. Elle l'avait déjà trouvé, son job idéal. Il consistait à rester affalée sur son canapé en similicuir, à fumer de la skunk ou de l'héro en jouant à la Xbox. Il l'avait écoutée lui raconter les mêmes salades qu'elle lui servait depuis plus de dix ans ; en gros, des variantes d'un film qui aurait pu avoir pour titre *Un plan béton qui foire*. Il avait acquiescé, sorti le chéquier de son compte en banque irlandais et signé pour un montant de deux mille euros. Elle l'avait pris dans ses bras, les yeux humides de gratitude.

Il faisait déjà sombre lorsqu'il l'avait ramenée en bas de chez elle. Alors qu'elle s'apprêtait à sortir de la voiture, il avait eu une impulsion soudaine, l'avait rattrapée par l'épaule. « Une seconde. Attends. » Il lui avait donné tout l'argent que contenait son portefeuille, près de deux cents euros. Elle l'avait embrassé sur la joue tout en serrant les billets dans sa paume. « Je suis qu'une ratée, Kennedy. Vaut mieux que tu te mêles pas trop de ma vie. »

Il l'avait regardée marcher jusqu'à la porte et disparaître à l'intérieur de l'immeuble, s'engouffrer dans le couloir et monter l'escalier menant à son misérable appartement. *Au revoir. Au revoir, Kenny.* Cette façon qu'elle avait de lui faire coucou derrière la fenêtre de la maison quand il s'en allait pour l'école. Il devait avoir six ans, elle trois, presque encore un bébé dans sa barboteuse en moumoute jaune. Le geste de sa main, ses petits doigts légèrement pliés – *Au revoir, Gerry. Au revoir.*

Kennedy s'essuya la bouche, jeta sa serviette sur la carcasse de sa dorade et leva les yeux vers Curzon, qui n'avait toujours pas terminé ses élucubrations concernant le message du film.

Kennedy se pencha vers lui et lui coupa la parole.

« Le *message* du film ? Le putain de… Michael, dis-moi, sais-tu ce qu'est le théâtre ? Sais-tu ce qu'est l'art ? À quoi il sert ? Ou à quoi il devrait servir, plutôt ?

– Heu, je ne suis pas écrivain, bien sûr, mais… »

Kennedy le stoppa dans son élan, la main en l'air.

« Définis-moi juste le soi-disant *message* de ce film. »

Curzon demeura interdit, comme si on l'avait pris en faute. Comme un gamin qui se fait interroger par le prof. À vrai dire, il semblait même un peu énervé. Kennedy s'imagina la pile de scénarios posés au pied de son lit, un bouquin de développement personnel égaré au milieu. Quelques romans jamais ouverts.

« Écoute, je… » commença Curzon.

Mais Kennedy ne lui laissa pas finir sa phrase.

« L'art sert à enchanter le public. Pas à l'instruire. Ni à l'éduquer. *"Certains parmi nous, hommes et femmes…"* » – Kennedy jeta un coup d'œil dans le miroir au-dessus de la tête du gamin et y vit le reflet de son propre visage, las, vieillissant et ridé, avant de continuer à citer David Mamet de mémoire – « *… hommes et femmes, dont l'art est susceptible de nous enchanter, ont été dispensés d'avoir à sortir de chez eux pour aller puiser de l'eau et ramasser du bois."* » Il se pencha encore davantage, les coudes sur la table, tout près du visage de l'acteur. « *"Les artistes ne se demandent pas, à quoi bon faire cela ? Ils ne cherchent ni à "aider les gens" ni à "faire de l'argent". Ils ne cherchent qu'à alléger le fardeau de l'insupportable disparité entre leur conscient et leur inconscient, et connaître ainsi la paix."* »

Cette barboteuse jaune. Sa peau, plus tard.

Kennedy se renfonça en arrière dans sa banquette et vida son verre de vin.

« Wow, commenta Curzon. C'était magnifique. C'est de toi ?

– Ouais, répondit Kennedy en levant deux doigts pour appeler le serveur. Ouais, c'est de moi. »

À l'autre bout du restaurant, une fille – la petite vingtaine, sans doute mannequin – croisa longuement son regard et lui sourit, ignorant superbement l'homme avec lequel elle dînait. OK, s'avoua Kennedy en lui rendant son sourire, même s'ils étaient peu nombreux, il y avait quand même certains avantages à dîner avec des stars de cinéma. Le serveur se présenta à leur table. « Tout s'est bien passé ?

– Oui, l'addition, merci », fit Kennedy.

Le serveur acquiesça et fit signe à un autre larbin de venir débarrasser la table. Et là, un bref instant, le temps d'un éclair, il se passa quelque chose entre ce serveur et Curzon. Un coup d'œil furtif, l'ébauche d'un sourire.

Tiens, tiens, songea Kennedy. Il venait de comprendre pourquoi l'acteur tenait autant à sauter Julie Teal dans le film.

19

L e Dr Dennis Drummond travaillait tard à son bureau, sous la chaleur diffuse de sa belle lampe d'architecte. Posé devant lui se trouvait le dossier de presse, aussi épais qu'un annuaire téléphonique, que lui avait envoyé l'éditeur britannique de Kennedy. Seize années d'articles dont les premiers dataient de 1997, année de la publication d'*Impensable*, et les plus récents de l'hiver dernier, à l'occasion de son arrestation lors d'une rixe dans un bar de Los Angeles.

La propre revue de presse de Drummond aurait pris beaucoup moins de temps à lire. Une brochure, un pamphlet, comparée à ce pavé digne de *Moby Dick*. Drummond était l'auteur de trois romans : *Une défense circulaire* (Picador, 1991), *Les Ailes de la défaite* (Cronulla Independent Press, 1993) et *Vile* (inédit, 1997). (Enfin, disons trois et demi. Quarante mille et quelques mots d'un manuscrit toujours pas achevé croupissaient dans les entrailles d'un vieux PC Dell, lui-même enfoui sous des montagnes de notes de lecture dans un coin de son bureau, chez lui.) On recensait cinq articles abordant son travail : quatre sortis au moment de la publication de son premier livre chez un gros éditeur, et un (dans le *Bookseller*) pour son deuxième. Deux de ces articles mettaient le doigt exactement sur le principal défaut de ses romans : il ne s'y passait rien. Drummond avait repris à son compte la maxime de Raymond Chandler – « en cas de doute, faites entrer un type avec un flingue à la main » – pour la remplacer par : « en cas de doute, rédigez la description interminable de la texture d'une table en Formica. Ou bien lancez l'un de vos personnages dans un monologue intérieur de cinq pages évoquant un incident mineur survenu dans son enfance. » Pour dire les choses crûment (Drummond pencha la tête sous la lampe pour mieux lire les quelques lignes de présentation de l'éditeur, en caressant distraitement le duvet argenté qui lui faisait office de chevelure), les œuvres de Kennedy Marr – six romans et un recueil de nouvelles – s'étaient vendues à plus de cinq millions d'exemplaires, dont près de la moitié pour *Impensable* qui en était désormais à sa cinquième ou sixième édition en poche. Ses livres avaient été traduits dans vingt-huit langues. Les deux seuls romans publiés – et depuis longtemps épuisés – de Dennis Drummond s'étaient vendus, tous chiffres confondus, à sept cents exemplaires. Il était lu en deux langues : l'anglais et le letton. (L'édition lettonne avait été un pur hasard : son agent connaissait quelqu'un qui connaissait quelqu'un qui travaillait pour une maison d'édition subventionnée par le gouvernement de Lettonie, et cette aubaine lui avait valu une avance de trois cents livres sterling. Il en aurait touché encore cent cinquante autres si les ventes avaient dépassé le montant de ce minuscule à-valoir. Inutile de dire que ça n'était jamais arrivé.)

Il parcourut les pages du dossier de presse à la recherche d'une phrase prononcée lors d'une interview et dont il gardait un vague souvenir. Il souhaitait l'ajouter à la liste de citations de Kennedy Marr qu'il consignait dans son carnet.

C'était une position peu enviable pour un écrivain tel que le Dr Drummond.

On lui avait donné sa chance. Choisi par un gros éditeur parmi les millions de manuscrits refusés chaque année de par le monde. Il avait connu ce moment de joie intense de l'auteur sortant d'une enveloppe à bulles l'exemplaire grand format de son premier roman pour en caresser délicatement la couverture. (Le même exemplaire qui trônait aujourd'hui sur l'une des étagères derrière lui, avantageusement positionné pour se trouver pile dans le champ de vision de la personne assise en face de lui.) Il avait un agent, autrefois. Ses écrits, sa vision du monde, sa perception de notre façon de parler, de penser et d'interagir avec les autres, avaient été proposés sur le marché. Et les clients de ce marché, autrement dit les lecteurs, lui avaient répondu en chœur : « Non, ça ira, merci. » Pendant ce temps-là, sur l'étal de Kennedy Marr, c'était la foire d'empoigne. On agitait des liasses de billets en hurlant des commandes. On s'arrachait les derniers exemplaires disponibles tandis que des ambulanciers débordés évacuaient les femmes évanouies sur des civières. Au stand de Kennedy Marr, c'était tous les jours la veille de Noël ou l'ouverture des soldes de janvier sur Oxford Street. Alors que Drummond, lui, restait sur le carreau avec sa montagne de pulls invendus au mois de juillet. L'année de publication d'*Impensable*, 1997, constituait une insulte en soi : c'était l'année où Drummond avait, en vain, cherché un éditeur pour son troisième (et pour l'instant dernier) roman. En parcourant les articles, Drummond fut frappé par une autre coïncidence désagréable : Kennedy avait dû apprendre qu'il était le plus jeune écrivain de l'histoire à figurer parmi les finalistes du Booker Prize à peu près au même moment où son propre agent l'avait emmené boire cette horrible pinte de bière au Pillars of Hercules sur Greek Street afin de lui annoncer la nouvelle tant redoutée concernant son troisième roman : « Je crois que nous avons fait tout ce que nous pouvions. » (Pendant qu'à quelques mètres de là, sur Dean Street, Kennedy faisait la fête au Groucho Club au milieu des magnums de champagne et des paires de nichons.)

Enfin, il trouva l'interview qu'il cherchait, publiée cinq ans auparavant dans *The Times* à l'occasion de la parution de son cinquième roman. La citation commençait par ces mots : « *Je ne vois pas vraiment comment ça pourrait s'enseigner, à vrai dire* ». Drummond commença à la recopier dans son carnet de notes, conscient qu'un autre détail le torturait en sourdine. Au fil des pages, tandis que défilaient les années 1990, jusqu'au nouveau millénaire, qui avait depuis entamé sa deuxième décennie, le visage de Kennedy Marr le narguait sur les coupures de presse photocopiées : avec la même crinière noire qu'il y a vingt ans.

La lumière de sa lampe de bureau lui chauffait le crâne pendant qu'il écrivait. Derrière la vitre, la pluie du Warwickshire.

20

Grosse « conf call » avec Scott Spengler. Pour l'occasion, ils étaient tous réunis dans le bureau de Braden, agglutinés autour de l'appareil noir en forme de pyramide : Connie, Braden, Kennedy et Danny, l'assistant, en train de prendre des notes. Sur la table basse, un pot de café en argent, une carafe de jus d'orange et une corbeille de croissants frais, ce redoutable repaire de glucides dans lequel seule la main de Kennedy s'aventurait de temps à autre. Une atmosphère légèrement angoissante avait envahi la pièce, comme souvent lorsqu'un groupe d'individus patientait avant d'être mis en contact avec l'un des géants de l'industrie cinématographique. (N'oublions pas que les films de Scott Spengler avaient rapporté plus d'un milliard cinq cents millions de dollars au box-office.) Pendant qu'une secrétaire les mettait pour la énième fois en attente, que les connexions satellite grésillaient et crépitaient à qui mieux mieux entre L.A. et l'autre bout du monde, Connie décida de retenter sa chance :

« Ça fait trois jours que je suis là, Kennedy. Je ne peux quand même pas les faire poireauter jusqu'à la fin des temps.

– Eh bien, ne les fais pas poireauter. Il suffit de leur dire non. »

Braden lui fit glisser une feuille en travers de la table. Kennedy l'avait déjà vue. Deux fois. Il y avait le mot « fisc » écrit tout en haut. Pas mal de trucs en rouge, aussi. Des nombres à sept chiffres. Kennedy repoussa la feuille vers Braden.

Une voix résonna dans le haut-parleur, parfaitement nette. «Je vous passe Scott.» Puis, enfin, celle du grand homme en personne. «Oui, à qui ai-je l'honneur?

– Allô, Scott? Ici Braden, accompagné de Kennedy et de Connie, son agent britannique.

– Bonjour, tout le monde.

– Bonjour! répondirent-ils tous en chœur.

– OK, les gars. On a reçu le feu vert officiel.»

Braden fut le premier à réagir en poussant les hululements extatiques de rigueur. Connie et Danny manifestèrent également leur enthousiasme. Kennedy, comme à son habitude, un peu moins.

«Le studio veut que le film soit terminé pour Noël. On est priés d'accélérer la production. Le tournage en intérieur démarre à Burbank dans six semaines. Kennedy, j'ai appris que tu avais dîné avec Michael. Merci beaucoup. Tu sais qu'il t'adore.

– Oh, mais de rien. C'était super sympa.

– Julie a des choses à te dire, elle aussi, donc tu auras sans doute l'occasion de la rencontrer bientôt. Mais ce n'est pas la seule bonne nouvelle. Il y a du nouveau concernant le financement et les lieux de tournage, ce qui aura aussi un impact sur le scénario. Je rentre à L.A. ce soir. Kennedy, rendez-vous chez moi demain matin pour un déjeuner de travail avec Kevin.»

Kevin McConnell, le réalisateur.

«Du nouveau? Est-ce que...» bafouilla Kennedy.

Mais Spengler était lancé en mode diction automatique.

– Bref. On va passer deux mois à Burbank avant de s'envoler pour l'Angleterre à la fin octobre.

– L'Angleterre ? » répéta Braden en relevant brusquement la tête pour poser son regard sur Kennedy. Aussitôt imité par Connie.

« Oui. Les studios de Pinewood. Ça emmerde tout le monde, mais c'était le seul plateau assez grand disponible à nos dates. On y restera jusqu'à Noël pour boucler le tournage. »

Kennedy enfouit son visage entre ses paumes. C'était forcément un mauvais rêve. Il sentait les sourires de Connie et Braden lui transpercer la peau et les os des mains.

« Alors, Kennedy, t'en dis quoi ? De retour au pays, hein ?

– C'est génial », marmonna-t-il. Connie était maintenant franchement hilare.

« Excellent travail, tout le monde. Merci beaucoup. Continuez comme ça. On va faire un super film. À demain, Kennedy.

– Au revoir », chantonnèrent-ils tous en même temps.

Un bip plus tard, le producteur avait déjà raccroché.

Kennedy les fixait sans rien dire.

« Ça alors, lâcha Connie.

– Oh, vous jubilez, pas vrai ? Bande de salopards ! »

Braden tapait déjà sur sa calculette. « Avec ton chèque de début de tournage plus l'argent du prix Bingham, tu es sauvé, mon vieux. On peut rembourser le fisc et tu peux maintenir ton train de vie pharaonique encore quelques années.

– Regarde les choses en face, darling, renchérit Connie. Les dés sont jetés. Le destin t'appelle en Angleterre.

– Mais… et… et… » Kennedy jetait des regards éperdus autour de lui. « Et ma thérapie avec le Dr Brendle ? Sur ordre express du tribunal ?

– Si tu quittes le sol américain pour raisons professionnelles, je suis sûr qu'on pourra trouver un arrangement, répondit Braden.

Soit tu reprendras les séances à ton retour, soit tu chercheras un psy en Angleterre. »

Kennedy abaissa le dossier de son fauteuil au maximum, les yeux collés au plafond, presque allongé à l'horizontale. On aurait dit un boxeur qui se serait accroché aux cordes, combattant jusqu'au bout et parvenu, contre toute attente, à rester debout, jusqu'à ce que le coup fatal l'envoie au tapis. Il soupira. « Je ferais mieux d'appeler Millie.

– Youpi ! s'exclama Connie en tapant des mains comme une fillette. Je préviens de suite le comité F. W. Bingham.

– Danny ? fit Braden. Tu veux bien nous apporter du champagne et des verres, s'il te plaît ? Non. Attends… Va chercher la bouteille de Cristal dans le bureau de Bob. Tournée générale de cocktails mimosa ! » ajouta-t-il en brandissant la carafe de jus d'orange.

Kennedy gémit et se laissa tomber en avant sur le bureau. Dans son désespoir, un seul petit point positif éclaircissait l'horizon.

Bye-bye, Dr Brendle.

21

L'imposant cottage était niché au cœur de la campagne, aux environs de Deeping, dans un coin situé un peu trop au nord, peut-être, pour pleinement s'intégrer aux Cotswolds. Il datait du XVIe siècle, mais à l'arrière, une extension récente offrait une grande cuisine moderne tout en verre (merci qui ? Kennedy : trois petites semaines de boulot passées à réécrire – sans citation au générique – les dialogues d'un film avec Angelina Jolie qui n'avait, au final, jamais vu le jour.)

Millie descendit prudemment l'étroit escalier Tudor aux marches inégales et frappa à la porte de sa fille. On entendait vaguement de la musique, un son dur et atonal. Elle frappa de nouveau, plus fort cette fois, et entra.

Robin Marr était étendue sur son lit, vêtue d'un jean et d'un tee-shirt des Breeders. Casque sur les oreilles, paupières closes, un médiator coincé entre les dents, elle grattait en rythme les cordes de sa basse débranchée (une Fender Mustang vintage, cadeau de son père.) Millie tapa du pied par terre et Robin sursauta.

« M'man ! Vas-y, tu m'as foutu la…

– Il faut qu'on parle. »

Robin ôta son casque et se redressa. La musique continua à nasiller à travers ses écouteurs jusqu'à ce qu'elle mette l'iPod sur pause. « Tu vas t'abîmer les oreilles », s'entendit dire Millie sans vraiment se reconnaître. Elle s'assit à l'extrémité du lit de sa fille, embrassa d'un regard les vêtements éparpillés un peu partout, les classeurs et les livres de classe abandonnés ici et là, la vaisselle sale – assiettes, mugs et verres –, les posters (Hole, Manic Street Preachers, Sonic Youth) et son ordinateur portable connecté à la fois à Facebook et Twitter. Robin joua quelques notes sur sa basse. « S'il te plaît », insista sa mère. Elle soupira et reposa son instrument. Elle souffla sur sa frange pour dégager ses yeux. Ses cheveux, coupés au carré, étaient noirs et épais, comme ceux de Kennedy. À seize ans, la très belle femme que deviendrait assurément Robin commençait déjà à poindre sous ses rondeurs adolescentes qui fondaient un peu plus chaque jour. « Je viens d'avoir papa au téléphone. Il compte t'appeler bientôt.

– Y a un problème ?

– Pas vraiment. Disons plutôt... une nouvelle inattendue. J'étais plus ou moins au courant, mais je ne t'en avais pas parlé parce que je ne pensais pas qu'il... Enfin bref : il a gagné un prix littéraire, une sorte de bourse. Et l'un des termes du contrat implique qu'il vienne passer une année entière, ici, à Deeping.

– Hein ? Pour quoi faire ? »

Millie se retint de sourire. « Enseigner.

– Enseigner ? Papa ? »

La mère et la fille éclatèrent de rire en même temps.

« Oh, purée, lâcha Robin au bout d'un moment.

– N'est-ce pas ?

– Attends, ça veut dire qu'il va venir vivre *ici* ? fit Robin en désignant son lit, puis le sol.

– Seigneur, non. L'université va lui louer une maison à proximité du campus. Mais il sera souvent dans les parages. Il fera aussi des allers-retours à Pinewood. Pour les besoins d'un film qu'il a écrit et dont le tournage débute cet automne. Il y a cette actrice dedans. Celle que tu aimes bien. Bidulette. Oh, tu sais bien… »

Robin moulina des mains, les poignets relâchés – *allez, allez, allez, allez, allez !* Un geste d'impatience qu'elle avait piqué à Kennedy.

« Oh, zut ! Il vient juste de me dire son nom… » Millie se sentait toujours très vieille, dans ces cas-là. « Elle a joué dans ce truc où ils font une virée en voiture. La brune, avec le grain de beauté. Elle faisait une danse rigolote à un moment…

– Julie Teal ?

– Oui, voilà !

– Wow. »

Robin lâchait rarement un « wow » sur ce ton. – un « wow » dénué de toute trace de sarcasme ou d'ironie. Elle s'était souvent rendue sur les plateaux de tournage avec son père lors de ses vacances à L.A. Elle avait eu droit aux visites privées des grands studios, aussi. Mais ce n'est que récemment qu'elle avait commencé à se sentir vaguement impressionnée par son boulot. L'été dernier, quand elle était allée passer deux semaines à L.A. avec sa copine Gwen, ils étaient allés dîner dans un restaurant où le serveur les avait fait passer devant tout le monde pour les installer à une super table avec banquette, en plein milieu de la salle. Kevin Spacey s'était arrêté au passage pour les saluer et serrer la main de Kennedy. « Ton père est chanmé », lui avait chuchoté Gwen, planquée derrière l'immense menu, pendant que Kennedy s'entretenait avec le serveur pour lui commander un cocktail compliqué (« Rincez juste les glaçons avec… »). Et ces mots avaient frappé Robin comme une révélation divine : oui, c'était peut-être vrai.

« Il va se faire beaucoup d'argent ?

– Un demi-million de livres.

– La vache. Est-ce qu'on...

– Oui. On aura notre part.

– Mais papa... enseigner ? répéta Robin.

– Les pauvres. Bref. Ce qui est fait est fait. Ils sont sur le point de faire l'annonce officielle, et ce sera sûrement demain dans tous les journaux. Qu'est-ce que tu en penses ?

– Du retour de papa ? Tant que c'est pas *moi* qui suis dans sa classe... »

Quand Robin avait sept ans, juste avant le déménagement de Kennedy pour L.A., on lui avait demandé de faire une rédaction décrivant ses parents. Elle avait écrit que son père avait la patience « d'un grand requin blanc affamé ». Kennedy avait été très impressionné par la métaphore, de la part d'une gamine de sept ans. « Ce sera peut-être sympa de le voir un peu plus souvent, conclut Robin en reprenant sa basse.

– Mmmm », fit Millie avec le plus d'enthousiasme possible. Robin visa une note très haute, claqua la corde avec son pouce et fit descendre son autre main sur toute la longueur du manche. *B-doinnnng.*

22

En route chez Scott Spengler pour le petit-déjeuner *slash* réunion d'écriture. («Il y a du nouveau» : cette phrase-là sentait mauvais. Toujours mauvais), Kennedy longea le Sunset, passa devant Soho House (*le* Soho House, comme tout le monde ici mettait un point d'honneur à le dire) sur sa gauche et se retrouva plongé au cœur de la végétation luxuriante de Beverly Hills. (Que se passerait-il si tout le temps que passaient tous les scénaristes de L.A. dans leurs bagnoles à se rendre à des foutues réunions de scénario était converti en temps supplémentaire pour écrire, se demanda Kennedy. Réponse : on aurait davantage de scénarios. Et certainement des scénarios pas tellement pires que si aucune de ces réunions de travail n'avait jamais lieu. Mais comme disait Woody Allen, les gens adorent les réunions à Hollywood. Ils veulent la totale : les dîners, les déjeuners, les brunchs et les «conf calls» parce que c'est justement pour *ça* qu'ils voulaient faire ce métier : les mondanités. Les écrivains, eux, ne rêvent que d'une chose : se retrouver seuls dans une pièce d'où les téléphones sont bannis.) Il avait passé tous les coups de fil de rigueur : Millie, Robin, Patrick, sa mère. Cette dernière avait été enchantée d'apprendre qu'il rentrait au pays pour quelque temps, tout en lui assurant qu'elle était en parfaite santé et qu'il était inutile qu'il se donne tant de mal pour venir la voir. («Tu es bien trop occupé, et puis prendre l'avion, ça coûte tellement cher. ») Braden et Connie s'occupaient des détails pratiques : billet pour Londres, logement, argent. Un ordre de déportation. Il n'y avait pas d'autre mot : c'était une putain de déportation.

Il tourna à droite juste après le Beverly Hills Hotel et, quelques centaines de mètres plus loin, entendit son GPS chantonner : « Vous êtes arrivé à destination. » Il leva les yeux vers l'imposant portail. Une sorte d'Interphone en aluminium brossé était discrètement encastré dans le mur, sur le côté. Avant même qu'il ouvre la bouche, une voix résonna dans le haut-parleur : « C'est à quel sujet ?

– Kennedy Marr. J'ai rendez-vous avec Scott. »

Un bruit de friture. Un silence. Puis : « Bonjour, Mr Marr. Veuillez entrer et vous garer devant la résidence. »

Le portail s'ouvrit lentement, et il pénétra dans le royaume privé de Scott Spengler.

Il fallait traverser un demi-hectare de pelouse pour atteindre la maison. Kennedy remonta l'allée gravillonnée sans se presser, admirant au passage les rosiers, les pergolas, l'énorme fontaine en cuivre et, plus loin, situé pile en face des colonnes du perron, ce qui ressemblait fort à une sculpture de Henry Moore. Non, *deux* sculptures de Henry Moore. La résidence en elle-même était ce que les agents immobiliers appelaient un *French château*[1]. L'indécente surface vitrée qui s'étendait sur tous les côtés du bâtiment. La seule superficie – quoi, huit cents, neuf cents, mille mètres carrés ? – de la cour dans laquelle il s'était garé – à côté d'une Prius et d'une Bentley – aurait pu accueillir deux douzaines de voitures. Et tout cela à quelques minutes à peine

---

1. En français dans le texte.

du Sunset. Kennedy fit une rapide estimation immobilière à trente ou quarante millions de dollars. Combien de jardiniers, de femmes de ménage et de corps de métiers divers pour faire tourner une usine pareille ?

Comme souvent lorsqu'il était confronté à de tels étalages de richesse, aussi délirants et titanesques, Kennedy avait tendance à penser que c'était bien trop de boulot.

Un jeune valet latino l'invita en souriant à pénétrer dans un hall en marbre de la taille d'une bibliothèque publique et à le suivre le long d'un couloir – il reconnut au passage un Matisse, un Whistler et un Rothko – pour atteindre le patio situé à l'arrière de la villa. Là, d'autres kilomètres de pelouse manucurée s'étendaient vers le court de tennis et les piscines (car il n'y en avait pas qu'une) et, assis à une table en fer forgé, carafe de jus d'orange à la main, se trouvait Spengler, en jean et chemise blanche, en compagnie d'un ours barbu d'une trentaine d'années, tout de noir vêtu et plongé dans la lecture du *New York Times* : Kevin McConnell, le réalisateur.

« Kennedy », déclara Spengler en se levant pour l'accueillir, sourire aux lèvres. Il n'avait pas du tout la tête de quelqu'un qui rentre juste d'Australie. Il faisait même plus jeune que ses cinquante et un ans.

« Salut, lui lança Kennedy. Belle baraque. » Sans doute le commentaire le plus superflu qu'on puisse imaginer. Un peu comme de dire « Tu es très belle » à, par exemple, Julie Teal en train de se désaper devant vous.

« Merci, tu veux te l'offrir ? On déménage.

– Comment ça se fait ?

– Madame veut changer d'air. Sa dernière lubie. Qu'est-ce que j'en sais, moi ? Je ne fais que bosser ici. Je te présente Kevin. »

Le réalisateur leva nonchalamment le nez de son journal.

« Salut, mec, dit-il en lui tendant un main molle. Content de te rencontrer enfin.

– Tu veux manger quelque chose ? » lui demanda Spengler en lui indiquant une desserte sur laquelle s'étalait le chargement entier du camion de livraison d'une épicerie fine : jus d'orange, de pêche et de pamplemousse, cantaloup, oranges et raisins frais, céréales, flocons d'avoine, bagels, bacon, saucisses, jambon et œufs brouillés. Bien entendu, personne ne touchait à rien. « Tu devrais essayer ce melon avec le prosciutto. Je le fais venir d'Italie. C'est le meilleur.

– Non merci, ça ira. Juste un café.

– Consuela ? » La domestique, qui se tenait légèrement en retrait, s'avança pour lui en servir une tasse.

« Kennedy, fit Kevin, je dois te dire que j'adore ton scénar. Beau travail, hein. Chapeau.

– Merci.

– Ça nous brise le cœur de déplacer une seule virgule, Kennedy, sérieusement », renchérit Spengler.

Déplacer une virgule ? La première sonnette d'alarme se déclencha dans sa tête.

« Mais voilà, poursuivit le producteur. Il va falloir qu'on déplace tout en Europe.

– Comment ça ? Tourner des scènes en extérieur là-bas, tu veux dire ?

– Non. On veut que l'intrigue se déroule en Europe.

– Et donc... les personnages principaux vont devenir européens ? Michael et Julie ne...

– Non, eux restent des Américains.

– Mais... balbutia Kennedy, assommé par ce que cela impliquait, pourquoi vivraient-ils en Europe ? Qu'est-ce qu'ils iraient foutre là-bas ? Ils vont habiter chez l'une de leurs mères, à un moment donné. Qu'est-ce que la vieille fabriquerait en Europe ?

– C'est exactement pour ça qu'on te paye, mon pote, rétorqua Spengler. C'est toi l'écrivain. À toi de trouver une idée. »

Kennedy touilla son café. « Pourquoi ce changement soudain ? Le studio a acheté et validé un projet de film dont l'histoire se déroule sur la côte est des États-Unis.

– C'est compliqué, fit Spengler. Mais si on peut tourner dans quatre ou cinq endroits différents en Europe, on aura droit à des déductions fiscales qui arrangeront tout le monde.

– Dans quatre ou cinq endroits différents ? Mais comment... je veux dire, quelle langue sont-ils censés parler, dans le film ?

– Eh bien... » McConnell et Spengler échangèrent un regard. « Disons... une langue européenne lambda ? »

Kennedy les dévisagea l'un après l'autre. C'était une blague ou quoi ? Il y avait une caméra planquée quelque part ?

« Pour le moment, ça donnerait : Roumanie, Monténégro, Serbie et je ne sais plus trop où, avant d'aller à Pinewood pour six semaines de tournage en intérieur. Après ça, on boucle début janvier et on part en post-prod. » Spengler s'appuya contre le dossier de sa chaise et croisa les mains derrière sa tête, content de lui.

« Écoute, vieux, expliqua Kevin. En gros, avec une équipe technique et des lieux de tournage aussi peu chers, je peux transformer un budget de cent millions en un super truc qui en paraîtra le double à l'écran. »

Kennedy observa le type. Putains de réalisateurs. À un moment, Hollywood avait décrété que ces mecs avaient la science infuse. Leurs techniciens devaient les appeler « chef » ou « big boss ». La moitié d'entre eux venaient de la publicité ou de l'industrie du clip. Oh, bravo, tu sais enfiler un collant autour d'un objectif ou filmer une balle de revolver au ralenti ! Ça nous fait une belle jambe. Les tournages en extérieur, c'est un boulot sacrément physique, aucun doute là-dessus : passer vingt-quatre heures sur vingt-quatre harcelé par toutes sortes de connards qui vous jettent deux cents problèmes à la minute en pleine poire. Le voisin est-il censé conduire ce genre de voiture ? Le vase doit-il être dans le champ ou hors champ ? L'actrice principale refuse de sortir de sa caravane. L'acteur principal se sniffe une ligne. Le dresseur de chameaux repart à 17 heures, donc il faut mettre en boîte la scène du chameau d'ici là. On perd la lumière. Le labo a rayé les négatifs. Quelqu'un avait dit un jour, et c'était très juste : N'importe quel spectateur exigerait au moins un million de dollars pour accepter de réaliser un film. Voilà pourquoi les vrais réalisateurs touchaient entre cinq et dix millions : ils savaient pertinemment dans quelle galère ils s'embarquaient. Mais la difficulté *intellectuelle* de l'exercice ? Comparée à la torture de la page blanche, aux affres de la gestation pour créer un univers tout entier ? Pitié, songea Kennedy. Il but une longue gorgée de café bien chaud avant de reprendre la parole. « Ouais, Kevin. J'ai bien saisi, vieux. Mais le truc, tu vois, c'est que si l'histoire n'a aucun sens, les spectateurs s'en branlent que ton film ait l'air d'avoir coûté un milliard. Ils ne se priveront pas de bombarder l'écran avec des brouettes de merde. »

Le regard de McConnell oscilla entre Kennedy et Spengler. « Voilà un commentaire peu constructif, commenta-t-il.

– Vous prenez une décision artistique colossale – et débile, en prime – pour des raisons purement mercantiles, dit Kennedy. Vous me demandez de démolir un travail bien fait.

– Les éléments de base restent les mêmes, fit Spengler. La psychologie des personnages, tout. Au lieu d'un road-movie classique, d'une course-poursuite à l'américaine, ce sera la même chose, mais à la sauce paneuropéenne.

– À la sauce européenne *lambda*, nuança Kennedy.

– Tu sais, rétorqua le producteur en écartant les mains pour désigner le décor sublime qui les entourait, d'aucuns diraient que je m'y connais un tout petit peu en matière de films. »

Je suis en enfer, songea Kennedy. *Je nage dans les entrailles de l'horreur, au milieu de fous pervers.*

« Vous savez quoi ? conclut-il en vidant sa tasse à café avant de se lever et de boutonner sa veste. Votre film, là. Vous n'avez qu'à vous le carrer dans le fion. »

23

Il prit la route de Malibu, pied au plancher sur la route PCH1, Ray-Ban sur le nez et capote baissée. Sur sa station de radio préférée, ils passaient *You Shook Me All Night Long* d'AC/DC. Il monta le son à fond. Sur sa gauche, il contempla la vision des vagues d'écume sur l'océan, des palmiers qui oscillaient délicatement au vent, le soleil posé tel une rondelle de citron très haut dans le ciel au-dessus de l'eau. *C'est pas ça, la vie ? C'est pas ça, le rêve absolu, bande de cons ?*

Enfant, Kennedy vivait pas très loin de la mer. L'été, sa famille partait de Limerick pour le sud-ouest, vers Kilrush, ou bien poussait un peu plus loin jusqu'à Kilkee, sur la côte Atlantique. Tous les six entassés dans une caravane. Lui, Patrick et Geraldine tellement contents de partager le grand lit qui se dépliait dans le coin salon. Mamie dans l'autre lit, celui du coin-cuisine, Papa et maman dans la minuscule chambre à coucher du fond. Parfois, ils se bagarraient avec Gerry. « Elle se bagarrerait dans une maison vide, celle-ci », disait Papa. Mamie aussi… Que lui avait-elle dit, une fois ? Un truc vachard. Vraiment vachard. Tous les six entassés dans cette caravane. Maintenant, ils n'étaient plus que trois et, bientôt, il n'y aurait plus que lui et Patrick… *Trente-cinq kilos.*

Il augmenta encore le volume au moment de l'enchaînement entre AC/DC et *Love Removal Machine* de The Cult

– « *Babybaby babybabybabybaby I fell from the sky !* ». Il n'avait pas oublié non plus les joies des voyages en voiture dans l'Irlande rurale des années 1970 : bienvenue dans le monde féérique des routes à une seule voie, des ornières, des troupeaux de bétail et des tracteurs. Trois ou quatre heures de bagnole pour parcourir cent cinquante kilomètres. Sous la pluie, au milieu des odeurs de purin et de fourrage. Lorsqu'il avait quinze ans, vers le milieu des années 1980, il avait veillé tard un soir avec son père et ils avaient regardé *Drôle d'embrouille* à la télé. Chevy Chase, Dudley Moore et Goldie Hawn. La première scène du film se passait sur cette même route, la PCH1, celle qui reliait San Francisco à L.A., et Kennedy se souvenait encore d'avoir pensé, plus de trente après : « Ça, c'est ce que j'appelle une putain de route côtière » Papa avait rigolé tout du long. Entre ses quintes de toux. Son mouchoir grêlé de taches. *Comme les marbrures roses d'une truite... Nom de Dieu, trente-cinq kilos.*

Au volant de son Aston Martin grise, il appuya encore un peu plus sur l'accélérateur, mit le cap vers le nord en s'efforçant de laisser loin derrière lui ses morts et ses moribonds. Direction : Zuma Beach.

Il descendit pour marcher dans le sable. Il y avait des surfeurs. Des promeneurs de chiens. Un cours de gym sur la plage. Le tout sous les rafales de vent du Pacifique.

Les mouettes.

Geraldine était morte depuis plusieurs semaines déjà lorsqu'il avait reçu le coup de fil du commissariat de Brighton. (« Oh, Gerry... quoi encore ? ») Il n'avait pas compris tout de suite. Ses affaires. Les vêtements qu'elle portait au moment où elle l'avait fait. Il avait sauté dans sa voiture, laissant en plan les préparatifs de son départ à Los Angeles, et s'était garé sur un parking près de l'hôtel Grand. Il faisait froid et gris en ce début de mois de mars, et ça ne pouvait pas mieux tomber. Le vent cinglait la promenade, le ponton désert et l'armature rouillée de l'ancien Pier qui tombait en ruine au milieu des vagues tel le squelette brisé d'une créature préhistorique. Gerry avait toujours voulu vivre près de la mer.

Le brigadier au guichet était en mode formalités, paperasse et pièces d'identité. Pas un mot de condoléances ou de réconfort, juste un dossier de plus à remplir. Il s'était absenté et Kennedy s'était assis sur un banc dur. Il avait attendu une éternité ou presque, lisant les affiches aux murs – pickpockets, cambriolages, vols de voitures – avant que le flic revienne enfin, un grand sac plastique à la main, sur lequel on pouvait lire « Sussex Police » en lettres bleues. Kennedy l'avait transporté sur son épaule jusque dans sa voiture, la main peu à peu engourdie par le froid glacial.

L'indicible tristesse du cri des mouettes dans le vent.

De retour à Londres, dans l'appartement de Maida Vale qu'il louait à l'époque, pas très loin de chez Millie et Robin, il avait répandu le contenu du sac sur le sol de son bureau, au milieu des cartons prêts à partir au garde-meuble. Sa parka à la capuche bordée de fourrure. Son jean Armani et ses petites baskets. Son soutien-gorge, sa culotte. Son pull avec, détail atroce, une grosse traînée de bave séchée sur le devant. Sa boîte à tabac avec quelques miettes à l'intérieur, un paquet de Rizla et un briquet en plastique. Et puis, tout au fond, la plus pathétique de ces trouvailles : un sachet en plastique transparent. Avec les mots « Pièce à conviction » inscrits en travers. Sur le devant, on pouvait lire : « Ni vêtements humides ni objets contendants non protégé. Bien remplir chaque ligne de l'étiquette. » À l'intérieur, trois pièces d'une livre sterling, une de vingt pence, quatre de cinq pence, une de deux pence et deux pennies. Son unique compte en banque était mort, largement à découvert et désactivé depuis longtemps. Elle ne payait plus son loyer depuis des mois et était à deux doigts de l'expulsion. On n'avait pas retrouvé d'argent chez elle quand son appartement avait été vidé. Bref : trois livres et quarante-quatre pence.

Toute sa fortune au moment de sa mort.

Le fruit de trente-deux années d'existence sur cette planète.

Il avait tripoté les pièces un long moment, les déplaçant aux quatre coins de son bureau. Les dates frappées sur la monnaie lui rappelaient les événements qui leur étaient arrivés à tous les deux ces années-là. 1987 : Kennedy entre à la fac. Gerry, seize ans, plaque l'école sans le moindre diplôme. 1997 : publication de son premier roman, finaliste du Booker Prize. Première cure de désintox pour Gerry. 2001 : divorce d'avec Millie. Premier séjour en prison pour Gerry.

Kennedy avait punaisé le sachet en plastique sur son tableau en liège et le regardait tous les jours.

Oh, Gerry. Pourquoi en es-tu arrivée là ?

Tout était terminé pour elle. Terminé, pour toujours.

Il porta son regard vers l'océan, à l'endroit où les dauphins qui fréquentaient ce coin de la côte californienne aimaient venir batifoler, à deux cents mètres au large, projetant des panaches cristallins lorsqu'ils s'élevaient d'entre les vagues avant de replonger. Quelques vers lui vinrent à l'esprit.

Au fond de mers inconnues
Poumons exsangues,
Temples de bois et de glace qui palpitent,
Le regard plongé, stupeur, merveille,
Dans les yeux de gemme de créatures sans noms

Son téléphone sonna. Braden. Ah, nous y voilà. Il fit glisser la barre transversale.

« T'es cinglé ou quoi ?

– Salut, Braden.

– Tu as dit à Scott Spengler, *Scott Spengler*, d'aller se faire foutre ?

– Ce n'est pas tout à fait l'expression que j'ai employée.

– Épargne-moi les détails sémantiques, OK ? Tu sais que, contractuellement parlant, tu lui dois encore une révision sur son scénario ?

– Ce qu'il me demande de faire est stupide, délirant et stupide, sans parler des conséquences désastreuses sur le script. » Kennedy alluma une cigarette, dos au vent.

« Et alors ? Rends-lui son foutu scénar corrigé, on empoche le chèque et *ciao* !

– Non. Je démissionne. Ses exigences sont absurdes.

– Absurdes, rien que ça ? Tu veux qu'on bataille sur le sens juridique de ce terme ? Tu veux entamer un long bras de fer pénal avec Scott Spengler ? Il te plumera jusqu'au dernier dollar, juste pour passer le temps.

– Qu'il aille se faire foutre. »

Un soupir. « Tu sais quoi, espèce de petit con d'Irlandais ? C'est incroyable, mais… il t'a à la bonne.

– Hein ?

– Spengler. Il t'adore. Kevin aussi. Ils admirent ta "passion" et ton "honnêteté". Ils vont t'envoyer leurs notes d'intention et ils insistent pour que tu fasses le film avec eux.

– Je veux me barrer de ce truc. C'est la catastrophe assurée. Tu sais ce qu'ils veulent en faire ?

– Ça ne peut pas être si terrible que ça. »

Kennedy lui expliqua.

« Bon, concéda Braden, ça semble mal barré, c'est sûr, mais tu connais ce milieu. C'est le jeu. C'est pour ça qu'on te paye des fortunes. Ravale ton orgueil, ou ils te remplaceront par un clampin qui ne fera qu'aggraver les choses. Si tu restes, tu peux au moins protéger l'intégrité artistique de...

– Ouais, ouais... l'intégrité artistique de mon travail.

– Il faut que tu réfléchisse encore à tout ça, Kennedy. Fais ce film, accepte ton prix littéraire de je ne sais quoi, passe quelques mois en Angleterre et tout ira pour le mieux, OK ? »

Kennedy soupira. « Ouais. Écoute, dis-leur d'envoyer leurs notes. Je... je te rappelle plus tard. »

Il raccrocha et laissa courir son regard le long de la plage. Un petit garçon – il devait avoir trois ans – trottinait derrière ses parents en mangeant un hot-dog. Il y avait quelque chose dans la manière dont il semblait se débattre avec son sandwich, bien trop gros pour ses menottes... non, c'était surtout le fait qu'il le mange tout seul, une prouesse dont il était vraisemblablement incapable il y a encore peu de temps. Il était toujours ému par la vision de jeunes enfants en train de manger sans l'aide de personne : ce premier geste d'indépendance, de prise d'autonomie. Parce que c'était le début d'un long chemin, au bout duquel ils n'auraient plus besoin de vous. Et ils s'en iraient. *Tu n'as jamais vraiment été là, de toute manière.*

Fantôme insatisfait !

Kennedy enfonça son mégot dans le sable et repartit d'un pas las en direction de sa voiture. Il n'avait compris que récemment pourquoi la quarantaine était un âge si épuisant. Parce qu'on traînait tous ses cadavres derrière soi.

Tous ces fantômes, accrochés dans votre dos.

24

« J'adore comment vous, les Américains, vous appelez ça une *file d'attente*, vous voyez ? Nous, on dit *faire la queue*, parce que le concept, c'est qu'une queue, de temps en temps, ça bouge. » Kennedy sourit poliment. Le type de la sécurité – Noir, oreillette en place, la trentaine, celui-là même qui venait de lui dire, un quart d'heure plus tôt, qu'il était bien conscient que Kennedy voyageait en première classe et qu'il avait donc accès à la file d'enregistrement express, mais que celle-ci, hélas, était justement fermée – le regarda froidement et dit : « Veuillez rester à votre place, monsieur. » Puis il s'éloigna pour s'assurer que le reste de la *file d'attente* était bien immobile. « Tas de merde », murmura Kennedy à l'attention du dos de sa veste d'uniforme bleue et de l'arme de service qui pendouillait à sa hanche.

L'été avait été pour lui un tsunami de deadlines et de séances d'écriture. Levé tous les matins à 6 heures avec un flingue enfoncé dans la gorge, enchaîné à son iMac jusqu'à 18 h 30 en avalant des litres de café, sept jours sur sept, à taper « INT. BUREAU – JOUR » ou « EXT. RUE DE L.A. – NUIT » ou encore « TRAVELLING ARRIÈRE ». Il avait enchaîné les scripts tel un homme dans une orgie, passant d'un corps tiède et anonyme à un autre. À vrai dire, il s'agissait surtout d'élaguer : couper les scènes redondantes, affûter les dialogues, traquer les clichés, lisser les transitions. Écrire un bon scénario, comme disait Bill Goldman, relevait avant tout de l'art de la purge. Comme le ménage. S'il était bien fait, personne ne remarquait rien. Mais s'il était mal fait, c'était une autre histoire. On voyait peu de maris rentrer chez eux le soir et s'exclamer : « Wow, chérie, les fenêtres sont étincelantes ! Et regarde-moi ces sols, comme ils brillent ! » Si la maison était sale, en revanche, on pouvait s'attendre à des remarques du type : « Dis donc, je me casse quand même pas le cul toute la journée pour retrouver une porcherie à mon retour ! »

Kennedy avait entretenu des contacts réguliers par e-mails avec les gens de l'université de Deeping. Notamment avec une certaine Angela. On avait quelques maisons à lui proposer. Pouvait-il envoyer son plan de cours pour l'année ? Les inscriptions à son séminaire avaient explosé alors qu'il n'y avait que vingt places ; avait-il une idée de la manière dont il souhaitait trier les candidats ? Il s'en était tenu à sa règle d'or des trois-messages-envoyés-pour-mériter-une-réponse. Après quoi il se fendait d'un retour, le plus laconique possible. Il avait laissé Connie et son équipe s'occuper des histoires de bail et d'ameublement. Il lui faisait une confiance aveugle pour ces choses-là. Son unique requête avait été qu'on lui loue une DB9 pour toute la durée de son séjour. (Millie lui avait écrit pour l'informer des cris d'indignation que ce caprice de star avait soulevés dans toute l'université. *Je les emmerde*, s'était dit Kennedy. *Je suis sous le coup d'un putain d'ordre d'expatriation, j'ai quand même bien droit à un peu de réconfort. Et puis, quand on s'est habitué à conduire une Aston Martin, n'importe quelle autre bagnole vous fait l'effet d'un vulgaire skateboard tiré par un élastique*.)

Robin lui avait envoyé une playlist intitulée « Mission Papa en Angleterre ». Il aurait bien aimé avoir le temps de l'écouter.

Le tournage en intérieur avait commencé à Burbank et Kennedy avait pris la route 101 pour aller enfin rencontrer Julie Teal. Ils avaient déjeuné à la cantine du studio.

Même en simple sweat-shirt, sans maquillage, juste avant de passer entre les mains de son habilleuse, c'était quelque chose : un de ces miracles de la nature, son corps, son visage, comme un parfait alignement de cerises (les cerises tatouées au poignet de Geraldine), de cloches et de citrons. En un mot : le jackpot. Plus petite qu'il l'avait imaginée, comme toujours avec les gens de cinéma, et dotée d'une tête énorme, genre statue de l'île de Pâques posée sur une poupée Barbie. Son visage était totalement... malléable. Une toile vierge. Apparemment, elle avait vingt-sept ans. Mais elle pouvait jouer n'importe quel rôle compris entre vingt et un et trente-cinq ans. Elle n'avait rien pris à la cantine, naturellement. Un assistant lui avait apporté une Thermos de thé vert et une boîte en plastique contenant un plat préparé par son cuisinier personnel dedans, un mélange de germes de soja, d'algues et de tofu. « Mmmm », avait-elle roucoulé en avalant cette horreur. Kennedy suçait un bonbon à la menthe pour masquer les vapeurs de vodka de son haleine. Le secrétariat de Spengler ne lui avait imposé qu'un diktat : ne surtout pas boire d'alcool devant Julie, fraîchement sortie de cure de désintox.

« Alors, Julie, avait commencé Kennedy en ôtant le capuchon de son stylo et en sortant son carnet, à quoi pensiez-vous pour le scénario ?

– Je l'adore.

– Vraiment ? J'avais cru comprendre que...

– Non, sincèrement. Vous êtes un auteur fabuleux, Kennedy.

– Eh bien, merci », dit-il en rebouchant son stylo.

– Le seul truc... »

Il ôta de nouveau le capuchon.

« ... c'est que parfois, durant les répétitions, à mesure qu'on s'imprègne du rôle, qu'on en explore toutes ses facettes... » – *Oh, putain* – « ... d'autres possibilités surgissent devant vous quant à la manière d'appréhender le personnage. Quant à l'endroit où vous voulez l'emmener. Mais vous serez présent en Angleterre, n'est-ce pas ?

– En effet.

– Super. S'il y a des choses un peu compliquées à réécrire, on pourra le faire ensemble.

– Vous m'en voyez ravi.

– Oh, j'adore votre accent *british* ! C'est adorable. »

Tellement simple. Tellement agréable. Tellement dangereux...

Kennedy savait qu'il ne fallait jamais complètement baisser sa garde avec les stars de cinéma. Ce qu'elles appréciaient dans un script pouvait changer du jour au lendemain, après la fine analyse que leur en avait faite, par exemple, leur coiffeur. Ou leur psy. Ou bien encore en fonction de la sortie d'un gros film dans lequel jouait un(e) de leurs amis ou une star rivale. Si ces derniers avaient joué un personnage qui leur avait plu, elles voulaient peu ou prou le même. Il y avait, bien sûr, une autre explication plausible à l'absence totale de critique de la part de Julie : si ça se trouve, elle n'avait même pas encore lu le script.

Bref. Avec tout ça, juillet avait fondu, coulé, voire sombré dans le mois d'août, puis de septembre, et il se retrouvait donc ici, à l'aéroport de Los Angeles. À se désespérer de la *file d'attente* immobile. Il tenta d'attirer l'attention du vigile, espérant l'entendre dire soudain : « OK, de toute évidence, vous êtes un

V.I.P. Je vous laisse passer. » Mais cet imbécile borné se contenta de plonger son regard bovin dans le sien. Kennedy n'avait jamais eu de travail salarié (« *Oh, parce que je n'en ai jamais voulu* ») et on peut dire qu'il avait parfois du mal à se mettre à la place du quidam qui faisait juste son boulot.

Il avait quitté la fac à vingt-deux ans. Millie, qui enseignait déjà à l'époque, avait fait bouillir la marmite pendant deux ans, le temps qu'il rédige son premier roman. Puis une année supplémentaire quand il avait jeté son manuscrit à la poubelle et qu'il s'était consacré à poser les fondements de ce qui deviendrait *Impensable*. Et encore un an pendant lequel il était passé à la phase d'écriture à proprement parler. Enfin, une autre année passée à recevoir des lettres de refus.

Cinq ans. Putain.

Vers la fin de cette période, Millie avait déjà soutenu sa thèse et assurait des TD à l'université. Elle voulait un bébé. Kennedy avait vingt-sept ans. Elle, bientôt trente.

« Si je n'ai pas été publié d'ici mes trente ans, se rappelait-il lui avoir dit un soir, alors qu'ils étaient tous deux étendus sur le matelas posé par terre dans leur minuscule appartement, et que le visage de Millie ruisselait de larmes, je deviendrai avocat. » Ça, on peut dire que ça lui avait remonté le moral. Elle avait tellement ri qu'elle avait bien failli se faire pipi dessus.

Il continuait à observer la file d'attente, la ligne d'Américains pauvres et fatigués, agglutinés les uns aux autres, qui avançait – ou, plutôt, qui n'avançait pas – vers les portiques de sécurité. Il avait choisi cette file-là parce qu'elle avait semblé avancer vite, au début. Mais la raison à cela, bien entendu, c'était qu'une faction de membres d'Al-Qaida, certainement un commando d'intervention musulman, pour dire les choses autrement, s'était fait sortir de la queue à quelques mètres devant lui. Nul doute qu'en ce moment-même ils se faisaient taser, déshabiller, étiqueter et enfermer dans des sacs tandis que tous les passagers qui avaient poireauté derrière eux – y compris la fillette de trois ans aux joues rouges comme des pommes et dont le personnel retournait à présent le sac à dos rose pour le fouiller dans les moindres recoins – apparaissaient désormais comme des complices potentiels. Elle était là, la vraie contribution du terrorisme islamiste à la culture mondiale : l'ennui.

Kennedy tenta de se rappeler quand, pour la dernière fois, il s'était ennuyé dans une file d'attente comme celle-ci, quand il avait pu ressentir cette frustration abrutissante de devoir rester à un endroit où l'on n'a strictement rien à faire. Où l'on n'avait d'autre choix que subir. Il pensait bien à certaines réunions de développement, mais on pouvait toujours les pimenter avec quelques piques sarcastiques. (Essayez donc un peu de faire du sarcasme à l'aéroport de Los Angeles, de nos jours. En deux temps, trois mouvements, vous vous retrouverez le futal aux chevilles dans une pièce tapissée de miroirs avec un malabar qui vous enfonce son bras jusqu'au biceps dans l'arrière-train. Sans parler de l'odieux trajet en classe éco jusqu'à Guantanamo qui devrait suivre.)

Non, sérieusement, quand s'était-il retrouvé pour la dernière fois dans une situation humiliante, sous la houlette de parfaits crétins exigeant de vous un minimum de sincérité et de coopération docile ? Mais oui, bien sûr.

En thérapie conjugale.

C'était vers la fin, avec Millie. Une ultime tentative de recoller les morceaux. À raison d'une séance hebdomadaire, pendant deux mois, ils s'étaient rendus dans un cabinet déprimant de

Kentish Town où une succession de femmes non moins déprimantes, arrivées dernières à leurs concours dans des écoles de troisième zone, s'étaient efforcées de comprendre le pourquoi de ses infidélités. Elles fondaient leurs réflexions sur la version de Millie, bien sûr, car il n'avait quasiment pas ouvert la bouche. Il avait été stupéfait de voir tout ce qu'elle avait à dire, toutes les larmes qu'elle avait besoin de verser. Comment le corps humain pouvait-il contenir autant de réserves lacrymales, s'était-il demandé en la voyant se jeter à nouveau sur l'inévitable boîte de Kleenex posée en évidence sur un coin du bureau. Elle avait parlé de narcissisme, de son père, de l'ego de Kennedy. Des e-mails et des SMS qu'elle avait découverts. Plus tard, pendant la phase vraiment terminale de leur couple, elle avait parlé de la manière dont elle était parvenue à recouper les SMS, les e-mails et les notes de restaurant trouvées dans son portefeuille. On avait demandé à Kennedy quels sentiments cela lui inspirait. Comment expliquait-il son comportement ? La thérapeute avait employé l'expression de « compte en banque » de la confiance. Filant la métaphore en expliquant tout le temps qu'il fallait pour parvenir à afficher un solde créditeur, et comment, lorsqu'on retirait trop d'un coup, ce solde pouvait être réduit à néant. (Kennedy s'était fendu intérieurement d'un petit rire sec face à cette terminologie.) Millie l'avait traité de « connard ». Allant jusqu'à déclarer qu'elle aurait préféré ne jamais le rencontrer.

Et pendant tout ce temps, il avait hoché la tête d'un air grave, feint une concentration intense tandis qu'il suivait les mouvements de la trotteuse de l'horloge en se disant : *On y est presque. La fin approche, comme en toutes choses.* Il murmurait des « Je vois ». Des « Vraiment ? ». Ou, de temps en temps, reprenant l'un des tics de langage de la thérapeute : « Wow. » Il avait même fait semblant de pleurer à deux reprises, grâce à une technique que les acteurs appelaient un « souvenir émotionnel ». (Il n'avait réalisé qu'après coup à quel point il était curieux de devoir chercher en soi un souvenir émotionnel alors que la réalité aurait dû suffire : la femme qui l'avait aimé, qui avait porté son enfant, qui l'avait entretenu pendant cinq ans pendant qu'il tentait d'adresser son message au reste du monde, se tenait assise à côté de lui, le cœur brisé. Quelques mois plus tard, dans le carnet de notes qu'il utilisait à cette époque, il avait retrouvé ce bout de phrase : « le poster de mouettes vert pastel comme moyen grossier d'apaiser les esprits ? » parmi d'autres descriptions du cabinet de la thérapeute, au cas où il en aurait besoin pour un futur roman. « L'éclat de glace dans le cœur », comme disait Graham Greene.)

Il avait beaucoup été question du besoin d'honnêteté, entre ces quatre murs. Kennedy avait le sentiment que le degré d'honnêteté exigée dans un couple était le même que celui qu'attendaient les gens qui vous demandaient de lire leurs manuscrits ou leurs scénarios. Autrement dit : pas très élevé. Ces gens-là voulaient juste entendre : « Wow. C'est génial, ça a du potentiel. Tu devrais peut-être simplement... » Ou bien : « Tu as vraiment du talent, il faut creuser. Il faudrait juste que tu... » Ou quelque chose dans ce goût-là. Un avis honnête était bien la dernière chose qu'ils aient envie d'entendre. Parce que, quatre-vingt-dix-neuf fois sur cent, l'honnêteté aurait consisté à dire : « N'écris plus jamais un seul mot de toute ta vie. » « Tu n'as aucun talent, point barre. Va plutôt faire des maquettes d'avion, prendre des cours de cuisine, construire des tours Eiffel en allumettes, bref, trouve-toi un hobby à la con. » Tous ces gens dans les dîners, les soirées de lancement, les déjeuners et les réceptions de mariage, avec leurs synopsis, leurs projets et leurs romans, ne voulaient pas de votre honnêteté. Ils s'étaient assis à leur bureau pour tenter de décrire la réalité, ou de saisir la manière dont les gens se parlaient vraiment entre eux. Ou encore de traiter de tel ou tel aspect de la condition humaine. Et ils avaient horriblement échoué. Leur vision n'intéressait personne. (Cf. le Dr Drummond et son exemplaire d'*Une défense circulaire* – Picador, 1991 – qui prenait la poussière sur son étagère). Mais qui a envie d'entendre ces choses-là? Les gens veulent qu'on leur dise: « Bravo. Continue! » Ils veulent qu'on leur dise: « Je n'aurais pas dû faire ça. Elle ne signifie rien à mes yeux. J'ai commis une terrible erreur. »

L'honnêteté aurait consisté à répondre à cette psy: « La confiance est comme un compte en banque? Ah bon? Vous en êtes sûre, espèce de vilaine goudou moche et attardée? Et moi qui croyais que c'était juste un truc inventé par la classe moyenne pour s'autoflageller! Parce que tout le monde s'en fout, non? Fondamentalement parlant, tout le monde s'en tape, vous ne pensez pas? Trompera, trompera pas, la terre continuera de tourner, et toutes les personnes présentes dans cette pièce ne seront plus qu'une poignée de sable d'ici soixante ans. J'ai vu mon père mourir à petit feu, je l'ai vu pisser dans son froc en crachant du sang. Mais oui, allons-y, parlons plutôt de la fois où je me suis fait sucer sur la terrasse du Soho House par une gonzesse de chez Penguin. Attardons-nous sur les détails pendant une demi-heure. Vous savez quoi? Chaque fois que vous dégrafez un soutien-gorge et que vous sentez une nouvelle paire de seins bien chauds se déballer entre vos mains, vous vous sentez immortel. C'est comme d'écrire un livre. C'est comme d'embrasser le visage de Dieu. C'est juste un truc de fou, les tétons, non? Il y en a de toutes les sortes, une variété incroyable, bruns, roses, gros, petits, c'est dingue. Comment peut-il y en avoir autant? Il y a tant de paires de seins que je ne connaîtrai jamais que ça me donnerait presque envie de me faire sauter le caisson. »

L'honnêteté aurait consisté à dire : « J'aime baiser, voilà tout, et avec elle, on baisait pas assez. » Au moins, il aurait vidé son sac une bonne fois pour toutes, dans cette pièce sinistre, entre sa psy bouchée et son épouse éplorée.

« Et vous, qu'attendez-vous de tout cela, Kennedy ? » lui avait demandé la thérapeute, une fois Millie arrivée au terme d'un monologue larmoyant où il avait beaucoup été question de « vérité » et de « confiance ». Qu'attendent les hommes ? Vaste sujet qui aurait mérité qu'on y consacre une thèse.

Tout ce qu'il attendait, tout ce qu'il espérait de la vie, c'était de pouvoir faire exactement ce qu'il avait envie de faire, sans que cela engendre la moindre conséquence. Était-ce vraiment trop demander ?

Enfin, la queue finit par avancer et il se retrouva bientôt respectueusement escorté vers les douces lumières bleutées du salon d'embarquement de la première classe.

25

Kennedy se retourna brièvement pour savourer le défilé du commun des mortels qui rejoignait l'Hadès de la classe éco et ses néons fluorescents avant d'accepter, magnanime, un verre de champagne perlé tout en s'enfonçant dans son siège aussi moelleux qu'un bon gros fauteuil. Il jeta un regard circulaire à ses pairs, les gagnants, tous réunis ici à l'avant du jumbo-jet, à l'abri sous le casque de l'avion pour ainsi dire, ces salopards à qui la vie n'avait distribué que des as, des atouts et des quintes royales.

De l'autre côté de l'allée, un nabab vieillissant et rubicond consultait son BlackBerry d'un regard hostile, un livre de John Grisham posé sur les genoux. À l'extrémité de la rangée, un jeune parlait tout bas dans son téléphone. Il portait un sweat à capuche et devait avoir dans les vingt-cinq ans. On en voyait de plus en plus souvent, des comme lui : les titans d'Internet, sortis de la fac depuis deux ans à peine et roucoulant déjà en première classe. Et puis – quelle horreur –, tout à l'avant, dans la rangée des A, il reconnut l'archétype du riche couple marié, debout dans l'allée, à discuter en se tenant la main, à rire en sirotant un verre, leurs deux alliances brillant de mille feux. Ils devaient avoir dans les quarante-cinq ans, et semblaient tout droit sortis d'une pub Ralph Lauren, resplendissants de santé, de fric et d'amour. Madame gloussa et chatouilla l'aisselle en cachmire de son époux tandis qu'il se passait une main dans les cheveux. Au même moment, ce dernier jeta un œil vers le fond de la cabine, croisa le regard de Kennedy et leva son verre. Kennedy lui rendit son geste, tout en souhaitant à ce sombre connard la pire série de malheurs possible.

Ces types, mais comment faisaient-ils ? Ces surhommes, comment faisaient-ils pour bander encore ? Mariés à la même gonzesse depuis vingt ou trente ans. Dans la même maison. Kennedy repensa aux deux décennies qui venaient de s'écouler... un brouillard confus de changements d'adresse, de sexe, de cartons et de déménageurs, de codes postaux, de paires de bras et de jambes, de fesses et de chattes pressées contre son visage, et de femmes dont il ne se souvenait plus, qui avaient crié son nom dans des appartements et des chambres d'hôtel. Oui, il savait bien que rien ne vous obligeait à sortir de chez vous tous les sept ans environ pour vous dégoter une femme qui n'éprouverait bientôt pour vous que de la haine et à qui il faudrait en prime acheter une putain de baraque. N'empêche. Mais comment faisaient-ils, ces types ? Est-ce que cela tenait juste au fait que l'occasion ne s'était jamais présentée ? Que la Sandra du bureau ne leur avait jamais dénoué la cravate près du placard à fournitures pendant la fête de Noël de l'entreprise ou au cours des autres agapes qu'on jurerait inventées pour ce type de dérapage ? Que la rouquine rencontrée au bar pendant le séminaire ne leur avait jamais demandé leur numéro de chambre ? Que cette fille avec laquelle ils buvaient parfois un verre après le travail n'avait jamais eu le moindre sourire un peu trop insistant ? Ou bien est-ce que ces choses leur arrivaient mais qu'ils se contentaient alors de répondre : « Désolé, j'en serais ravi, mais je suis marié » ? Avaient-ils tout simplement rangé leurs yeux dans leurs poches ?

La réponse était non. D'après son expérience, en tout cas. À quarante ans, ces types se retrouvaient tous accoudés au comptoir – une grosse réunion, une partie de pêche, une soirée d'enterrement de vie de garçon – à soupirer : « La vache, mate-moi ce cul/ces nichons/cette bouche. » Le désir était bien là, aucun doute là-dessus, mais la volonté s'était envolée. Était-ce à cause du taux statistiquement élevé de risque de râteau ? Par crainte des représailles – la maison, la pension alimentaire, les gosses et tout le bazar ? Ou bien (et Kennedy avança très prudemment vers cette hypothèse étrange et incompréhensible), par *amour sincère* envers la femme qu'ils avaient épousée ?

La monogamie, comme la poésie, était une affaire d'hommes. Ça oui. Une affaire de mecs, et de vrais.

Une fois en l'air, lorsqu'il put enfin détacher sa ceinture de sécurité, il accepta un petit rab de bulles de la part de l'hôtesse – une sorte de top-modèle en livrée – et regarda par le hublot tandis que l'avion opérait un virage à droite pour longer un instant la côte Pacifique en direction du nord avant de bifurquer à nouveau vers l'intérieur des terres pour entamer la traversée de la folle et immense panse de l'Amérique.

Il but une longue gorgée revigorante et se résolut à parcourir le menu : *mousse fromagère et asperges citronnées... pintade rôtie aux fèves servie avec sa purée de patates douces au porto... sole et queues d'écrevisses, citron et beurre noir aux câpres...*

Millie avait préparé du poisson ce soir-là, juste avant leur séparation. Une sorte de ragoût ou de tagine, qui mijotait pendant qu'ils se disputaient dans la cuisine. Elle n'avait pas pleuré, cette fois. Son réservoir de larmes s'était tari. Elle s'était juste montrée très, très en colère tandis qu'elle déployait, pour le clouer au tapis, cette finesse de raisonnement et d'analyse qui lui avait valu de décrocher un contrat doctoral à l'université. Que lui avait-elle dit, déjà ? L'atroce et brutale vérité ? Lui, debout, appuyé contre le frigo, déjà bourré, brandissait son verre de rioja rempli à ras bord, en marmonnant des choses du style : « Mais j'ai besoin de toi... »

Ah oui. Voilà. Elle lui avait sorti : « Kennedy... tu n'as besoin de personne. » Elle avait enfoncé la lame de son couteau dans le poisson pour en vérifier la cuisson, sans même lever les yeux vers lui. « Tu n'as pas besoin d'une épouse, ni même d'une maîtresse ou d'une partenaire sexuelle. Tu as seulement besoin d'une assistante ou d'une secrétaire. Tu as seulement besoin que les trains arrivent à l'heure pour pouvoir t'enfermer dans ton bureau et être tout le temps ailleurs. » Elle avait décrit un grand geste avec son couteau, un Sabatier au manche noir dont la pointe était mouchetée de petits morceaux de cabillaud, d'olive noire et d'autre chose (*Pourquoi ? Au nom du ciel, pourquoi ?* Il fallait lui braquer un flingue sur la tempe pour qu'il se rappelle la date de son anniversaire de mariage, le menacer du supplice de la baignoire pour ne pas qu'il oublie celui de son frère, mais Kennedy Marr était parfaitement capable de vous décrire, dans une avalanche de détails, les résidus alimentaires collés sur la lame du couteau que tenait son ex-femme lors d'une dispute vieille de douze ans), pour désigner l'intérieur de la maison, l'eau et l'électricité qui sortaient par les tuyaux et les prises, la nourriture qui remplissait l'énorme frigo en aluminium brossé, les voitures assurées et entretenues, avec chacune leur vignette à jour. Toutes ces choses qu'elle assumait seule. (Kennedy se souvenait de l'avoir un jour entendue se plaindre à propos d'une facture d'eau. Il avait laissé un instant son roman, ou son script, sourcils froncés, et lui avait demandé : « Tu veux dire qu'on *paye* l'eau ? » Elle avait levé les yeux au ciel.)

« Mais... avait-il protesté en s'avançant vers elle pour la prendre dans ses bras, et se faire aussitôt repousser.

– Tu te fous pas mal de moi ou de Robin. Tout ce qui t'intéresse, c'est d'aller fourrer ta bite quelque part, pas vrai ? »

Brrr, mauvais souvenirs, éloignez-vous de moi, songea-t-il tout en faisant signe à l'hôtesse (il était temps d'en finir avec ce champagne et de passer aux choses sérieuses – un Bloody Mary, histoire de s'ouvrir l'appétit avant le repas). *Je n'aime pas ces pensées-là. Apportez-m'en d'autres.*

Il ouvrit son livre, un mince recueil de poèmes choisis de Yeats. Ce bon vieux W. B. Son compatriote. Fidèle à lui-même, même à cinquante ans : son panache de cheveux blancs, son austère paire de lunettes... et sa passion dévorante pour Georgie, une gamine qui avait la moitié de son âge. Ce qui ne l'empêchait pas de courir les jupons ailleurs, frénétiquement. Encore à soixante-dix balais, à Paris – Margot, Ethel et toutes les autres. Mais cette baise effrénée ne l'avait pas sauvé pour autant. Vous aviez beau transpirer, ahaner, mugir et vous agiter comme un beau diable, elle finissait quand même par vous rattraper, avec ses ailes d'insectes qui vous tapaient dans le dos. L'écriture et la baise n'avaient jamais sauvé personne. Il n'y avait qu'une fin, et une seule, à cette belle histoire : mort et enterré à Paris. Puis exhumé et enterré de nouveau à Sligo. Avec ces quelques lignes sur sa tombe : « *Cast a cold Eye, On Life, on Death. Horseman, pass by*[1] ! » À Sligo, le trou du cul du monde. Pas de bol.

L'homme d'affaires d'à côté lâcha un gros soupir sonore, presque musical, en reposant son BlackBerry. Kennedy se tourna vers

---

1. « Hautement Regarde la vie, la mort, Cavalier, et passe ! » Épitaphe de W. B. Yeats, extrait de son poème *Under Ben Bolden*, traduction Yves Bonnefoy, « Quarante-cinq poèmes », Gallimard/NRF, 1993.

lui et vit qu'il secouait la tête, visiblement désireux d'entamer la conversation. Très inhabituel, ça, en première classe, songea Kennedy. Les riches avaient plutôt pour habitude de s'ignorer les uns les autres. Rien à voir avec la joyeuse ambiance de colonie de vacances et de thérapie de groupe qui régnait chez les prolos en classe éco. Bah, pourquoi pas, songea-t-il. Après tout, il était assez bourré. Il sourit au type et leva son verre.

« Enchanté, fit l'autre en tendant déjà sa grosse paume de main tiède en travers de l'allée. Peter. Peter Arthur. »

Deuxième partie

L'Angleterre

26

« E t veuillez signer ici. » Kennedy obéit et se vit remettre en échange un sac en plastique scellé (*trois livres quarante-quatre pence*) contenant son portefeuille, sa montre, son téléphone et sa ceinture. « Nous vous préviendrons de la date fixée pour l'audience.

– Bien. Merci, monsieur l'agent. »

Bah, ce n'était pas son premier passage par la case prison.

Il y avait eu la gendarmerie de Limerick (rixe d'ados). Le banc en ciment d'une ancienne geôle victorienne au sud de Glasgow (étudiant, bourré, trouble à l'ordre public). Le poste de police datant des années 1960, légèrement plus salubre, près de Cheltenham (conduite en état d'ivresse, soirée arrosée pour fêter une intervention très remarquée à un festival littéraire). Il avait même connu l'atmosphère étouffante de la cellule de garde à vue du commissariat de Beverly Hills sur Santa Monica Boulevard, après une baston devant Dan Tana's.

Mais Heathrow, c'était une première. Il n'avait jamais mis les pieds dans une cellule de police d'aéroport. En soi, la geôle n'était pas si terrible que ça, même si ça ne valait pas les sofas et les douches du salon Concorde, toujours bienvenus pour décompresser après onze heures de vol. Il remit sa Rolex à son poignet et regarda l'heure : 8 h 12. Près de douze heures s'étaient écoulées depuis son atterrissage.

« Et ici, je vous prie. »

Le policier lui indiqua un autre endroit sur le formulaire. C'était un grand type barbu qui devait avoir à peu près le même âge que lui. En le regardant signer, il lui lança : « Dites, vous n'êtes pas un peu vieux pour ce genre de bêtises ?

– Si. » C'était la vérité. Kennedy, auteur méticuleux lorsqu'il s'agissait de son travail, avait parfois du mal à faire le tri dans sa vie de tous les jours.

Les présentations s'étaient déroulées comme souvent, là-haut, dans les nuages.

« Kennedy Marr.

– Irlandais, non ? » lui avait demandé Peter Arthur avec un accent prononcé de Virginie.

« En effet.

– Oh, ma femme serait dingue de vous. Je vous jure. »

Apparemment, le type avait vaguement entendu parler de lui. « Je crois que mon épouse a lu un de vos bouquins, il n'y a pas longtemps. Personnellement, je n'en ai jamais lu aucun. »

Kennedy soupira.

On lui sortait sans arrêt ce genre de phrases qui tombaient le plus souvent comme un cheveu sur la soupe. Jamais Kennedy n'avait demandé : « Au fait, avez-vous déjà lu un de mes bouquins ? » (sauf une fois à un journaliste allemand, peut-être), mais il y avait toujours une catégorie de couillons, toujours les mêmes, qui, dès qu'ils le rencontraient, se sentaient obligés de lui déclarer : « Excusez-moi, mais je n'ai jamais lu aucun de vos livres. » Généralement sur un ton désolé, comme pour s'excuser (autre variante : « J'espère que vous ne m'en voudrez pas si je vous avoue que… »), alors qu'en fait c'était tout le contraire. Ils le raillaient. Le provoquaient. Ce que ces gens-là vous disaient, en réalité, c'était : « Vous vous prenez peut-être pour un grand écrivain, Monsieur le Grand Écrivain, mais vous savez quoi ? Ici-bas, dans la vraie vie, les types comme moi s'en branlent pas mal, de vos bouquins. Lire votre prose merdique ? J'ai mieux à faire, merci bien. Alors allez vous faire voir. » Selon son degré d'ébriété, Kennedy possédait tout un éventail de réponses à dégainer dans ce genre de situation, du lapidaire « Ne vous excusez pas, je suis déjà surpris que vous sachiez lire » au plus hyperbolique « Oh, vous n'avez jamais lu mes livres ? Pour être honnête, je... pardon, qu'est-ce que vous faites dans la vie ? Parce que j'ignore totalement qui vous êtes. Et quel que soit votre boulot, soyez certain que je ne suis jamais venu pour vous regarder le faire : diriger une banque, gérer des fonds d'investissement, réparer des voitures, noter des restaurants, abattre des rongeurs... ou je ne sais quel job à la con. En fait, continuez à ne pas lire mes livres, et je continuerai à vous ignorer et à me foutre royalement de votre existence merdique. Marché conclu ? »

Mais le Kennedy Marr d'humeur affable et accommodant du jour s'était contenté d'inspirer bien à fond et de répondre : « Bah, ça fait rien. »

Là-dessus, Peter Arthur s'était enquillé trois verres de Drambuie et, en baissant la voix – il avait manifestement oublié que Kennedy n'était pas l'un de ses compatriotes –, lui avait confié d'un ton de conspirateur : « Cet Obama, dites... faut se le farcir, hein ? »

Ah.

L'autre avait continué sur sa lancée pendant un moment. Rien de très original : « C'est un socialiste/un communiste/un Jedi... » Le grand n'importe quoi. Le « Obamacare ceci » et le « contribuable cela ». Kennedy s'était retrouvé confronté à deux options :

1/ jouer la carte du progressiste diplomate («Mmm. Mais ne croyez-vous pas que...? Oui, bien sûr. D'un autre côté...»), ou 2/ voir jusqu'où le mec était capable d'aller. Comme il était lui-même bien éméché, et que le voyage s'annonçait long, il avait choisi la seconde solution et conforté la logorrhée de son voisin avec des remarques stratégiques du style «Et comment», «Vous avez bien raison» et «sale nazi de coco».

«Je l'ai dit aux gens, au moment des élections, avait poursuivi son voisin en se penchant vers lui. S'il repasse, s'il réussit à se maintenir en place, on devrait tous marcher sur Washington pour le jeter hors de la Maison-Blanche avant qu'il bousille ce pays à jamais.

– Et comment.

– Vous savez ce qui nous pend au nez, pas vrai? Les gens qu'il a placés à la Cour suprême? Bientôt, ce sera aussi facile de se faire avorter que de s'acheter une caisse de bière.

– Vous avez raison, l'ami.»

Peter secoua ses bajoues d'un air affligé. «Un holocauste d'enfants à naître. Payé avec l'argent de nos impôts.

– Salopard de coco nazi.

– De mon temps, et je ne parle pas d'une époque si lointaine, la famille était une valeur sacrée. Les maris travaillaient et les épouses élevaient les enfants. De nos jours... avec tous ces parents célibataires et ces clauses de parité à la con qui vous obligent à embaucher des gonzesses...» Eh bien, on ne croisait pas souvent des spécimens dans son genre, à West Hollywood, ça non. «Attention, ne me faites pas dire ce que je n'ai pas dit : je n'ai rien contre les femmes qui veulent faire carrière. Et votre femme, à vous, elle travaille?

– Oh oui.

– Qu'est-ce qu'elle fait ?

– Elle est avorteuse, répondit Kennedy en sirotant son cinquième ou septième verre.

– C'est-à-dire ?

– C'est-à-dire qu'elle pratique des avortements. Écoutez, *l'ami*, là d'où je viens, on ne parle jamais politique avec des inconnus. Parce qu'on risque de se retrouver à l'arrière d'un pub avec un putain de flingue braqué sur la rotule. Mais puisqu'on en parle, l'avortement ne devrait pas seulement être légalisé dans l'ensemble de votre pays : il devrait être carrément *obligatoire* dans certains États. "Aussi facile que de s'acheter une caisse de bière" ? Pourquoi ne pas dire plutôt un Magnum ? Un SIG Sauer ? Ou un putain de Glock, tant que vous y êtes ? Dans votre beau pays, il est parfois plus facile de s'acheter une arme à feu que de se faire avorter, gros tas de merde molle sans cervelle. » En réalité, si l'on comptait la salle d'attente première classe, c'était son huitième cocktail. «Bien sûr, je comprends pourquoi l'idée de donner quelques miettes aux gens qui n'ont rien vous débecte. Que Dieu vous préserve, vous et votre famille de connards obèses, de devoir passer ne serait-ce qu'une seule journée de votre vie sans vous en foutre plein les poches. Et puisque je vous tiens... Peter Arthur, vraiment ? Est-ce qu'un seul prénom chrétien ne suffisait pas à vos consanguins de parents ?

– Écoute-moi bien, avait répliqué le type en se tendant vers lui, les veines du cou saillantes. Ne mêlez pas ma famille à ça, sinon ça va saigner. Compris ? » Saletés d'Amerloques et leurs conneries de valeurs familiales. Kennedy s'était éclairci la gorge et penché à son tour vers son voisin pour lui dire très lentement, en détachant bien chaque mot :

« Prends l'argent de tes impôts et fous-le bien profond dans le fion de ta femme, misérable tas de merde. »

Peter Arthur s'était jeté sur lui, bondissant de son fauteuil avec une vitesse et une hargne surprenantes pour un homme de sa corpulence. Mais Kennedy était prêt. Il l'avait accueilli d'un coup de boule, lui éclatant le nez comme une tomate trop mûre. Hurlements des passagers. Eux deux à terre en train de s'étriper. Puis le genou du steward enfoncé dans son dos. Inutile de dire que le reste du vol, en mode régime sec, n'avait pas beaucoup plu à Kennedy.

Il ralluma son téléphone, qui se mit aussitôt à biper et à vrombir. Trente-huit appels en absence. Vingt-cinq nouveaux SMS. Son compte Twitter semblait avoir explosé.

Les portes s'ouvrirent. L'espace d'une seconde, il crut avoir été aspiré par un tunnel spatio-temporel et recraché à une avant-première plutôt qu'au terminal des arrivées : flashs d'appareils photo, journalistes criant son nom, forêt de micros tendus vers lui, équipes de télévision. Il baissa la tête. Enfila ses lunettes de soleil.

« Kennedy !

— Mr Marr !

— Qu'est-ce qui s'est passé ?

— Ils vous ont inculpé ?

— Kennedy ?

— Pas trop la gueule de bois ?

— Vous aviez bu ?

— Mr Marr ? »

Il perçut un ton légèrement différent dans la voix du dernier, presque un soupçon d'inquiétude. Kennedy leva les yeux sur ce type d'une trentaine d'années – bonne petite surcharge pondérale, un je-ne-sais-quoi de l'allure du videur de boîte de nuit – planté juste devant lui avec son nom écrit sur une feuille. « Je suis votre chauffeur.

– C'est le ciel qui vous envoie ! lança Kennedy d'une voix forte pour se faire entendre par-dessus le vacarme. Vous êtes garé où ? »

Quelques minutes plus tard – après une bruyante course-poursuite avec la horde des journalistes jusqu'au parking dépose-minute, malgré la bordée de jurons dont il les avait abreuvés tout du long –, Kennedy, terrassé par la fatigue et la gueule de bois, était avachi à l'arrière d'une grosse Mercedes qui se faufilait hors des méandres de Heathrow. « Oh, la vache… marmonna-t-il.

– Quelle arrivée, hein ? lança le type au volant. J'ai l'habitude d'attendre mes clients, mais douze heures…

– Je sais. Désolé.

– Ça me fait des heures sup, mec. Tenez, vous avez de l'eau et du paracétamol à l'arrière. Je me suis permis d'en apporter. Et vous feriez bien de jeter un œil à ça… »

Un paquet lourd et mou lui tomba sur les genoux. Kennedy baissa les yeux : une pile de journaux du matin. Il releva ses lunettes noires sur son front et commença à les parcourir. Oh, Seigneur.

Pendant ce temps, dans sa cuisine du Warwickshire, à cent cinquante kilomètres de là, Millie se préparait un café tout en parcourant Twitter. Un hashtag au nom de Kennedy semblait dominer l'actu du jour. Elle cliqua dessus. Puis sur un autre, qui la renvoya vers un article de la BBC intitulé : « Un écrivain arrêté à Heathrow », illustré d'une photo de Kennedy, tête baissée, menottes aux poignets. « Oh non », soupira Millie. À l'étage, elle entendit Robin sortir de la salle de bains et regagner sa chambre. « Quel crétin, mais c'est pas vrai ! »

À Clapham, la radio allumée sur sa matinale préférée, Connie Blatt était en train d'attraper la corbeille à pain lorsqu'une phrase dans le poste retint son attention : « L'auteur le plus jeune de toute l'histoire à figurer parmi les finalistes du Booker Prize pour son premier roman, *Impensable*, en 1997... » – le visage de l'agent littéraire s'illumina – « ... a été interpellé à l'aéroport d'Heathrow hier soir après avoir provoqué une bagarre à bord d'un avion de la compagnie British Airways. » Ses traits s'affaissèrent. Elle sortit précipitamment pour ramasser le journal qu'on lui déposait tous les matins sur le paillasson. Oui : c'était bien lui, en page 5.

À Hampstead, le professeur David Bell ne parvenait pas à détacher son regard de la première page du *Telegraph*, qui consacrait tout un encadré à Kennedy : « Ivre mort à l'arrivée ». « Seigneur, lâcha-t-il en lisant la suite. Oh, Dieu du ciel ! » Il prit peu à peu conscience de la sonnerie insistante du téléphone, puis de sa femme debout dans l'entrée qui lui disait : « Quelqu'un de la presse veut te parler. »

Kennedy laissa tomber son exemplaire de *The Independent* (« ... de retour en Grande-Bretagne pour enseigner pendant un an à l'université de Deeping, dans le Warwickshire, comme le veut la tradition du prestigieux prix F. W. Bingham... ») et se redressa sur sa banquette. « C'est quoi, votre nom ?

– Keith. » Le type lui tendit un bras et ils échangèrent une poignée de main.

« Merci, Keith. On en a pour combien de temps, à votre avis ?

– Sur la M40, avec cette circulation ? Deux heures, minimum.

– Parfait. » Kennedy avala quatre Nurofen et deux Valium avec une gorgée d'Évian, puis il roula sa veste en boule pour s'en faire un oreiller. « Réveillez-moi quand on y sera. »

27

Le professeur Lyons, doyen de l'université, venait tout juste d'ouvrir le *Times*. « Doux Jésus », répéta-t-il en lisant et relisant l'article de la page 3. Le téléphone sur son bureau sonna.

« Le Dr Drummond souhaite vous voir.

– Oh non... D'accord. Faites-le entrer. »

Après un très bref silence, on frappa quelques coups secs à la porte, et Dennis Drummond pénétra dans la pièce avec, coincée sous le bras, une grosse pile de journaux qu'il jeta sur le bureau du doyen.

« Vous êtes au...

– Oui, Dennis. Je viens de l'apprendre. »

Drummond ouvrit le *Daily Mail* et lut à voix haute :

« Connu pour ses frasques alcoolisées [...], le lauréat d'un prix littéraire d'une valeur d'un demi-million de livres sterling aurait agressé un autre passager à la suite d'une violente altercation pendant le vol. L'écrivain, âgé de 44 ans, *va enseigner cette année à l'université de Deeping...* » Drummond lâcha le journal. « Le nom de l'université apparaît dans au moins la moitié de ces articles.

– Certes, ce n'est pas tout à fait la publicité que nous espérions...

– C'est le moins qu'on puisse dire ! »

– Néanmoins, je pense que nous devrions accorder le bénéfice du doute à Mr Marr, en attendant qu'il nous présente sa version des faits. Vous savez comment la presse déforme ce genre d'incident.

– C'est un scandale épouvantable, vous devez...

– Mr Marr est une célébrité. Parfois, les journalistes montent en épingle des événements insignifiants.

– Je vous avais prévenu. Tout le monde sait à quel genre de personnage nous avons affaire !

– Dennis, nous en avons déjà discuté et j'ai pris bonne note de votre opinion sur la question.

– Je ne veux pas de cet homme dans mon département.

– Qu'êtes-vous en train de me dire, exactement, professeur Drummond ? »

Lyons se cala au fond son fauteuil, les doigts entrelacés, soudain formel. Drummond le dévisagea. Étaient-ils réellement sur le point de jouer à c'est-lui-ou-moi ? Quelque chose disait à Drummond qu'il ferait bien de ne pas trop s'aventurer sur ce terrain.

« J'avoue que... sa présence ici me contrarie au plus point. Je pense que l'enseignement est le cadet de ses soucis, et je crains qu'il n'entache la réputation de mon département et de cet établissement.

– Bien. C'est noté. Cependant, Dennis, et nous avions également déjà abordé ce point, Mr Marr va rester parmi nous un certain temps et je tiens à ce que vous le traitiez avec la courtoisie professionnelle qui s'impose. À cet égard, j'attends de vous une conduite exemplaire. »

Drummond pouffa. « Exemplaire ? »

D'un geste brusque, il aplatit un autre journal sur le bureau du doyen, tourna les talons et sortit.

Lyons examina le journal. Quelque chose intitulé *The Star*. Il n'en avait jamais entendu parler. Ça ne ressemblait pas du tout au *Morning Star*, le journal dans lequel avaient écrit John Pilger et George Orwell. On pouvait y lire un long article de deux pages consacré à Kennedy avec, en prime, la photographie d'une jeune femme – Dieu du ciel – entièrement dépoitraillée. Un autre cliché le montrait sur un tapis rouge en compagnie d'une brochette d'acteurs que le doyen n'avait jamais vus de sa vie. Un portrait en gros plan, plus petit et visiblement extrait des archives de la police, montrait l'écrivain juste après une inter-pellation à Los Angeles quelques années auparavant, la mine épouvantable. (« Arrêté pour conduite en état d'ivresse dans West Hollywood... possession de cocaïne... trouble à l'ordre public sous l'effet de la boisson... »). La légende sous l'image de la fille aux seins nus disait : « L'écrivain, très porté sur les femmes et la boisson, travaille actuellement aux studios de Pinewood sur le prochain film de la bombe sexuelle Julie Teal. » Il s'agissait d'une photo de plateau, tirée d'un des premiers films de l'actrice.

Le téléphone du doyen sonna à nouveau.

« Allô ?

– Navrée de vous déranger. J'ai en ligne Miss Welles, du ser-vice des inscriptions. Elle a une nouvelle importante à vous transmettre, apparemment.

– Merci, Camilla, passez-la-moi. »

Lyons écouta ce que la responsable des inscriptions avait à lui dire.

« Vraiment ? finit-il par commenter. Eh bien. Voilà qui est intéressant, en effet. Vous avez bien fait de m'appeler. »

28

Ça commence enfin à ressembler à quelque chose, songea Kennedy en s'engouffrant dans le couloir. C'était une bonne surprise, contrairement aux autres surprises auxquelles il avait eu droit ces derniers temps.

Il venait de pénétrer dans un superbe petit manoir georgien en pierre pâle entouré de deux hectares de terrain. («Ben dis donc, y en a qui ont d'la chance, hein?» s'était exclamé Keith lorsqu'ils s'étaient engagés dans l'allée gravillonnée. Le conducteur avait été encore plus impressionné en voyant l'Aston Martin de location, bleu clair, posée sur ses gros pneus à côté de la maison. «Purée, chef, une DB9? C'est la vôtre?» Il avait fait le tour du véhicule, admirant respectueusement chaque angle et chaque courbe, tel un amateur d'art face à une sculpture rare au Met ou au musée Guggenheim. «Quelqu'un l'a un peu abîmée par ici», avait-il signalé en pointant une égratignure invisible. Revigoré par sa sieste, Kennedy lui avait laissé un généreux pourboire et demandé sa carte. (Un type comme Keith s'avérerait sans doute très utile pour un type comme lui dans ce coin paumé, où on ne pouvait rien faire sans bagnole – sachant que Kennedy, lui, ne pouvait pas faire grand-chose sans boire.) Dans la cuisine, il avait trouvé des corbeilles d'accueil contenant toutes sortes de délicatesses envoyées par le comité F. W. Bingham, Connie et le doyen de Deeping, et il y avait pioché les ingrédients nécessaires à la confection de l'apaisant cocktail de mi-journée qu'il était en train de siroter – un Bloody Mimosa : champagne et jus de tomate. En explorant le reste de la maison, il découvrit un bureau à l'air très confortable sur la droite, un petit salon, une sorte de pièce consacrée aux futilités (machines diverses, séchoirs, planche à repasser, etc.) et une salle à manger aux murs peints en bordeaux, dotée d'une immense table pouvant accueillir jusqu'à douze couverts (petit flash de panique : allait-il devoir recevoir ?) Trois marches plus bas, il se retrouva dans le salon principal, qui lui arracha un petit sifflement. La pièce était longue et spacieuse, lambrissée de chêne. Tout au fond, une immense baie vitrée dominait la pelouse. Du mobilier de qualité : deux gros canapés en cuir caramel patiné entouraient une table basse en teck. On aurait pu se tenir debout dans la cheminée. Un peu plus loin, deux fauteuils étaient disposés autour d'un échiquier. La bibliothèque occupait un pan de mur entier. Un piano quart de queue trônait près de la fenêtre, et un fauteuil Eames avec son repose-pieds s'invitait à la détente ou à la lecture face à la vue. Qui était superbe : pas une seule habitation à l'horizon. Rien qu'une pelouse légèrement en pente, avec un chêne majestueux au milieu et une futaie de peupliers tout au fond, et bordée à gauche par un champ et à droite par un bois.

Kennedy repassa par la cuisine pour se préparer un autre cocktail puis emprunta le grand escalier qui menait au couloir à l'étage. De part et d'autre, une succession de portes ouvraient sur des chambres à coucher. Entre les portes, des toiles accrochées aux murs, des huiles pour la plupart, essentiellement des portraits d'hommes au regard sévère – sans doute les vieux salopards dont la cruauté et le sens des affaires étaient parvenus à faire de ce lieu la demeure familiale de l'un d'entre eux. Il marcha jusqu'au bout du couloir et entra dans ce qui était manifestement la chambre principale de la maison. Elle était gigantesque, à peu près aussi vaste que le salon juste en dessous. Les murs étaient tapissés d'un papier peint jaune pâle dans le pur style classique britannique, et les meubles semblaient tous sortir des années 1930. Les seuls signes de modernité étaient la moquette neuve couleur flocons d'avoine, épaisse et moelleuse sous ses pieds nus, et le grand rectangle noir du téléviseur fixé au mur, face au lit. Kennedy poussa une porte et se retrouva dans une pièce d'eau ensoleillée, sans doute une ancienne petite chambre convertie en salle de bains. La vieille baignoire victorienne était placée directement face à la fenêtre, histoire de pouvoir se prélasser dans un bain en contemplant son empire d'un œil placide. Kennedy s'assit sur le rebord, regarda par la fenêtre et sirota son cocktail en songeant que cet endroit pourrait effectivement être un véritable paradis... si seulement il n'avait pas à s'en arracher tous les jours ou presque pour se traîner jusqu'au campus – « Juste à dix minutes au bout de la rue », d'après Keith – et écouter des adolescents lire les mauvais brouillons de leurs romans pourris. Il en était là de ses pensées lorsqu'il entendit une série de coups lointains, comme si quelqu'un frappait à la lourde porte d'entrée. Il soupira et vida son verre. Quoi encore ?

« Bonjour, déclara la femme souriante et entre deux âges qui se tenait sur le seuil. Mon nom est Angela Marcus. Je... Vous vous sentez bien ?

– Pardon ?

– Votre visage, il est tout... »

Kennedy pivota pour se regarder dans le grand miroir accroché au-dessus de la cheminée du vestibule. Le jus de tomate. On aurait cru qu'il venait de faire un cunnilingus à une otarie en pleine menstruation.

« Ah, merde, désolé... c'est du jus de tomate... Entrez. J'en ai pour une seconde. »

Il se rua aux toilettes du rez-de-chaussée, se nettoya la figure et ressortit en s'essuyant le menton dans une serviette. « Mille excuses, vous disiez donc ?

– Oui... Angela Marcus ? » Ils échangèrent une poignée de main. Le ton interrogatif de sa voix semblait indiquer que Kennedy était censé la connaître. Il haussa un sourcil, prit son air concentré.

« Nous avons échangé quelques e-mails, récemment.

– Ah ?

– Je suis votre secrétaire, Mr Marr.

– Oh ! Mais bien sûr. Formidable. Veuillez m'excuser, vraiment... Quel abruti ! Par ici, je vous en prie. Vous comprenez... le décalage horaire. »

Ils pénétrèrent dans le grand salon. « Belle pièce, n'est-ce pas ? commenta Angela.

– Ah oui, c'est quelque chose. Un verre ? »

Elle consulta sa montre. « Eh bien, ma foi, pourquoi pas un sherry ? Allez, un petit, je vous remercie. » Kennedy la trouva aussitôt sympathique. Elle semblait un peu plus âgée que lui, proche de la cinquantaine. Elle avait un carré blond vénitien et une grande bouche remplie de belles dents bien blanches, celles de devant aussi larges que des pelles à gâteau. Elle portait un pull gris orné d'un petit col noir, qui dissimulait une poitrine vraisemblablement généreuse.

« Un sherry. OK. Pardonnez-moi, mais je ne sais pas encore où se trouvent les choses dans cette maison. Il y a du champagne au frigo et...

– Le bar se trouve au milieu de cette bibliothèque, dit-elle en lui désignant le meuble. Vous verrez, il est bien rempli. »

Kennedy trouva le panneau en bois et l'abaissa. Il siffla d'enthousiasme en découvrant l'impressionnant alignement de bouteilles, de carafes, de verres et de boissons gazeuses. « Wow, c'est vous qui avez fait ça ? demanda-t-il par-dessus son épaule en attrapant la bouteille de sherry.

– En effet, Mr Marr. Préparer la maison pour votre arrivée faisait partie de mes attributions.

– C'est du bon boulot, Angela. Et je vous en prie, appelez-moi Kennedy. » Il revint vers elle avec deux verres de Manzanilla.

« Merci. » Elle prit son verre et but une gorgée. « Il est inutile de vous demander si vous avez fait bon voyage, je présume ? »

Kennedy s'esclaffa. « Ça a dû faire grincer des dents, hein ?

– On peut dire ça comme ça, oui. Nous avions prévu une réception en votre honneur ce soir, mais compte tenu des événements, nous l'avons décalée à lundi afin de vous laisser le temps de… vous reposer. Oh, et Millie, votre épouse… pardon, ex-épouse… m'a demandé de vous rappeler qu'elle venait avec Robin demain, samedi, pour déjeuner avec vous.

– Ah oui. Super. » De toute évidence, Kennedy avait également oublié ce détail.

« J'ai donc pensé que ce serait une bonne idée de passer vous voir dès aujourd'hui afin de faire le point sur votre planning de la semaine. Et je suis sûre que vous avez des questions, de votre côté. » Elle posa son verre et sortit un carnet.

« Je suis tout ouïe, fit Kennedy, gagné par la langueur somnolente du décalage horaire et la chaleur cotonneuse du sherry.

– Hormis votre repas en famille de demain, vous n'avez rien de prévu ce week-end. Lundi, déjeuner avec le doyen à 13 heures.

– Il est comment ?

– Le professeur Lyons ? Oh, c'est un homme charmant. Le rendez-vous aura lieu dans son bureau et devrait durer au moins une heure. Vous rencontrerez ensuite le Dr Drummond, responsable du département d'anglais. C'est un écrivain, lui aussi. Enfin... c'était.

– Ah ?

– Il vous montrera votre bureau et vous laissera un peu de temps pour vous y installer, après quoi le cocktail de bienvenue se tiendra à 19 heures, suivi d'un dîner en compagnie du doyen et du professeur Bell, le président du comité F. W. Bingham.

– Oh non... » Il se reprit juste à temps. « Oh, nom d'un petit bonhomme, quel programme ! La journée va être bien remplie.

– En effet. Bien, passons au mardi... »

Kennedy repartit en direction du bar et en rapporta la bouteille. Il leva son verre pour lui en proposer un autre : Angela sourit, mais posa sa main à plat sur le sien. « Je dois garder l'esprit clair pour travailler.

– Très bien. Mais ça vous ennuie si je...

– Je vous en prie, faites donc. Je joue plutôt dans la catégorie poids plume, vous voyez. » Décidément, il la trouvait de plus en plus sympatoche. « Mardi, vous devrez examiner les dossiers de candidature à votre séminaire. Nous ne sommes plus qu'à deux semaines de la rentrée, il va donc falloir trancher dans le vif.

– Trancher dans le vif ?

– Oui. Votre séminaire croule sous les demandes d'inscription. Nous avons dû recevoir plus de deux cents dossiers pour une vingtaine de places.

– Et à propos de ces "dossiers"...

– Oui, vous l'aviez bien stipulé dans votre courriel : rien qu'un chapitre d'introduction ou les premières pages d'un roman, d'un scénario ou d'une nouvelle en cours d'écriture. Pas plus de mille mots. » Pourquoi les gens s'obstinaient-ils à se souvenir de tout ce qu'il disait ? À lui ressortir des trucs qu'il avait acceptés de faire ? « Je vous les ferai porter par coursier demain matin. Vous pourrez ainsi vous y mettre dès ce week-end.

– Mais... qu'est-ce que vous êtes en train de me dire, Angela ?

– Que vous allez devoir les lire, bien sûr. »

Il la dévisagea, soudain frappé d'horreur. « Les deux cents dossiers ?

– Oh, oui, enfin à peu près... » Elle but une gorgée de son sherry.

« Vous êtes en train de me dire que je vais devoir me farcir *deux cent mille mots* de prose étudiante ? »

Cette fois, ce fut son tour à elle de le dévisager. « Eh bien, oui. C'est ce qu'on appelle l'enseignement, j'en ai peur. »

Kennedy enfouit son visage dans ses mains et poussa un long gémissement. « Qui a eu cette idée géniale, nom de Dieu ?

– Heu... vous ? »

Il soupira et vida son verre. « Vous venez d'apprendre une leçon essentielle, Angela : ne jamais, jamais écouter un satané mot de ce que je dis. »

Quelques instants plus tard, après une courte séance de questions/réponses concernant les détails pratiques – la gouvernante, Mrs Baird, arriverait demain, lui préparerait tout ce qu'il voudrait manger, veillerait à l'entretien de la maison, etc. –, Kennedy la raccompagna vers la sortie.

« Vous savez, lui dit-elle sur le pas de la porte, je trouve ça adorable.

– Quoi donc ?

– Qu'un homme comme vous – un écrivain fortuné et couronné de succès, admiré de tous – puisse autant avoir le trac à l'idée d'enseigner à des étudiants de licence.

– Je... je n'ai pas du tout le trac.

– Hmm. Si vous le dites. À demain. »

Après son départ, Kennedy décida de s'offrir une petite séance de branlette avant la sieste.

Alors qu'il était en pleine action, un détail commença à le troubler. Son inconfort ne tenait pas au flot d'images qui défilaient sur l'écran de son ordinateur portable – aussi perturbantes et troublantes soient-elles. Ce n'était pas le fait qu'il soit là, en plein milieu de l'après-midi, un jour de semaine, lui, l'écrivain professionnel, certains diraient même l'auteur éminent, allongé par terre dans sa cuisine en train de s'astiquer fébrilement le jonc comme si sa vie en dépendait. Non : c'était ce grain de sable qu'il sentait sous son pouce, presque à la base, et qu'il avait déjà remarqué à L.A. quelques mois plus tôt. Sauf que, bizarrement, il le trouvait encore plus gros maintenant, presque de la taille d'un grain de riz. Quand il eut terminé, il s'essuya en haletant, puis palpa de nouveau l'endroit sensible, appuya dessus. Rien. Le truc semblait s'être volatilisé avec son érection.

Son téléphone portable sonna.

« Allô ?

– Ben mon vieux, c'est ce qu'on appelle faire un retour en fanfare. Mêmes les journaux d'ici parlent de toi.

– Patrick ! Je...

– Comment ça va ? »

Kennedy baissa les yeux vers la tache gluante qui lui tartinait le ventre.

« Bah, ça va. Je suis juste… crevé. Maman est au courant de ce cirque ?

– Non. T'inquiète, frérot.

– Pour info, c'était pas ma faute.

– J'ai déjà entendu ça quelque part. Écoute, je ne t'embête pas longtemps. Maintenant que tu es arrivé, je voulais juste savoir si tu avais déjà réfléchi à une date pour passer voir maman ?

– Oui, une p'tite seconde, laisse-moi consulter mon agenda… Voyons voir… » Il réfléchit, toujours allongé par terre. *Dis une date au hasard, n'importe laquelle, ni trop proche, ni trop lointaine.* « J'ai pas mal de trucs à lire avant la reprise des cours… et la semaine de la rentrée risque d'être un peu chargée…

– Mmmm.

– Pourquoi pas dans trois semaines ?

– Le vendredi 18 octobre ?

– Oui.

– Si tu n'as pas d'autre disponibilité d'ici là… alors d'accord. Je vais le lui dire.

– Merci, Patrick. Comment va-t-elle ?

– Bah, le moral est bon. Elle se plaît bien à l'hôpital, il y a plus d'animation autour d'elle. C'est juste… qu'elle ne mange rien.

– Merde.

– Écoute, je te laisse te reposer. On se voit le 18.

– Salut, Patrick. »

Il s'endormit dans le carré de lumière que le soleil dessinait sur le sol, le pantalon aux chevilles et une montagne de Kleenex usagés collés au ventre comme une grosse boule de neige à moitié fondue.

29

« **W**ow, papa ! C'est immense ! s'extasiait Robin. Et cette bagnole ? *Ridicule.* » Elle trottait le long du couloir en ouvrant toutes les portes tandis que Millie et Kennedy marchaient à quelques mètres derrière elle.

« Eh bien, fit Millie, je comprends mieux pourquoi cet endroit a fait jaser le commun des mortels.

– Ah bon ? On a jasé ?

– As-tu la moindre idée de ce que coûte la location de ce palace jusqu'au mois de mai ? De quoi financer deux bourses de thèse !

– Certes. Mais le monde a-t-il réellement besoin d'un énième pensum sur "La dissonance interne de Bède le Vénérable" ? Et est-ce que ces thèses auraient provoqué une « augmentation de 80 % des demandes d'inscription au département d'anglais ? Auraient-elles généré un "intérêt médiatique sans précédent" ?

– Ah oui, "Ivre mort à l'arrivée", tu veux dire ? Ou bien "l'écrivain interpellé après avoir provoqué une bagarre dans les airs" ?. Tu as vraiment contribué à améliorer l'image de Deeping à l'instant où tu es descendu de l'avion, tu sais.

– Bah, comme on dit, il ne faudrait jamais lire les critiques. Juste les peser. »

Ils s'arrêtèrent devant la porte de son bureau, jetèrent un œil à l'intérieur. Pour Kennedy, la vision fut atroce : ses Tours jumelles de l'angoisse, plus de deux cent mille mots au total, livrées à l'aube par Angela et réparties en deux énormes piles au milieu de la table l'attendaient. Les lire ? Mais bon Dieu, Kennedy osait à peine les *regarder*.

« Tu as du pain sur la planche, on dirait, fit Millie en souriant.

– Qu'est-ce que j'y peux ? répondit Kennedy, en s'efforçant d'être léger. Je suis comme James Bond. Les hommes rêvent d'être comme lui, les femmes rêvent d'être avec lui.

– Je n'en reviens toujours pas que tu aies accepté.

– De tous les départements d'anglais du monde entier...

– Toi. Encadrer des d'étudiants !

– Faut bien payer les factures. »

Au fond du couloir, leur fille s'exclama :

« Oh, putain, m'man, viens voir la taille de ce truc !

– Robin, surveille ton langage ! »

Ils l'entendirent jouer quelques notes sur le piano du salon – cela ressemblait à l'intro de *Talk Show Host* de Radiohead. Millie s'éloigna dans la direction du son. Kennedy s'attarda sur le seuil de son bureau, puis avança vers les Tours. Le manuscrit tout en haut de la première pile, la Tour sud, écrit par un certain Carl Millar, avait pour titre *Sérénade*. Kennedy souleva la première page et tomba sur un monolithe de texte. Il lut l'incipit – « L'alarme se déclencha avec un vrombissement pressant » – et referma aussitôt. Oh, putain. Nom de Dieu de nom de Dieu. Survivrait-il à ce cauchemar ? Sérieusement, Carl, c'est comme ça que tu commences ton bouquin ? Bien joué, mon pote. Voilà une entrée en matière originale et mystérieuse, comme on les aime. Quant au « vrombissement pressant » – c'est quoi, au juste, un putain de vrombissement pressant ? On a ça chez soi ? C'est quoi, le contraire ? Une sirène relaxante ? Pour un demi-million de livres, le jeu en valait-il vraiment la chandelle ?

Kennedy s'éloigna des Tours à reculons, presque les mains tendues devant lui, comme s'il se tenait face à un cambrioleur armé ou à une bombe nucléaire, et se dirigea vers le salon.

La vision qui l'attendait le fit s'arrêter net, soudain conscient de sa respiration et du sang dans ses veines. Millie et Robin étaient devant le piano, l'adolescente assise sur le tabouret – studieuse, en train de se mordre la lèvre comme toujours lorsqu'elle se concentrait – tandis que Millie lui tournait les pages de la partition. C'était un morceau classique qu'il ne reconnaissait pas vraiment. (Il n'arrêtait pas de se dire qu'il devrait se mettre à la musique classique, mais cela revenait pour lui à apprendre une langue étrangère ou à se mettre à manger cinq fruits et légumes par jour.) Mère et fille était magnifiquement éclairées, encadrées par la pâle lueur orangée qui filtrait à travers la baie vitrée derrière elles. Entrer dans cette pièce par un beau dimanche matin, l'esprit ailleurs, et tomber sur pareil tableau…

Il laissa vagabonder son imagination : ils venaient à peine de se lever, ils s'étaient couchés tard la veille pour regarder un film, rien que tous les trois, Millie lovée contre lui sur le canapé moelleux, Robin à leurs pieds sur un pouf à billes ou un gros coussin. Millie grignotant une barre chocolatée, ce qu'elle s'autorisait rarement, et Kennedy… sobre. Voire vêtu d'un cardigan. Bientôt, ils prendraient le petit-déjeuner ensemble, après quoi chacun vaquerait à ses occupations – traîner à la maison, faire des emplettes, ou aller se promener (là, il faut bien admettre que Kennedy se laissait dépasser par son propre fantasme. *Se promener* !) avant de regagner cette belle demeure campagnarde pour déguster le ragoût que Millie aurait mis à mijoter dès son réveil et dont les effluves d'ail, de thym et de patates douces parfumaient délicieusement la maison. Leur maison. Celle de leur famille. Oui, pendant une fraction de seconde, tandis qu'il contemplait son ex-femme et sa fille, Kennedy Marr habita la vie qu'il n'avait jamais eue. Celle qu'il avait déclinée. Elles ne vous quittaient jamais, ces choses-là. Elles vous suivaient partout. *On pouvait juste espérer apprendre à cohabiter avec elles.*

La musique s'arrêta. Il réalisa qu'elles l'observaient.

« Papa ?

– Kennedy, est-ce que tu…

– Ouais », lança-t-il d'une voix rauque qui le surprit lui-même. Il s'éclaircit la gorge, se ressaisit. « Et si on allait au pub ? Hop, c'est parti, en route pour le déjeuner. Où diable peut-on boire de l'alcool dans ce bled bouseux ?

– Et tes deux cents manuscrits à lire ? rétorqua Millie.

– Oh, la barbe. C'était où, cet endroit où tu m'avais emmené quand je suis il y a deux ans ? C'est bien dans le coin, non ? »

30

L e Falcons' Rest se trouvait un peu plus loin le long de la route, à deux kilomètres environ, grosso modo à mi-chemin entre la maison et le campus. Dès qu'il franchit la porte, Kennedy – en digne vétéran des pubs, fin connaisseur des bars et autres auberges – sut qu'il avait trouvé son QG.

L'endroit était animé sans pour autant être bondé, la bûche qui brûlait dans l'âtre distillait une bonne odeur de feu de bois, pas de musique, un choix *a priori* impressionnant de bières locales à la pression, une sélection décente quoique très ordinaire de bouteilles de whisky alignées derrière le comptoir, une salle de restaurant au fond, le menu du jour inscrit à la craie sur un tableau noir au-dessus de la cheminée (deux types de tourtes, steak, côtelettes, poisson, des valeurs sûres et sans prétention) et, surtout, une clientèle bigarrée, composée de gens de tout âge et de toutes classes sociales : juges rubiconds à la retraite engoncés dans leurs vestes en tweed, plombiers et plâtriers, et même deux quinquagénaires bien conservées en escarpins qui se partageaient une bouteille de malbec. Kennedy offrit sa tournée (une pinte de Kingsland Pale Ale accompagné d'un verre de Laphroaig pour lui, un gin tonic pour Millie et un demi panaché pour Robin), dit à la serveuse – une Australienne tatouée très baisable – de garder la monnaie sur le billet de vingt qu'il venait de lui tendre, et ils allèrent s'asseoir dans un coin près de la baie vitrée.

« À notre... commença Kennedy, en levant son verre.

– Oh, c'est Clarissa! s'exclama Robin en bondissant pour disparaître à l'autre bout du bar, où une blonde d'à peu près son âge jouait aux fléchettes avec un garçon plus âgé.

– *Clarissa*? répéta Kennedy avec dégoût. Laisse-moi deviner, ses parents sont fans de Samuel Richardson? Ils savent comment ça se termine pour cette vieille garce à la fin du bouquin?

– C'est Clarissa Drummond. Elles vont au collège ensemble. Son père dirige le département d'anglais de la fac.

– Ah, Dennis Drummond... L'écrivain.

– Lui-même.

– Bref, à notre santé. » Kennedy entrechoqua son bock pommelé avec le verre de gin tonic de Millie. « Alors, quoi de neuf? Qu'est-ce que tu me racontes de beau? Tu as bonne mine, tu sais. Comment va ta vie amoureuse?

– Ça ne te regarde pas.

– OK.

– Tu as eu le temps d'appeler ton frère?

– Oui. Dis, je te signale que je suis arrivé hier! Il faut juste que je...

– Il faut juste que tu ailles voir ta mère, Kennedy, c'est tout.

– Je sais, je sais. J'y travaille. Lundi, je demanderai à Angela de regarder les billets d'avion, les hôtels et tout le bazar.

– Angela? Mais... c'est ton assistante pédagogique, Kennedy. Pas une bonniche comme à Hollywood qui passe prendre ton linge au pressing, fait ton shopping de Noël à ta place et t'organise tes voyages.

– Je suis sûr qu'on peut trouver un arrangement, elle et moi... Elle gagne combien?

– Mon Dieu…

– Je rigole. Je suis tout à fait capable de m'acheter un putain de billet d'avion, tu sais. »

Millie ricana. « Bien sûr. Dit l'homme qui croyait que l'eau était gratuite. Que le gouvernement vous envoyait votre vignette de voiture en échange de vos impôts sur le revenu. Que…

– OK, OK, ça va… Parle-moi plutôt des derniers potins. Qui sont les gentils et les méchants ? À l'université, j'entends.

– J'ai bien peur, après ton arrivée fracassante, que tu aies un peu de mal à te faire des copains.

– C'était pas ma faute !

– Ce n'est jamais de ta faute, Kennedy. Tu sais, autrefois, quand on sortait le soir, je commençais à retenir mon souffle dès l'instant où je prenais ma douche. Pendant que je me maquillais. Et ça durait toute la soirée, je guettais le moment où ça allait dégénérer.

– Allons… tu adorais ça. C'est même pour ça que tu ne t'es jamais remariée. »

Elle s'esclaffa. « Ton narcissisme ne connaît vraiment aucune limite, hein ? La raison pour laquelle je ne me suis jamais remariée, c'est que je suis responsable des gens que je laisse entrer dans la vie de ma fille. Alors que toi, tu baiserais un pneu.

– Tu sais que tu es encore une très jolie femme, Millie. Mais de toute évidence, tu es frustrée sur le plan sexuel.

– Et toi… » – elle suçotait sa rondelle de citron, sans se presser, toujours en mode plaisanterie – « … tu n'es qu'un coureur de jupons, un amuseur nombriliste, incapable de contrôler ta colère et, de toute évidence, luttant depuis de très longues années contre un sentiment profondément refoulé de panique homosexuelle.

– C'est ça. Et j'ai un bon sens de l'organisation, aussi, fit Kennedy en terminant son whisky avant de rassembler les verres. Je vais nous chercher les menus. Tu en veux un autre ?

– Je conduis.

– Bah, détends-toi, on est à la campagne. » Il se leva, aperçut le petit écran de la télé dans l'autre salle qui diffusait un match de rugby. Ça ressemblait à pays de Galles – Angleterre. Avec une grosse mêlée bien méchante sur la ligne galloise. *Allez, les gars, écrasez-moi ces empaffés de colonialistes...*

« Hein, dis ? » Il venait d'entendre la voix de Robin derrière lui. « Après le déj, est-ce que je peux aller chez Clarissa ? »

Il se retourna.

« Clarissa, fit Robin, je te présente mon père.

– Bonjour, Clarissa. » Il lui tendit la main.

« Bonjour ! Wow, je suis genre hyper fière de vous rencontrer.

– Dois-je comprendre que tu es fière de me rencontrer, ou que tu fais *genre* d'être fière de me rencontrer ?

– Papa...

– Mon copain Donnie, poursuivit Clarissa en lui serrant la main comme une enfant, c'est-à-dire en en la serrant à peine, a clairement lu tous vos livres.

– Tu veux dire qu'il les a lus à la lumière, et non dans le noir ? »

L'adolescente se troubla. Robin soupira.

« Ce que je veux dire, insista Kennedy, c'est...

– Oh, tais-toi donc, Kennedy, intervint Millie avant de s'adresser à sa fille. C'est d'accord, bien sûr. »

Sa mission parentale accomplie, Kennedy se tourna de nouveau vers le poste de télé. *Non, bande d'idiots, ne laissez pas cet abruti s'approcher de la ligne !* Millie continuait à parler dans son dos.

« Oh, bonjour, Dennis. Karen. »

Fais une passe à la volée ! Vas-y, bordel, une passe à la...

« Kennedy ? »

Voilà, c'est ça, maintenant ne...

« Kennedy ! »

Il fit volte-face. « Quoi ?

– Je te présente Dennis et Karen. »

Kennedy découvrit un type mince au nez crochu, en veste Barbour *et* casquette plate – la panoplie complète. Un look qui, d'après son expérience, signifiait « J'habite les quartiers ouest de Londres ». Et aussi : « J'aime les virées champêtres dans les auberges gastronomiques ». Pour ne rien gâcher, à en juger par les rares cheveux argentés qui dépassaient de sa casquette, le mec devait être quasiment chauve.

« Oh, formidable. Bonjour. Ravi de vous rencontrer. »

Ils se serrèrent la main. Drummond le jaugea – il le trouvait plus petit et plus charpenté que ce qu'il s'était imaginé d'après les photos – pendant que Kennedy, lui, examinait Karen. Poitrine pas dégueu. Joli sourire.

« Oui. Nous avons rendez-vous après-demain, me semble-t-il.

– Vraiment ? Souhaitez-vous boire quelque chose, Dennis ?

– Non, merci bien. Nous allions partir. J'espère… » Des cris retentirent de la pièce d'à côté, où un petit groupe était en train de suivre le match. Kennedy se retourna. Ces salopards d'Anglais étaient de retour sur leur ligne, à présent. *Bougez-vous, quoi, allez !*

« Je… vous demande pardon ?

– Je disais que j'espérais que vous aviez bien récupéré de votre voyage. Après toutes ces émotions, pendant le vol… » Derrière lui, Millie discutait avec sa femme. Et Robin avec sa fille.

« Oh, oui. Ça va impec. Un simple petit malentendu. »

Une clameur s'éleva. Kennedy se retourna une nouvelle fois pour voir la mêlée anglaise transformer un essai, les bras levés en un geste triomphal. *Salauds.* Ça continuait à parler derrière lui.

« Hein ?

– Vous aimez le rugby, à ce qu'on dirait ? » On voyait tout de suite que Drummond ne portait aucun intérêt au sport, ce qui faisait de lui une sorte d'amibe au yeux de Kennedy.

« Ma foi, oui. C'est un truc de chez moi. » Il tourna la tête pour regarder le score : 28-12. Plus que cinq minutes à jouer. C'était mort. « Vous m'excusez une p'tite seconde ? » dit-il à Drummond avant de s'éloigner en jouant des coudes vers la sortie.

Une fois dehors, il s'alluma une cigarette et consulta ses e-mails sur son téléphone. Rien de bien nouveau : Braden, Spengler, Connie, Vicky (laquelle souhaitait faire refaire sa salle de bains et lui annonçait l'envoi imminent d'un devis). Puis Angela, pour des modifications de planning. Quelques demandes d'interview de la part de journalistes qui voulaient entendre sa version des faits concernant l'incident dans l'avion. Kennedy entendit un crissement de pas sur les gravillons et leva les yeux au moment où la famille Drummond quittait le pub pour rejoindre le parking. Il sourit et agita sa cigarette. Drummond lui adressa un salut de la tête, assorti d'un léger sourire, ou plutôt d'un rictus. *Ah ouais ?* songea Kennedy. *Je t'emmerde.*

De retour dans la chaleur et les odeurs de cheminée du pub, il se fraya un chemin jusqu'au bar armé d'un billet de vingt et commanda « la même chose, s'il vous plaît ».

Au moment où ses boissons arrivèrent, il se tourna machinalement vers la fenêtre et vit la Prius de Drummond passer derrière son Aston, garée sur le parking. Il grogna tout en suivant le véhicule des yeux. La serveuse australienne suivit la direction de son regard.

« Ah, Dennis. Un ami à vous ?

– Surtout pas.

– Vous savez quoi ? fit la fille en se penchant vers lui par-dessus le comptoir. Depuis le temps que je bosse ici, j'ai servi ce type un nombre de fois incalculable et il ne m'a jamais…

– Laissé de pourboire ?

– Comment vous avez deviné ?

– Je viens juste de passer trente secondes en sa compagnie. » Kennedy n'avait pas son pareil pour flairer les aigris et les pingres, ceux qui ne payaient jamais leur tournée et qui ne prenaient jamais d'entrée avant le plat. « Je m'appelle Kennedy, au fait, ajouta-t-il en tendant la main à travers les tireuses à bière.

– Nicky. Et je sais déjà un paquet de choses sur vous, dit-elle en souriant.

– Vraiment ? » répondit Kennedy en lui rendant son sourire.

31

Le déjeuner avec Lyons, le doyen, s'était révélé fort agréable. Faisan de la région suivi d'un crumble aux pommes. Il avait même ouvert une bouteille de Chateau Palmer 1973.

Ses bureaux étaient situés dans la partie la plus ancienne de l'université : un bric-à-brac pseudo-gothique datant de l'ère victorienne dressé sur le flanc nord du campus, composé de quelques ailes et d'une tour surplombant deux cours intérieures bordées de bancs en bois. Depuis la fenêtre du doyen, derrière la tour et en bas de la colline, on apercevait la façade blanche et les vitres fumées de la bibliothèque ainsi que les bâtiments plus récents – d'affreux machins *sixties* pour la plupart.

Pendant la dégustation du faisan, Lyons avait balayé d'un revers de main l'épisode houleux de l'avion («Oh, ces choses-là arrivent. Votre bonhomme m'avait tout l'air d'être un type odieux, je dois dire») et, le temps de débusquer les derniers morceaux de crumble enfouis sous sa crème anglaise, Kennedy eut le sentiment qu'ils étaient tous les deux sur la même longueur d'onde. L'association de son nom à celui de l'université leur apportait une touche de glamour et boostait les demandes d'inscription. «Notre site Internet a battu tous ses records de fréquentation et le standard téléphonique a bien failli exploser», avait expliqué Miss Welles, la responsable du bureau des inscriptions, juste après la tornade médiatique qui avait accompagné l'arrivée de Kennedy sur le sol britannique.

« De nos jours, l'argent est le nerf de la guerre, Mr Marr. Chaque nouvel étudiant nous injecte un peu d'or dans le bras. »

En échange, Kennedy entendait bien se contenter du minimum syndical, c'est à dire travailler le moins possible.

Ils quittèrent la table pour aller s'asseoir dans deux gros fauteuils confortables près de la fenêtre. Tout en brassant son café, le doyen décida d'aborder le dernier sujet.

« Il y a une chose un peu délicate dont je souhaitais vous entretenir, Mr Marr...

– Appelez-moi Kennedy, je vous en prie.

– Kennedy. Vous avez, comment dire, la réputation d'être un grand séducteur.

– Ah ?

– Disons que cela se murmure. Naturellement, votre vie privée ne me regarde en rien. Quelle était cette phrase célèbre de Johnson, déjà ? "Ils discourent comme les anges mais ils vivent comme les hommes" ? »

Kennedy sourit. « Je la connais, en effet.

– C'est juste que cette rumeur pourrait, voyez-vous, rendre compliqués les rapports avec certains de nos jeunes étudiants, enfin surtout avec certaines qui... » Il en tordait presque sa cuiller à café.

« Professeur Lyons...

– Dominic, je vous en prie.

– Dominic, vous n'avez aucune inquiétude à avoir. J'ai moi-même une fille quasiment en âge d'étudier à la fac.

– Mais bien sûr. Tout à fait. Pardonnez-moi d'avoir évoqué ce sujet, je tenais juste à... vous comprenez. »

On frappa à la porte. La tête de la secrétaire apparut dans l'entrebâillement. « Navrée de vous interrompre, mais le Dr Drummond est là. Vous aviez dit que...

– Oui, oui. C'est le Dr Drummond, expliqua-t-il à Kennedy. Le responsable du département d'anglais. J'ai pensé que vous devriez le rencontrer dès maintenant puisque, techniquement parlant, vous enseignerez sous sa supervision. Faites-le entrer, merci.

– Nous nous sommes croisés ce week-end, en fait. Au pub. Millie a fait les présentations.

– Millie ? Ah, oui... le Dr Dyer ! Votre ex-épouse, bien sûr. Je crois que Dennis a écrit quelques romans, lui aussi. Pas tout à fait aussi retentissants que les vôtres, mais il paraît qu'il écrit des choses vraiment... intéressantes, dirons-nous. » Il se leva. « Dennis, entrez donc ! J'ai cru comprendre que vous aviez déjà fait connaissance ? »

Kennedy se leva à son tour et tendit la main au nouvel arrivant. « En effet. Bonjour. Quel plaisir de vous revoir.

– Kennedy.

– Asseyez-vous, Dennis. » Le doyen lui désigna une chaise. « Un café ?

– Non, merci. » Drummond jeta un œil à la petite table ronde à l'autre bout de la pièce, avec sa vaisselle sale et sa carafe à vin vide. Inutile de dire qu'en sept ans, il n'avait jamais été invité à déjeuner dans le bureau du doyen. « J'ai une montagne de travail qui m'attend. À ce propos, Kennedy, j'espérais recevoir...

– Je tiens à vous dire, Dennis, déclara Kennedy en l'interrompant au milieu de sa phrase, que j'ai vraiment apprécié *Une défense circulaire*. »

Ces mots eurent aussitôt le mérite de faire taire Drummond.

Quand les avait-il entendus pour la dernière fois ? Il y a près de vingt ans, peut-être ? Cette femme, cette lectrice qui voulait faire dédicacer son exemplaire ? Celle qui constituait à elle seule 50 % du public venu assister à sa lecture au Festival littéraire de Barsford en 1994 ? La même dont il s'était finalement avéré qu'elle l'avait confondu avec un autre ?

« Un roman courageux, vraiment, poursuivit Kennedy. J'ai adoré. » Là, il en faisait peut-être un peu trop. Car à la lumière des rares infos sur le bouquin qu'il avait pu glaner la veille au soir en cherchant le nom de Drummond sur Google, il pressentait que s'il avait dû lire *Une défense circulaire* – mettons qu'il se soit retrouvé dans une situation où des cambrioleurs timbrés lui auraient laissé le choix entre lire ce bouquin et regarder les membres de sa famille se faire violer et torturer, en gros, qu'il se soit retrouvé dans le dernier quart d'heure des *Nerfs à vif*, à la merci d'un fan psychopathe de Drummond, un Max Cady version rat de bibliothèque – eh bien, ça ne lui aurait certainement pas laissé un souvenir impérissable. Son petit doigt lui disait qu'il n'aurait pas vraiment succombé au charme de l'ouvrage. Et même qu'une rage meurtrière l'aurait gagné au fur et à mesure de sa lecture. Mais c'était toujours amusant de prendre un connard au dépourvu. Quand deux romanciers se rencontrent... Quelle était cette phrase géniale qu'il avait lue un jour ? « Pendant son ascension, l'aspirant écrivain voit le monde littéraire comme un paquebot de croisière où une réception avec champagne l'attend en première classe. Une fois à bord, il découvre une espèce de radeau de la *Méduse* jonché de squelettes hargneux. »

« Je... eh bien, je vous remercie. Quant à votre œuvre, naturellement, je...

– Bah. » Kennedy balaya d'un revers de main le compliment hypocrite et maladroit que l'autre s'apprêtait à lui retourner. « Et sur quoi travaillez-vous en ce moment ?

– C'est compliqué, ma foi. L'enseignement occupe tout mon temps, pour ainsi dire. Mais je suis sur un nouveau projet, encore à l'état de plan.

– Fascinant.

– Oui, mais je n'en suis qu'au tout début. En ce qui concerne l'enseignement, je voulais...

– C'est amusant. Je ne procède jamais comme ça, moi.

– Vous... ne faites jamais de *plan* ? » Drummond prononça ces mots comme si Kennedy venait de déclarer : « Je ne porte jamais de préservatif pour violer des enfants. »

« Bah, je connais déjà les personnages, je sais dans quel univers ils évoluent... Le décor est planté, quoi. Après ça, il n'y a plus qu'à se laisser porter, non ? C'est un peu comme de faire un trajet en voiture de Londres à Édimbourg dans les années 1940. Vous connaissez bien le premier tronçon du parcours et vous savez quand vous êtes censé arriver. Mais entre les deux... c'est l'aventure, pas vrai ? Vous espérez juste que la glace ne va pas rompre sous vos pas.

– J'avoue que, dans nos ateliers d'écriture, nous insistons justement sur l'importance du plan détaillé. La plupart des auteurs en font un, j'imagine.

– Stephen King n'en fait jamais. Comme il l'a dit lui-même, "Si j'ignore moi-même ce qui va se passer, il y a de fortes chances pour que le lecteur ne puisse pas le deviner à l'avance".

– Je ne crois pas que Stephen King puisse être considéré comme...

– J'adore Stephen King.

– Vraiment ?

– Mais oui. Et si l'on comparait vos deux méthodes, en termes de productivité... »

Kennedy sourit et écarta ses paumes de main dans un geste de balance signifiant : *Entre 1993, année de votre dernière publication, et aujourd'hui, Stephen King a écrit vingt-trois romans. Vous, aucun. Alors prenez votre plan détaillé, enduisez-le de vaseline et enfoncez-le-vous là où je pense.*

« Voilà qui mériterait un long et passionnant débat sur la qualité et la quantité.

– Absolument, fit Kennedy en parvenant encore à se fendre d'un large sourire.

– Mais ce que je voulais vous dire, c'est que je n'ai toujours pas reçu la liste de lectures de votre séminaire. Tout doit être prêt avant le retour des étudiants.

– Pas de problème. Je vous envoie ça. J'y ai beaucoup réfléchi, vous savez.

– Merci. Comment vous en sortez-vous avec les dossiers de candidatures ? Nous n'en avions jamais reçu autant, je dois dire.

– Oh, du tonnerre. » Kennedy visualisa son bureau et les deux Tours jumelles de l'angoisse qu'il n'avait toujours pas osé approcher. « J'ai vu des choses très prometteuses.

– Avez-vous déjà sélectionné vos vingt petits chanceux ?

– Presque, répondit Kennedy.

– Parce que les cours reprennent dans deux semaines.

– Bien sûr. »

Les deux hommes échangèrent un sourire dégoulinant de haine réciproque.

« Bien, fit le doyen en regardant sa montre. Le Dr Drummond va maintenant vous montrer vos quartiers. Je vous retrouverai ce soir, au cocktail.

– Génial, fit Kennedy. Et encore merci pour le déjeuner. »

32

Ils avançaient le long du couloir. Drummond d'un pas sec, rapide et nerveux. Une démarche de mec qui ne baise plus. Kennedy le suivit nonchalamment, les mains dans les poches, relevant au passage certains détails architecturaux : un arc-boutant par ici, une colonne ionique ébréchée par là. En réalité, il voulait surtout faire ralentir Drummond, casser son rythme, un peu comme on cherche à imposer son tempo à l'adversaire lors d'un match de tennis. Drummond s'arrêta, frotta ses mains l'une contre l'autre le temps que Kennedy le rejoigne. Ils débouchèrent dans la cour, baignée du soleil de la fin septembre. À peine dehors, Kennedy s'alluma machinalement une cigarette. Son réflexe pavlovien dès qu'il mettait un pied à l'air libre. Aussitôt, Drummond fit un petit geste ridicule pour s'éventer. Parut même, l'espace d'un instant, sur le point de faire une remarque. Kennedy ne lui en aurait pas tenu rigueur. Au contraire, il n'attendait que ça.

« Alors, fit l'autre, j'ai cru comprendre que nous allions devoir nous passer de vous quelques jours ici et là, au cours du semestre. Une histoire de film sur lequel vous travaillez ? » La dernière phrase fut lâchée avec un mépris non dissimulé.

« Bah, ils ne devraient pas avoir trop besoin de moi, j'espère. Ils tournent la plupart des scènes d'intérieur et de dialogue à

Pinewood. Un peu plus loin sur la M40. Vous savez comment sont les acteurs...

– Mmm, répondit Drummond, qui, de toute évidence, n'avait aucun avis sur la question. Cela doit être très perturbant.

– Dans quel sens ?

– Dans votre travail d'écrivain. Cela fait quatre ans que vous n'avez rien publié, je me trompe ? » asséna Drummond, d'un ton presque contrit.

« Non, cinq. » Enfoiré.

« Tant d'écrivains s'y sont perdus... Je veux parler d'Hollywood, naturellement. Faulkner, Fitzgerald... » Ils longèrent le chemin qui contournait le bâtiment des inscriptions pour rejoindre les blocs blancs du département d'anglais.

« Le truc, Dennis, c'est que peu d'éditeurs sont disposés à vous payer un demi-million de dollars pour un roman de cent vingt pages uniquement constitué de dialogues.

– L'art contre le commerce, hein ? » commenta Drummond avec dédain. Les derniers honoraires qu'il avait perçus pour un travail commercial s'élevaient à cent vingt-neuf livres, versés seulement quelques mois auparavant. Une somme payée par le *Critical Quarterly* pour sa déconstruction marxiste de *Middle March* en trois mille mots, un texte qu'il avait achevé il y avait près de trois ans.

« Comme l'a dit le grand homme, rétorqua Kennedy, rien ne nous oblige à faire de l'art. Rien ne nous oblige à entrer dans l'histoire. Ou à délivrer un message. Notre seule obligation, c'est de gagner de l'argent. Et pour gagner de l'argent, il peut s'avérer nécessaire de faire de l'art, d'entrer dans l'histoire ou de délivrer un message.

– Hemingway ? s'enquit Drummond en lui tenant la porte.

– Don Simpson », répliqua Kennedy en jetant la Marlboro rougeoyante qu'il n'avait fumée qu'à moitié dans un parterre de fleurs, se délectant au passage de la mine dégoûtée de son interlocuteur.

Ils montèrent un escalier et s'engagèrent dans un long couloir. Drummond sortait déjà la clé de sa poche avec excitation. Tout au bout, là-bas au fond, des ouvriers allaient et venaient en portant des caisses et des éléments de mobilier. Drummond parut vibrer de satisfaction quand il enfonça sa clé dans la serrure de la première porte sur la gauche et qu'il poussa le battant avec un geste théâtral pour révéler... une cellule monacale d'environ deux mètres cinquante sur trois, percée d'une fente donnant sur un mur de brique en guise de fenêtre. Les murs étaient de la couleur des collants des vieilles bonnes sœurs, la teinte n'ayant absolument pas bougé depuis la dernière fois qu'on avait peint la pièce, en 1983. Un pot en terre contenant un aspidistra flétri était posé sur le rebord intérieur de la fenêtre, petite touche orwellienne à laquelle, espérait Drummond, le nouvel occupant des lieux serait sensible.

« Je suis navré, dit-il. J'imagine que vous vous attendiez à autre chose, mais nos locaux sont vétustes et... » Il se retourna. Kennedy poursuivait son chemin le long du couloir, comme s'il ne l'avait pas entendu. « Hum, Mr Marr ? Kennedy ? » (Ce dernier fit volte-face.) « Votre bureau se trouve ici », insista Drummond en montrant la porte ouverte.

« Ah, vous ne saviez pas ? répondit Kennedy. Venez voir. » Il l'invita à le rejoindre d'un signe de tête et s'éloigna d'un pas vif pour disparaître à son tour dans une pièce à l'autre bout du couloir. Justement celle où s'affairaient les ouvriers. Drummond avança, perplexe, remarqua les meubles neufs posés devant la porte. Il franchit le seuil... et en resta bouche bée.

La pièce dans laquelle ils se trouvaient était l'ancienne salle commune de l'université, avec ses deux grandes fenêtres en ogive donnant sur le campus et les bois au-delà. Elle était presque aussi grande que le bureau du doyen. Et largement plus que celui de Drummond. Des hommes en bleu de travail finissaient d'emporter les derniers vestiges de l'ancien mobilier tandis que leurs collègues entraient par une autre porte pour installer le nouveau, stocké dans d'énormes caisses estampillées HEAL'S OF LONDON. Un nouveau canapé large et moelleux avait déjà trouvé sa place au fond. Près de l'endroit où ils se tenaient, on avait posé un secrétaire de style édouardien – ou plutôt, une énorme plaque en noyer de six mètres carrés recouverte d'un sous-main en cuir repoussé. Un homme perché sur un escabeau fignolait la peinture des murs, un beau gris perle étincelant dont les bidons, de la marque Farrow & Ball, s'amoncelaient par terre. Debout au milieu de la pièce, Kennedy parcourait nonchalamment les cartons de livres.

« C'est... bredouilla Drummond d'une voix étranglée.

– Où est-ce qu'on met le bar, chef ? » demanda quelqu'un derrière lui. Il se retourna. Plantés sur le pas de la porte, deux déménageurs portaient, au prix d'un effort intense, d'énormes caisses sur lesquelles on pouvait lire MAJESTIC WINE.

« Ah, génial, merci les gars, commenta Kennedy en s'avançant vers eux. Là-bas, près du mini-frigo. »

Frigo ?

Quand les deux hommes passèrent devant lui, Kennedy plongea la main dans l'une des caisses et en sortit une bouteille de Four Roses.

« Un p'tit verre ?

– Cette salle, reprit Drummond en tâchant de garder son calme, avait été réservée pour trois étudiants en thèse à partir de Noël.

– Bah, pas de panique, Dennis, tout est arrangé. Angela a vu ça avec le secrétariat du doyen. Ils vont mettre deux de vos gars dans le petit bureau au bout du couloir, celui dans lequel vous êtes entré tout à l'heure, et un autre à l'étage. Croyez-moi, ils viennent de décrocher leur licence, et là, ils vont se prendre pour les rois du pétrole dans ce bureau. À notre âge, c'est sûr qu'on a besoin d'un petit peu plus de confort. Les gamins pourront récupérer la pièce quand je plierai bagage au mois de mai. C'était du gâchis de la laisser vide jusqu'à Noël, non ? Bon, où est-ce qu'ils ont foutu les citrons ?

– Tout ces... ce mobilier... » Le professeur fit un pas vers lui, sa paupière droite tremblait. Il reprit d'une voix sourde : « Ceci est *mon* département. Comment osez-vous me court-circuiter auprès du doyen pour prendre des décisions qui affectent directement la gestion et les ressources de...

– Oh, mais j'ai tout payé de ma poche, bien sûr. » Kennedy désigna les meubles, les ouvriers, lesquels étaient en train d'apporter – chose incroyable – une chaise longue. « Enfin, c'est Connie, mon agent, qui s'est chargée du shopping. Je ferai don de tout ça à l'université après mon départ. Ils vont avoir de sacrés beaux canapés, vos thésards, pas vrai ? » Il lui donna une tape sur le bras. « Je vais préparer des "whisky sour", vous êtes sûr que vous ne voulez pas vous en jeter un petit derrière la cravate ?

– Eh, chef, ça va où, ça ? » lancèrent deux autre déménageurs, portant chacun l'extrémité d'un gros carton marqué PANA-SONIC 47" 3D.

« Je dirais au mur, entre les deux fenêtres, fit Kennedy. Vous en pensez quoi ? Ouais, c'est bien. Continuez, les gars. »

Drummond pivota sur ses talons et partit.

Dévissant le bouchon de sa bouteille de Four Roses, Kennedy se tourna vers les hommes qui s'affairaient dans la pièce et éleva la voix par-dessus le brouhaha.

« OK, les gars, je lance un avis de recherche pour le shaker, les citrons et le sucre de canne ! Au boulot ! »

33

L a rentrée tombait la deuxième semaine d'octobre. Les étudiants débarquèrent au moment où les arbres commençaient à perdre leurs feuilles. Ils envahirent soudain le campus, ses bars, son réfectoire et ses bibliothèques. On voyait les parents déposer leurs rejetons de première année devant l'entrée des résidences universitaires et les petits nouveaux décharger leurs maigres possessions du break familial : ordinateurs, chaînes hi-fi, vaisselle et cartons de livres.

En les observant de la fenêtre de son bureau pendant que les élèves de son premier séminaire s'asseyaient derrière son dos, Kennedy revit sa mère, en larmes, dans cette petite rue venteuse qui donnait sur University Avenue, pendant que son vieux finissait de sortir ses affaires de la voiture. Ensuite ils reprendraient directement l'autoroute, jusqu'à Holyhead où ils passeraient la nuit dans un hôtel de la chaîne Travelodge avant d'embarquer le lendemain matin à bord du premier ferry. (Sa mère avait chialé tout le long du trajet retour, lui avait plus tard raconté son père. « Nom de Dieu, on croirait qu'il est parti au bout du monde, ton fils. » Pendant ce temps-là, Geraldine, du haut de ses seize ans, était censée garder Patrick et la maison, une double responsabilité qui avait bien sûr tourné à la catastrophe : la fête, les fenêtres brisées sur la façade côté rue, la porte du salon dégondée, la puanteur de vomi dans chaque pièce, Geraldine avec deux coquards... et Patrick, douze ans, complètement traumatisé. La gamine et son père en étaient carrément venus aux mains ensuite, s'étaient dit des choses horribles, des choses que Gerry n'avait jamais pu oublier, même après la mort du paternel. Mais il y avait pire : les choses qu'ils ne s'étaient *pas* dites. Et qu'elle n'avait jamais pu se sortir du crâne malgré tous les trucs qu'elle fumait, buvait ou s'injectait.

Sa mère lui avait donné un cadeau juste avant le moment du départ, avant qu'il les regarde s'éloigner en agitant la main, planté devant sa résidence universitaire en grès sale. Un petit torchon avec des papillons et un aphorisme brodés dessus : « On donne d'abord des racines à ses enfants, avant de leur donner des ailes. » Inutile de dire que ça l'avait fait mourir de rire, à l'époque. Qu'était devenu ce malheureux objet ? Kennedy avait vaguement le souvenir de s'en être servi comme serpillière à foutre avant de finir ses jours au fond d'un lit une place, cristallisé et rigidifié, dans un autre petit studio de Hillhead. Comme il regrettait ce torchon, à présent. Encore une de ces possessions qu'il avait abandonnées – comme toutes celles qu'il avait données à ses personnages de film au fil des ans, histoire d'alléger le fardeau de ses richesses.

Finalement, la veille du jour où il devait impérativement remettre la liste des vingt candidats sélectionnés pour ses trois séminaires, il avait réglé le problème en apparence insurmontable des Tours jumelles de l'angoisse d'une manière assez peu conventionnelle. Il avait descendu une demi-bouteille de whisky, fait irruption dans son bureau en s'écriant « À nous deux ! » puis avait balancé un coup de pied renversé dans la Tour nord. Alors que les feuilles voltigeaient encore dans la pièce, au cri de guerre de

« Mort aux cons ! », il avait envoyé un coup de poing dans le ventre mou de sa jumelle sud, et les pages avaient voleté de conserve en une ravissante pluie de « confettis ». Puis, tel un pompier fouillant les décombres à la recherche de survivants, il s'était aventuré dans les ruines sur la pointe des pieds et avait ramassé vingt manuscrits au hasard. Qu'il avait ensuite répartis en deux piles de sept et une pile de six – et voilà. Ses trois séminaires. Il n'y avait vraiment pas de quoi en faire tout un plat, en fin de compte.

Il se détourna de la fenêtre et se retrouva face à sept étudiants, assis devant son bureau, avec des mines pleines d'espoir et visiblement impressionnés par la splendeur de son antre. Il faut dire que grâce au bon goût de Connie, à qui il avait laissé carte blanche chez Heal's, la pièce avait tout à fait l'allure d'un salon d'une maison bourgeoise de Hampstead. La seconde partie de la mission qu'il s'était fixée consistait à lire les vingt manuscrits qu'il avait sélectionnés. Hélas, cette étape avait lamentablement échoué : le soir où il comptait s'y mettre, il avait reçu un SMS de Nicky, l'Australienne du Falcon's, qui disait simplement : « Coucou, tu fais quoi ? » Une chose en avait entraîné une autre et ils avaient fini paralysés, emboîtés et couverts de sueur sur le parquet de la salle à manger vers 4 heures du matin. Inutile de dire qu'après ça il n'avait pas eu le temps de lire grand-chose.

Ce qu'il avait réussi à faire, par contre, c'était d'inscrire le nom de ses vingt étudiants et le titre de leurs œuvres sur une feuille A4. Après chaque titre, entre parenthèses, il avait précisé « nouvelle », « roman » ou « scénario » selon le type de texte. Grâce à cet aide-mémoire imparable et à un survol rapide de chaque manuscrit pendant que son auteur en lisait un extrait, il était sûr de s'en sortir.

« Alors, heu... Tim, c'est ça ? demanda-t-il en désignant sur sa gauche un boutonneux avec une tête à passer sa vie dans les livres et la branlette. Et si on commençait par vous ? Parlez-nous un peu... de vous-même. Dites-nous d'où vous venez et pour quelles raisons vous souhaitiez participer à ce cours.

– Les raisons ?

– Oui. Pourquoi vous sentez-vous... *attiré* par l'écriture.

– Oh là là... OK. Alors je dirais que... » Et il se lança dans un long monologue pour expliquer comment il avait découvert la lecture petit, ce qui permit à Kennedy d'examiner le reste de sa classe.

Il avait sept visages face à lui : quatre garçons et trois filles. (Ouais, il avait vraiment mal calculé son coup.) À côté du Tim qui n'arrêtait plus de parler se trouvait une autre tarlouze post-pubère et acnéique qui le regardait fixement tel le buisson ardent, ainsi qu'un type plus âgé, le genre adulte qui reprend ses études, dans les trente-cinq ans, assis les bras croisés dans la posture typique du mec blasé. Parmi ses trois étudiantes, il y avait également une adulte, une femme d'environ son âge, avec une touffe de cheveux sauvages et un postérieur assez considérable, moulé dans un jean dont la surface de tissu aurait sans doute permis de retapisser la pièce entière. Une fille d'une vingtaine d'années à l'air studieux qui prenait déjà fébrilement des notes et, enfin, tout au fond... *hello.*

Elle devait avoir vingt-deux ou vingt-trois ans, des cheveux roux qui lui tombaient aux épaules et un maquillage discret en dehors de la provocante biffure écarlate de ses lèvres. Et quelles lèvres : le top du top, pleines et brillantes, retroussées sur un léger sourire tandis qu'elle écoutait Ted, Tom ou Tim déblatérer Dieu sait quoi à propos de la « vérité humaine ». Elle portait un pull gris à col roulé et un grand foulard à damier jeté sur les épaules, mais même cet accoutrement ne parvenait pas à dissimuler le fait qu'elle semblait outrageusement bien gaulée – corps mince, taille fine et poitrine énorme. Une minijupe en jean et un collant noir complétaient sa tenue. Et ces jambes, mazette ! Là aussi, c'était une sacrée paire. Elle était justement en train de les croiser. Tout en haut, ultime détail, des lunettes à monture noire et épaisse façon guichetière de la Sécurité sociale qui ne faisaient que souligner le vert pur de ses yeux. Elle bâilla, s'étira, et ses deux gros seins se pressèrent contre la laine grise de son...

Il prit soudain conscience du silence qui régnait dans la salle. Tony ou Theo venait de terminer son laïus, et tous les autres avaient les yeux rivés sur lui, en attente.

« Bien. Excellent. Merci beaucoup, Ted.

– Tim.

– C'est ça. Tim. Navré. Hum... » Il désigna le type plus âgé assis à côté de lui.

– Brian.

– OK, Brian. Et vous ? »

Brian se lança à son tour en mode conférence, et Kennedy hocha ponctuellement la tête tout en jetant des coups d'œil furtifs au canon du fond. Elle se pencha pour fouiller dans son sac et, du coin de l'œil, il vit sa jupe remonter de quelques centimètres et... qu'est-ce que... n'était-ce pas un fragment de peau blanche, en haut de la cuisse ? Juste en lisière du tissu ? Avait-elle... oh, putain. *Ce n'était pas un collant.*

Enfin, après une nouvelle série de blablas interminables sur les effets de la littérature, comment on la produisait et comment on la consommait, ce fut son tour à elle.

« Et vous êtes ? lui demanda Kennedy.

– Paige Patterson », dit-elle en le regardant droit dans les yeux, sûre d'elle. La double plosive de son nom éclata agréablement entre ses lèvres, toujours rehaussées d'un sourire en coin. Elle avait un accent typique de la région de Londres, indéfinissable et passe-partout.

– Ah, fit Kennedy en parcourant sa liste. Paige Patterson... Oui. Votre scénario avait pour titre... *Les Collectionneurs d'os,* c'est ça ? » Elle confirma d'un hochement de tête. « Allez-y, je vous écoute.

– Pourquoi je suis là ? fit-elle en remontant ses lunettes sur l'arête de son nez.

– Oui, qu'est-ce qui vous amène ici ? Et pourquoi avoir choisi un scénario plutôt qu'un roman, par exemple ?

– Eh bien... pour être tout à fait honnête, mon ambition est de gagner un maximum d'argent. »

Des rires fusèrent. Ses camarades se tournèrent vers elle et Brian l'« étudiant adulte » secoua lentement la tête.

« Tout de même, commenta l'un des boutonneux, les écrivains sérieux ne pensent pas à l'aspect matériel lorsqu'il créent une œuvre ! »

Paige l'ignora, les yeux toujours fixés sur Kennedy.

« Il n'y a que les imbéciles qui n'écrivent pas pour gagner de l'argent », déclara-t-il.

Tout le monde eut droit à son petit speech, après quoi Kennedy prit lui-même la parole pour improviser une vague présentation du programme de l'année et ce fut la fin de l'heure. Ils sortirent en file indienne, tenant dans leurs mains la liste de lectures recommandées qu'il venait de leur distribuer. (Liste griffonnée au dos d'une enveloppe au Falcon's la veille au soir et transmise ce matin même à Angela pour qu'elle la tape et l'imprime.) Paige, assise au fond, fut la dernière à quitter la salle.

« J'ai apprécié votre franchise tout à l'heure, dit-il. C'est... rafraîchissant. »

Elle haussa les épaules et enfila son manteau. « La vie est trop courte. À la semaine prochaine. »

Par la fenêtre, il les observa sortir du bâtiment et s'éparpiller dans la cour. Les boutonneux prirent la direction du réfectoire, les deux adultes étaient en pleine discussion, et Paige s'éloigna, seule, au milieu de la masse des étudiants sortis des autres cours, ses jambes gainées de noir balançant sur ses talons. Kennedy regagna son bureau et parcourut la pile de dossiers qu'Angela lui avait fait porter un peu plus tôt dans la journée. Il y en avait un pour chaque étudiant. Il trouva le sien au milieu : « Patterson, P. »

Elle était âgée de vingt-trois ans, originaire du comté de Hampshire. Une élève de l'école publique. De bonnes notes, sans plus. De dix-neuf à vingt et un ans, elle avait effectué ses deux premières années de licence. Puis elle avait lâché la fac pendant deux ans avant de revenir faire sa dernière année, abandonnant au passage sa spécialisation en littérature américaine pour étudier l'écriture. Vingt-trois ans. Il en avait quarante-quatre. Quand il atteindrait la cinquantaine, elle n'aurait même pas encore trente ans. Quand il aurait soixante ans, elle en aurait... quoi, trente-neuf ? Et quand...

« Oh, arrête avec ça », se dit-il tout haut. Sa voix lui parut étrangère et désincarnée dans le grand bureau désert.

Il se servit un whisky. Le soir tombait déjà derrière les deux grandes fenêtres. L'Angleterre au mois d'octobre – les jours rapetissaient à toute vitesse. La nuit dès 16 heures. Bruine glacée, pare-brise couverts de givre. Quelle heure était-il, à L.A ? Huit du mat'. Le soleil s'élevait au-dessus des montagnes derrière Silver Lake, prêt à entamer sa grande traversée pour se jeter dans l'océan à la fin de la journée. Ses rayons chauds imprimaient des traits obliques en travers de son lit. Le parfum vanillé des bougainvilliers embaumait son balcon...

« Écoute, mon pote... t'es là pour un moment, alors autant t'y habituer, OK ? »

Cette manie qu'il avait de se parler tout seul s'était clairement aggravée, depuis quelques années. *Quand l'excentricité virait à la folie pure*, songea-t-il. Il prit les dix premières pages du manuscrit de Paige et s'installa confortablement sur le canapé.

Une demi-heure plus tard, après l'avoir lu, puis relu, il le laissa tomber par terre en sirotant son deuxième whisky, intrigué.

Le pitch ? Une comédie romantique tordue centrée sur deux personnages très différents l'un de l'autre, un peu dans l'esprit de *À la poursuite du diamant vert* mais située à l'époque de la conquête de l'Ouest, fin XIXᵉ. La femme, Jenna, et le type, Parker, étaient deux paléontologues un peu aventuriers qui cherchaient des squelettes de dinosaures dans les plaines du Midwest, et ce n'était pas une mince affaire, comme nous l'expliquait un monologue d'exposition un peu bateau en page 3. Ces deux-là n'étaient manifestement pas faits pour s'entendre, au début, mais ils finissaient par enterrer la hache de guerre. Il y avait les lourdeurs techniques habituelles, bien sûr – angles de caméra détaillés, ce genre de choses – mais au moins, le truc marrant, c'est qu'on avait la sensation des grands espaces. Et on atteignait la page 10 sans se dire qu'on préférerait se tirer une balle plutôt que de connaître la suite.

Quant aux autres manuscrits qu'il se força à lire... Oh, Seigneur.

L'un d'eux était un roman, une espèce de dystopie futuriste narrée par un rat de laboratoire en cavale. Après tout, pourquoi pas – on avait déjà vu des romans construits sur des postulats de départ encore plus improbables qui parvenaient à vous emporter grâce à l'imagination de leurs auteurs. Sauf que là, le rat s'exprimait – monologuait, plutôt – dans une sorte de charabia shakespearien qu'il semblait (ce n'était pas très clair) avoir été forcé d'apprendre, façon *Orange mécanique*, par le visionnage de cassettes vidéo (des cassettes vidéo? en l'an 3000 et quelques?) détaillant les exploits passés de l'humanité.

Dans deux des scénarios, on tombait sur une scène, dès les dix premières pages, dans laquelle un homme se faisait violer, dont l'une avec de vagues relents pédophiles. En vérifiant le nom de l'auteur sur la couverture, Kennedy se surprit à espérer que ce Brian Healy, son « étudiant adulte », soit quand même fiché quelque part. Un autre scénario commençait par une pleine page de descriptions où la caméra était censée filmer d'abord un « ciel nuageux », puis un paysage « balayé par le vent », puis une autoroute « déserte », puis... Dieu sait quoi encore. Apparemment, Christina Kemp n'avait jamais entendu la fameuse citation d'Hitchcock selon laquelle on pouvait sans doute se permettre ce genre de chose dans le cinéma européen mais que pour un film commercial, autrement dit américain, si vous commenciez par un plan sur des nuages, alors vous aviez intérêt à y faire passer un avion au plan suivant, et si votre putain d'avion n'avait pas encore explosé après la troisième image, les retours de vos projections test à Pasadena risquaient de vous rester en travers de la gorge.

Dans l'ensemble, tous avaient le même défaut majeur : le ton n'y était pas. Ils ambitionnaient de faire ce à quoi toute œuvre de fiction aspirait, c'est-à-dire créer un monde nouveau, antérieur au nôtre. Et ils échouaient. Quand le ton est raté, tout est foutu. Et à lire certains des dialogues, c'était à se demander si leurs auteurs avaient déjà eu de vraies conversations avec des êtres humains au cours de leur existence. Kennedy repensa à la définition de la poésie par Wordsworth : « la remémoration tranquille d'une émotion ». Ici, on avait plutôt droit à la remémoration insignifiante de l'ennui. Un « ding » sonore retentit soudain depuis son ordinateur, signalant la réception d'un nouvel e-mail. Kennedy se releva péniblement de son canapé et marcha jusqu'à son bureau. C'était Braden. L'objet était le suivant : URGENT ! MESSAGE TRANSFÉRÉ DE SCOTT SPENGLER. Il cliqua dessus.

Cher Professeur,
J'espère que ton installation se passe bien. Comme tu le sais, l'équipe débarque en Angleterre la semaine prochaine. Et comme on pouvait s'y attendre, il y a aura des choses à revoir sur le script compte tenu de certaines modifs pendant le tournage en extérieur. Peux-tu te libérer pour une réunion d'écriture avec Kevin, Julie et moi à Pinewood, vendredi prochain (18 octobre) ? On sera sur le plateau 007. Ton badge t'attendra à l'entrée. 14 heures.

Salutations,
Scott.

Le 18. Pourquoi cette date lui disait-elle quelque chose ? *Et merde.*

L'Irlande. Son week-end en famille. Il allait devoir annuler. Il entendait déjà la douce résignation dans la voix de sa mère. Et l'incrédulité totale dans celle de son frère. Tant pis.

Il consulta sa montre. 18 heures pile. Un vendredi soir. Que pouvait-on bien faire pour se détendre dans ce bled le vendredi soir à 18 heures ?

Sa veste posée sur l'épaule, il passa devant une succession de bureaux vides. Il y avait de la lumière dans celui de Dennis Drummond. Il passa devant sur la pointe des pieds. Tout au bout, il finit par entendre le cliquetis d'un clavier et jeta un coup d'œil par la porte grande ouverte du bureau de Melissa Gently, spécialiste en poésie romantique. Ils avaient échangé quelques mots au cocktail de bienvenue.

« Bonsoir, Melissa.

– Oh, mon Dieu ! » Elle fit un bond de trois mètres. « Ah, Kennedy, c'est vous... Désolée, vous m'avez fait une de ces peurs !

– Vous m'en voyez navré. Quoi de neuf ?

– Oh, j'essaie de boucler cet article à la noix. » Ses lunettes en demi-lunes masquaient presque ses yeux.

« Ça cause de quoi ?

– L'emploi du pronom impersonnel chez Coleridge.

– Wow. C'est... Dites, ça vous plairait d'aller boire un verre au Club des profs ? C'est moi qui invite.

– Comme c'est gentil de votre part. Ce serait avec plaisir, mais je... je crains de devoir... » Elle désigna l'écran de son ordinateur d'un doigt tremblant. « Vous voyez.

– Je comprends. Eh bien, passez un bon week-end...

– Lundi ?

– OK. Va pour lundi. Soir. »

Il sortit sur le parking, désert en dehors de son Aston Martin, la 2CV violette de Melissa et la Prius de Drummond. Visage au vent, il balaya le campus du regard et se focalisa sur le foyer des étudiants d'où lui parvenaient de la lumière ainsi qu'un bruit étouffé. Pourquoi pas une petite récréation en compagnie de ses étudiants ? Comment ces endroits étaient-ils baptisés, maintenant que Mandela et Biko n'étaient plus d'actualité ? Le Julian Assange Bar ? Peu probable, avec ses histoires de viol. Allez, non, se dit-il. Ce n'était pas une bonne idée d'entrer tout seul là-dedans pour se retrouver au milieu des étudiants de première année, à traîner avec des minettes de dix-neuf ans un vendredi soir et laissant flotter autour de lui des effluves de « Eau de délinquant sexuel ». Il alluma le contact et regarda l'heure sur le tableau de bord. 18 h 24. Putain. À L.A., un vendredi soir, il serait déjà sur la terrasse fumeurs du Soho House avec ses potes et plein de gonzesses, à parier sur les recettes cinéma du week-end tout en admirant le coucher de soleil sur Hollywood Hills avec un martini gin, si corsé qu'il pourrait aveugler un nain, serré dans sa grande paluche à branlette. (Les mains de Kennedy Marr. Éternelles sources de problèmes. Ces doigts boudinés qui avaient passé tant d'appels indélicats, tapé tant d'e-mails et de SMS, tenu verres de vin et ballons de brandy. Ces mains qui avaient délicatement caressé l'échine de femmes assises à ses côtés sur des banquettes de restaurants chics. Qui avaient plongé avec empressement entre des paires de cuisses et des décolletés à l'arrière de taxis. Instruments d'effroi, ô appendices de malheur !)

Tiens, une idée soudaine : aller voir Robin. L'emmener dîner quelque part. Une petite soirée père-fille un vendredi soir, quoi de plus normal ? Les gens normaux faisaient ça tout le temps, non ? D'ailleurs, s'ils se dépêchaient, ils auraient juste le temps de foncer sur la M40, direction Londres, pour être au Manoir à 20 heures tapantes. Henri leur trouverait bien une table.

34

« Ben nan, p'pa, impossible, j'ai d'autres trucs de prévus. Des potes à voir. Où est-ce que j'ai... » Kennedy se tenait sur le seuil de la chambre de Robin tandis qu'elle était accroupie par terre, en train de farfouiller dans son désordre et de chercher quelque chose sous son lit.

« Quels trucs, quels potes ? Tu as seize ans. Que peux-tu avoir de plus passionnant à faire que d'aller dîner avec ton père dans un restaurant *étoilé au guide Michelin* ?

– Ah, voilà ! » s'exclama-t-elle en extirpant de sous son lit une Doc Martens qu'elle s'empressa d'enfiler et de lacer, toujours assise par terre. « C'est marrant, tu vois toujours ça comme des bons souvenirs.

– De quoi est-ce que tu parles ? Au passage, cette chambre est dans un état repoussant.

– Oh, arrête... Je parle des fois où tu m'emmenais dans des grands restaurants. Quand j'étais petite. Alors que j'aurais mille fois préféré aller au McDo et au parc.

– Au parc ? Mais enfin, Robin, *qui* fréquente les parcs ? Les retraités et les pédophiles fréquentent les parcs, ça ,oui ! »

Elle éclata de rire, se leva et enfila son caban. « Et aussi les enfants, papa. D'où les pédophiles ! On fera un truc ensemble la semaine prochaine, promis. Là, c'est vendredi soir. Ollie passe me prendre.

– Ollie ? C'est qui, ça, Ollie ?

– Un pote.

– Ne dis pas "pote". Tu bosses sur un chantier, ou quoi ?

– Oh là là... Allez, salut, p'pa. » Elle l'embrassa sur la joue. Elle sentait le citron et la jeunesse. Elle sortit de sa chambre et dévala l'escalier. Il lui emboîta le pas.

« Et je peux savoir où tu vas comme ça ? »

Nouvel éclat de rire. « À une fête.

– Et y aura-t-il, y aura-t-il... » Bon sang, que disait-on dans ces cas-là ? Il était vraiment nul dans ce rôle. Qu'est-ce qui inquiétait les parents normaux ? « ... de l'alcool, de la drogue ?

– J'espère bien », lui rétorqua Robin en vérifiant une dernière fois son rouge à lèvres dans le miroir de l'entrée. Bonne réponse.

« Très drôle.

– Salut, p'pa, répéta-t-elle avant de se tourner en direction du salon pour hurler : Salut, m'man ! »

Vague réponse inaudible de Millie.

« OK, fit Kennedy. Le week-end prochain, alors. Disons dimanche. Ça te dit qu'on aille déjeuner ensemble, dimanche ?

– Ouais, ça marche. » Elle lui plaqua une dernière bise sur la joue et franchit la porte pour se volatiliser dans la nuit.

Il la regarda courir dans l'allée de gravillons vers une Vauxhall Polo bleue dont s'échappait une musique très forte. La portière côté passager était ouverte, et la loupiote intérieure de l'habitacle éclairait le visage ravi du violeur assis au volant. (« *Quand on a un fils, ça fait une seule paire de couilles à surveiller.* ») Le gamin, ce sale petit enfoiré prénommé Ollie, lui adressa un salut. Kennedy le regarda fixement, les mains vissées dans les poches.

L'espace d'un instant, il envisagea de s'élancer après sa fille, de la plaquer au sol comme au rugby et de la ramener de force à l'intérieur.

Un souvenir lui revint brusquement, enfoui dans les tréfonds de sa mémoire depuis plus d'une décennie. C'était avant L.A – mais après le divorce. Robin devait avoir cinq ans. Il était passé lui rendre visite. Au moment du départ, elle s'était agrippée à ses jambes. «Reste, papa. Reste.» Il en avait fait un jeu, essayant de la détacher et tentant de s'enfuir pendant qu'elle le poursuivait en riant pour s'accrocher à lui, encore et encore. Mais il fallait bien partir, au bout d'un moment, et elle avait fini par comprendre qu'il ne jouait plus. Il devait absolument filer. (Une table réservée quelque part. Tanya? Tara?) «Quand est-ce que tu reviens?» lui avait-elle demandé avec le menton qui tressautait. «Le jour après aujourd'hui?» C'était son expression enfantine pour dire demain. «Non, ma puce.» Il s'était retourné au moment de monter en voiture. Son visage collé contre la vitre, avec sa petite main levée juste à côté, les joues inondées de larmes, et la silhouette de Millie qui arrivait pour la consoler. *J'ai détruit l'amour*, avait-il songé quelques minutes plus tard, sur la petite aire de stationnement où il s'était garé pour sangloter à son tour.

Qu'était-on censé faire de ces pensées-là? Où les rangeait-on? Pourquoi les années n'avaient-elles pas atténué leur capacité à vous faire du mal, à vous anéantir? Leur semi-existence était d'une force incroyable : plus de dix ans après, l'image de cette paume de main aplatie contre la fenêtre, étoile de mer pâle et minuscule, le bouleversait encore au point de lui donner envie de téléphoner à un dealer. De faire sauter le bouchon de sa bouteille de whisky à 6 heures du soir.

La littérature lui apportait un certain réconfort. Noir sur blanc, au fil des pages, s'étalaient les mots d'autres hommes qui avaient eux aussi détruit l'amour. Ses « Mâles blancs décédés », comme il les appelait, ceux qui avaient tout compris : le Pnine de Nabokov sanglotant à la table de la cuisine – « J'ai plus rien. Plus rien. » Le Herzog de Saul Bellow annotant furieusement sa solitude dans les trains, les avions et les taxis, histoire de panser ses plaies avec des phrases. John Updike et son Harry Angstrom contemplant d'un œil morne les détritus tourbillonnant le long de l'autoroute de Brewer, soufflés par le vent comme l'amour et sa jeunesse.

Kennedy poussa un soupir, résigné à cohabiter avec ses pensées, et entra dans le salon. Millie était recroquevillée sur un fauteuil, plongée dans la lecture d'un manuscrit posé sur ses genoux, un verre de vin à côté d'elle. Elle faisait si... adulte. Comment faisaient-ils, tous ces gens matures ? Siroter une larme de pinot pendant une demi-heure, lire un bon bouquin et se coucher de bonne heure. Ou écouter un programme sur Radio 4. Comment avaient-ils appris à faire ça ? Lui qui avait toujours cru que devenir adulte était un truc qui se faisait tout naturellement, une notion qu'on intégrait au fil du temps, sans y penser. Mais lui en était toujours au même point, à la fin du deuxième acte, en train de se gratter la tête tout en avalant une rasade de scotch à même le goulot.

« Dis donc, c'est quoi, ces conneries ? "On est vendredi soir, papa" ? Depuis quand mademoiselle a-t-elle un agenda de ministre ? Et cet "Ollie", là, avec sa tronche de casier judiciaire pour affaires de mœurs ? Je veux dire, on sait *quoi* de lui ? »

Millie tourna la page sans lever les yeux. « Que veux-tu que je te dise, Kennedy ? Ta fille va sur ses dix-sept ans. Tu es passé à côté. Tu as tout loupé. »

Oui, bon. Peut-être avait-il établi d'autres priorités.

Comme, par exemple, rester assis devant l'écran de son ordinateur portable, sous les combles de la maison, un verre d'alcool fort dans la main et de hautes pensées dans la tête, plutôt que de passer du temps avec le petit enfant qui aurait pu se pelotonner contre lui, deux étages plus bas, en l'écoutant lui raconter une histoire. (« *Aux acteurs, à la scène peinte tout mon amour / Et non au sens dont ils étaient l'emblème.* ») Ou, autre exemple, se réveiller avec la gueule de bois dans des suites d'hôtels cinq étoiles avec des nanas qu'il connaissait à peine, plutôt que de voir sa fillette de cinq ans se glisser dans son lit pour le gros câlin du matin. Ou encore, boire du champagne et des cocktails avec des quasi-inconnus dans des restaurants branchés et des clubs privés plutôt que de passer la tête par une porte entrouverte pour regarder Robin, huit ans, dormir paisiblement dans son lit, sa poitrine se soulevant et s'abaissant à la douce lueur de sa veilleuse. Il avait préféré sauter des minettes de vingt ans et des poussières dans toutes sortes de positions improbables dans des appartements, des voitures et des toilettes de boîtes de nuit, plutôt que… plutôt que tout le reste. Plutôt que le cerf-volant. Le pique-nique. La confection des pancakes. Le DVD en famille sur le canapé par un après-midi pluvieux. Oui, d'autres priorités.

De temps à autre, la stupidité de ses choix le frappait en pleine face comme une batte de base-ball.

« Je me sers un verre, t'en veux un aussi ? » Kennedy traversa la pièce pour aller chercher le whisky.

« J'en ai déjà un. Et je ne vais pas tarder à sortir. » Un silence, rempli du chuintement du bouchon que Kennedy était en train de dévisser. Puis Millie, toujours sans lever les yeux : « Kennedy ?

– Mmm ?

– Je peux savoir ce que tu fabriques ?

– Hein ? Je me verse un whisky. Dans un verre.

– Non, je veux dire, qu'est-ce que tu fais ici ? À 19 heures, un vendredi soir ? N'as-tu pas des projets, toi aussi ? Des gens qui t'attendent ?

– Moi ? Si, bien sûr. J'avais juste envie de… Bah, laisse tomber. » Il vida son verre d'un trait et savoura la brûlure délicieuse du malt, tourné vers la porte-fenêtre pour contempler le jardin et les champs alentour, les yeux chatouillés par les vapeurs de l'alcool. Oui, les vapeurs de l'alcool. Millie l'observa un moment, planté là devant ses fenêtres. Elle avait toujours trouvé que Kennedy faisait jeune, comparé à la plupart des hommes de son âge. Il avait pris un peu de ventre, certes, mais pas de lunettes. Un panache de cheveux noirs, sans la moindre touche de gris, sans le moindre signe de calvitie. Mais là, capturé dans le halo de la lampe, le regard triste, tourné vers la nuit noire et humide, il avait soudain l'air très vieux.

« Pauvre Kennedy », dit-elle.

Il haussa les épaules. Tendit de nouveau la main vers la bouteille. Par réflexe, la force de l'habitude née de douze années de vie commune, Millie fut presque tentée de lui glisser : « Allons, chéri, as-tu vraiment besoin d'un autre verre ? » Mais elle se ravisa. Et se contenta de répéter : « Mon pauvre Kennedy. »

Quand vous n'aviez même plus personne pour vous conseiller d'arrêter de boire, c'est que vous aviez vraiment loupé un truc en cours de route.

35

L
e cirque était arrivé en ville. Les journaux ne parlaient plus que de ça. « Il fait la fête jusqu'à 5 heures du mat'! », proclamait le *Mirror* avec une photo de Michael Curzon titubant à la sortie d'une boîte de nuit, la cigarette pendante aux lèvres et une blonde à chaque bras. (Ben voyons, songea Kennedy.) Le *Sun*, lui, avait titré sa une avec « Le style Teal! », et l'article décrivait les exigences outrancières de l'actrice auprès de la production et de la direction de l'hôtel Mandarin Oriental de Knightsbridge : Coca *light* et Évian dans des formats de bouteilles spécifiques, protocole d'éclairage très strict dans les pièces où elle était censée rester plus de deux minutes, et interdiction formelle à tous les membres du personnel ou de l'équipe, autrement dit à tout être humain situé en dessous du réalisateur, du producteur ou des autres acteurs, de croiser son regard. De son côté, le *Telegraph* publiait le témoignage excédé des habitants d'un paisible village du Buckinghamshire où Scott Spengler avait prévu de vivre en vase clos pour les deux mois et quelques du tournage prévu à Pinewood. Apparemment, le manoir qu'il avait loué était indigne, au regard des standards en vigueur à L.A., si bien qu'avant l'arrivée du grand homme, des ouvriers avaient été sommés d'arracher la pelouse pour y installer court de tennis, Jacuzzi et autres indispensables. (Intéressante illustration des

différences culturelles entre nos deux pays, se disait Kennedy. Les Anglais très riches, lorsqu'ils séjournaient quelque part pour une durée courte ou moyenne, étaient tout à fait capables de s'accommoder de ce qu'ils trouvaient sur place. Les Américains, eux, mobilisaient toute leur fortune afin de reproduire sur place ce qu'ils avaient chez eux. Pourquoi ? Après tout, pensait Kennedy, ces tarés avaient bien réussi à bâtir un pays entier à partir de rien, à l'arracher aux mauvaises herbes au prix du sang et à la force du poignet. Alors, courir le risque de ne pas avoir de salle de bains attenante, vous n'y pensez pas !)

Kennedy arriva à Pinewood dans une humeur... massacrante. Formidable. Bien à contrecœur, le vigile finit par se laisser convaincre que son passeport *et* son permis de conduire constituaient des preuves suffisantes de son identité. Il leur remit un badge à chacun et indiqua à Keith le chemin pour accéder au plateau n° 007 avec la Mercedes.

Comme de juste, le trajet sur la M40 avait été égayé par la présence d'une bouteille de Macallan, par l'écoute d'*Exile on Main Street* à plein volume dans les haut-parleurs de la Mercedes, et par les joints d'excellente facture que Keith lui avait pré-roulés et fait passer à l'arrière du véhicule avec une régularité parfaite. Conscient qu'il ne survivrait jamais à cette épreuve s'il restait sobre, Kennedy avait fait appel aux services de son nouveau chauffeur préféré pour le déplacement. (« Pas de problème, chef. Disons cent cinquante billets, OK ? ») L'Aston était restée sagement garée devant la maison.

Sa mère n'avait évidemment pas protesté en apprenant qu'il décalait sa visite. « C'est vrai, mon fils ? Mais oui, va à ton rendez-vous. C'est plus important. Bah, ne t'inquiète pas pour moi. Tu connais notre Patrick, il adore s'inquiéter pour rien.

Fais ton travail, mon fils. Fais ton travail, et nous nous verrons bientôt. Ça, quand on vous propose un travail, on est bien obligé de l'accepter, hein, Kennedy... »

Sa pauvre mère avait une compréhension, disons... limitée de la nature de son boulot. Il l'avait invitée à deux ou trois dîners de remises de prix et à une avant-première. Elle lui avait déjà rendu visite pendant un tournage. Elle avait rempli tout un album de coupures de presse : articles, interviews, reportages. (Kennedy était l'un des rares écrivains vivants à faire parler de lui dans les journaux – même si ce n'était pas toujours dans les termes les plus flatteurs.) Elle l'avait souvent vu à la télé. Pourtant, même au bout de dix ans, elle continuait à penser qu'il évoluait dans le monde dangereux des gens qui n'ont pas un « vrai » travail. Que sa situation était précaire et que tout pouvait s'arrêter sur un claquement de doigts. Kennedy avait souvent eu le sentiment que sa mère aurait été plus heureuse, plus tranquille en tout cas, s'il avait été, disons, l'heureux propriétaire d'un petit garage prospère dans la région. Ou cadre sup dans une banque. Ils n'avaient évoqué la question de l'argent qu'une seule fois, au téléphone, environ cinq ans auparavant. Il l'avait appelée de L.A. et s'était plaint de devoir se rendre à New York pour rencontrer le réalisateur d'un film dont il devait retoucher le scénario.

« Bah, fiston, est-ce que ça en vaut vraiment la peine ? lui avait-elle demandé.

– Comment ça, maman ?

– Est-ce que ça vaut vraiment la peine de faire tout ce déplacement ? Quand on pense à ce que ça coûte, les billets d'avion, l'hôtel et tout le reste...

– C'est le studio qui paye, maman.

– Mais au bout du compte, est-ce que tu gagnes assez d'argent pour que le jeu en vaille vraiment la chandelle ?

– Combien crois-tu que je gagne ?

– Ça, je n'en ai aucune idée, fiston. »

Il le lui avait dit. Un montant à six chiffres. En dollars.

Il y avait eu un blanc. Long et parsemé de grésillements subatlantiques. Puis elle avait fini par lâcher : « Jésus, Marie, Joseph… »

Malgré cela, il pressentait qu'à ses yeux, en dépit de la fierté qu'elle éprouvait, tout ça n'était qu'un ramassis de foutaises. Un miroir aux alouettes. Du bluff, comme aurait dit son père. En vérité, elle craignait qu'on vienne lui couper l'herbe sous le pied. Lui annoncer que la partie était terminée. (En cela, sa mère avait les mêmes appréhensions que de nombreux auteurs.)

Patrick, lui, avait réagi de manière un peu plus vive lorsqu'il lui avait annoncé qu'il reportait sa visite : « Tu te fous de ma gueule ? »

Kennedy avait tenté de se justifier. L'énormité du budget. Scott Spengler. Julie Teal. Et puis, il tenait à passer un vrai week-end avec eux, plutôt que de faire une apparition en coup de vent pour un après-midi. Patrick devait comprendre : la pression inhérente à la production d'un film, les délais de tournage…

« *La pression inhérente à la production d'un film ?* avait répété son frère d'une voix lente et calme.

– Je suis navré, Patrick.

– Non, ne change rien, Kennedy. Tous mes vœux de succès. Et surtout, tâche de tenir le coup sous la *pression*.

– Patrick, je suis sincèrement désolé. Écoute, je suis libre le week-end prochain. Ah non, je vois Robin dimanche midi…

– Bon sang, Kennedy, ça va bientôt faire un mois que tu es là.

– Je sais, je sais… Écoute, je vais déjeuner avec Robin et sauter dans un avion en fin d'après-midi. Je prendrai mon lundi, comme ça je resterai dormir. »

Un soupir. « OK, Kennedy. Disons que nous te verrons quand nous te verrons. Tu sais où nous trouver. »

Clic. C'était une première : Patrick venait de raccrocher sans lui dire au revoir. Merde. Il lui apporterait un beau cadeau. Une montre. Un nouveau costard, ou quelque chose comme ça. Riche dans le portefeuille, pauvre dans l'âme.

Si je n'y vais pas, elle ne mourra pas.

« Wow, vous avez vu ça ? » s'exclama Keith en se garant sur la place de parking qui leur avait été réservée. Derrière la porte du hangar – si énorme qu'elle aurait pu laisser entrer un 747 –, de puissants spots éclairaient des blocs de neige carbonique flottant à la surface d'un gigantesque réservoir de près de trois cents mètres carrés. « Tout ça à cause d'un bouquin que vous avez écrit, chef ?

– En effet, Keith, répondit-il en sortant de la voiture. Et c'est un putain de cauchemar. »

Vous écriviez une scène dans votre bureau à Los Angeles :

```
EXT. OCÉAN, NUIT.
Grelottants, Gillian et Will s'agrippent à un
bout de bois à la dérive tandis que les faisceaux
des torches électriques fouillent la surface de
l'eau dans le brouillard.
```

Et près d'un an plus tard, des dizaines de charpentiers et d'électriciens s'arrachaient les cheveux sur des plans pendant qu'on déversait deux mille mètres cubes d'eau dans un putain de réservoir au fin fond de la banlieue de Londres.

Ils se dirigeaient vers l'entrée du hangar lorsqu'un autre vigile leur tomba dessus, bras écartés, un talkie-walkie à la main. «Excusez-moi» – américain, celui-là – «le plateau est interdit aux visiteurs.» Ils lui montrèrent leurs badges et le type parla dans sa radio. «Ouais, Kennedy Marr. L'auteur... C'est bon? OK. Toutes mes excuses, messieurs. Veuillez me suivre.» Dans l'immense hangar 007, après avoir montré patte blanche à deux autres barrages de sécurité, Kennedy orienta Keith vers le buffet mis à la disposition de l'équipe («Je crève la dalle, chef»). Scott vint l'accueillir, les bras grands ouverts. Spengler. Le fou. Le Créateur et le Maître de ce monde provisoire. Ils échangèrent une accolade au beau milieu des cinq mille mètres carrés de plateau, devant le vaste écran vert de vingt mètres carrés qui surmontait le réservoir et sur lequel on ajouterait plus tard, en post-prod, l'image d'un pétrolier en feu. Au départ, Kennedy voulait situer cette scène dans une chambre de motel du Kansas le matin. Désormais, pour des raisons de financement international, elle avait lieu dans la mer Baltique, en pleine nuit. (Les autres artistes s'étaient-ils déjà retrouvés confrontés à ce genre de choses? Un mec regarde la chapelle Sixtine et balance: «Ouais, pas mal. Mais on vient de recevoir un gros chèque. Tu peux me repeindre tout ça pour que ça ressemble à l'Australie?») Près du réservoir, Kennedy aperçut Kevin, le réalisateur, en plein boulot, c'est-à-dire en train de gesticuler et de pointer des trucs du doigt. Quel sombre connard.

«Alors, comment va? demanda-t-il à Spengler.

– Je te passe les détails. J'en suis encore à me demander comment on a fait pour prendre une semaine de retard le premier jour de tournage. Julie est dans sa loge. C'est juste là-bas. Va la voir et fais-lui ton vieux numéro de charme irlandais.»

Un autre vigile était planté devant la caravane personnelle de l'actrice. Sauf que la tronche de celui-là faisait passer tous ses collègues pour des rigolos fraîchement échappés du Goulag : il se renfrogna, sourcils froncés, et braqua sa lampe-torche sur le badge de Kennedy qu'il examina un long moment. Il glissa ensuite sa tête par l'embrasure de la porte pour échanger quelques mots en sourdine à l'attention de quelqu'un à l'intérieur. Alors, par miracle, Kennedy fut autorisé à entrer.

« Caravane ». Le mot semblait mal choisi. Un peu comme d'employer le terme B&B pour décrire l'hôtel Savoy de Londres. Grâce à un incompréhensible système d'éléments pouvant se rabattre, se déplier, s'allonger, l'intérieur faisait bien quinze mètres de long sur six de large. Dans un coin tout au fond, Julie Teal parlait au téléphone, étendue sur un sofa, entourée de sa garde rapprochée : un larbin bodybuildé plongé dans la lecture de *Variety*, une assistante tapotant sur un ordinateur portable dans un coin, et sa maquilleuse personnelle en train de farfouiller parmi les brosses, les flacons et les tubes de sa mallette. Kennedy entendit de la musique tout bas à mesure qu'il pénétrait dans le saint des saints. Il s'avança pour saluer la star, mais elle le retint en levant un doigt et poursuivit sa conversation comme si elle avait eu affaire à un gars du room-service venu chercher son pourboire.

Ça aussi, comme le reste, c'est bientôt terminé, songea-t-il.

« Sûrement pas, disait Julie. Je peux être là-bas le 5. Dis-lui… » Le personnel de l'actrice ignorait superbement sa présence. Quoi de plus normal ? Il n'était jamais que l'auteur, après tout. Il aurait aussi bien pu venir réparer la clim.

Enfin, après un ultime « *Ciao* », Julie raccrocha, se leva et lui tendit la main. « Veuillez m'excuser. Bonjour, ravie de vous revoir. Puis-je vous proposer quelque chose à manger ou à boire ? »

Elle semblait... *différente* de la fois où il l'avait rencontrée à la cantine des studios de Burbank, au début du mois de septembre. Plus animée. Une intensité dans le regard. Une espèce de tic nerveux au niveau des lèvres. Elle se moucha. « Excusez-moi. J'ai un rhume.

– Je ne dirais pas non à un doigt de whisky, si vous avez ça. »

Julie le fixa d'un œil vide. Puis se tourna vers son assistante avec la même expression. « Heu... non, il n'y a pas d'alcool ici », s'empressa d'indiquer la fille en prononçant le mot « alcool » comme s'il sentait mauvais. Je vais aller voir au buffet.

– Merci, Mel », fit l'actrice. Elle se rassit et attrapa un exemplaire du scénario. « Venez, asseyez-vous. Juan, bouge tes fesses, je suis en réunion d'écriture avec mon auteur. »

M. Muscles se leva en grognant et se retira dans le couloir. Kennedy prit place sur le canapé, s'efforça de ravaler son agacement. *Mon* auteur. Pas de doute, on était bien passé en mode tournage. Le règne de la star avait commencé. Envolée, la tranquille camaraderie des semaines de pré-prod.

« Alors, Julie, j'ai cru comprendre que vous souhaitiez me faire part de quelques remarques ? dit-il en sortant son calepin et son stylo.

– Oui, voyez-vous... certaines idées nouvelles me sont venues depuis que nous avons démarré le tournage. De simples détails qui permettraient d'affiner mon personnage. »

Des détails pour affiner le personnage. Kennedy avait écrit six romans (dont un best-seller international) et plus d'une douzaine de scénarios (dont deux étaient devenus d'énormes succès au box-office). Et il n'en revenait pas d'avoir encore à supporter ce genre de commentaires. Émanant, la plupart du temps, d'acteurs, de réalisateurs et de producteurs qui n'avaient jamais rien écrit de plus long qu'un e-mail ou un tweet de toute leur vie. Pourquoi ne pas lui dire franchement : « Ton scénario est naze » ?

Julie tourna une page. Kennedy aperçut des tonnes d'annotations dans la marge, griffonnées d'une écriture d'adolescente.

« Tenez, ici, par exemple, dans cette scène qu'on doit tourner aujourd'hui. Quand Gillian dit : "Tu n'as pas besoin d'une maîtresse, d'une compagne ou d'une épouse. Tu as seulement besoin d'une bonne secrétaire. Tu as juste besoin que les trains arrivent à l'heure, Will."

– Eh bien ?

– Je ne vois pas du tout mon personnage dire ça. »

Kennedy l'observa. Sa beauté était telle que c'en était insultant pour le reste de l'humanité. Ses traits – sa bouche, sa mâchoire, ses yeux – semblaient presque un peu excessifs, comme ces légumes trop parfaits vendus dans les supermarchés américains. Il n'aurait su dire d'où ça venait. La caravane surdimensionnée, sa mère agonisant dans un hôpital de Dublin pendant qu'il était là à devoir écouter ces salades, ou peut-être le fait qu'il devenait trop vieux et trop riche pour être encore capable de supporter ce genre de conneries. Ou peut-être juste parce qu'il avait désespérément envie d'un verre et d'une clope et qu'il n'y avait ni whisky ni endroit où fumer. Quoi qu'il en soit, il eut un déclic. Au lieu de répondre : « Mmm, c'est intéressant, j'aimerais que vous me parliez de votre vision du personnage », il dit simplement : « Je peux ? », prit le script qu'elle lui tendit et relut la réplique incriminée.

GILLIAN

Tu n'as pas besoin d'une maîtresse, d'une compagne ou d'une épouse. Tu as seulement besoin

```
d'un bonne assistante. Tu as seulement besoin
que les trains arrivent à l'heure, Will.
```

« Bon, le truc, c'est qu'elle le dit vraiment.

– Comment ça ? demanda l'actrice.

– Eh bien, c'est exactement ce qu'elle dit. » Il désigna la page du menton.

« Mais… que voulez-vous dire ?

– C'est écrit là, noir sur blanc. Vous voyez ? » Il lui montra le passage du doigt. « Là où on voit le prénom Gillian en majuscules, suivi de quelques lignes de texte centrées juste en dessous ? Ça veut dire que c'est un dialogue. Et que c'est ce qui sort de la bouche du personnage à ce moment précis de l'histoire. Par conséquent, *c'est à vous de le dire*, bordel.

– Je vous demande pardon ? fit Julie en le dévisageant, l'air soudain intéressé.

– On nage en plein délire, ou quoi ? C'est vous qui êtes en train de m'expliquer la psychologie de votre personnage ? Je n'en reviens déjà pas que vous sachiez tenir une putain de petite cuiller. S'il me restait encore une once de dignité, je me suiciderais après vous avoir butée. »

Deux secondes entières s'écoulèrent, le temps qu'elle assimile ces paroles. Depuis combien de temps n'avait-elle pas entendu quelqu'un lui parler sur ce ton ? Kennedy eut tout le loisir de se poser la question avant qu'elle n'explose.

« Je vous parle de mon interprétation du personnage ! »

La maquilleuse sursauta. L'armoire à glace réapparut sur le pas de la porte, l'œil menaçant. L'assistante se tenait derrière lui, pétrifiée, une bouteille de J&B à la main.

« Ton *interprétation* ? Écoute-moi bien, pauvre idiote. Pendant que tu étais encore serveuse et que tu suçais des bites de producteurs au kilomètre en attendant un coup de fil de la directrice du casting de *Péripéties anales, volume 5*, j'étais déjà pas mal calé en matière de psychologie des personnages. Pendant que tu en étais encore à essayer d'écrire ton prénom sur le sol de la salle de bains avec ton caca, je terminais mes études universitaires avec un diplôme de littérature et sciences du langage. Vingt-cinq années de ma vie sont contenues dans les mots que tu vois imprimés sur cette page. C'est-à-dire environ le temps qui s'est écoulé depuis ta naissance. Même certaines de mes putains de *cravates* sont plus âgées que toi. Alors, tu sais quoi ? Tu vas la boucler et m'interpréter ce personnage tel que je l'ai écrit ! »

Elle le dévisagea. Sa bouche formait un petit rond. Comme un bonbon Polo. Lorsque les mots en sortirent enfin, le murmure fut lent, froid et précis.

« Vous. Êtes. Viré.

– Tant mieux. Au plaisir. » Il se leva. « Eh, la danseuse, ordonna-t-il à Juan, pousse-toi de là. Va donc te faire un milk-shake hyperprotéiné ou je ne sais quoi. » Il bouscula l'imbécile sur son passage et arracha la bouteille des mains de l'assistante. « Ce n'est même pas du malt, au fait », lança-t-il en ouvrant la porte d'un coup d'épaule tandis que Julie Teal éclatait en sanglots derrière lui.

En chemin vers sa voiture, il passa devant Spengler et Kevin et dévissa la bouteille.

« Alors, ça s'est bien passé ? lui demanda le producteur.

– Génial. Elle réfléchit à tout ce qu'on s'est dit. »

36

« Bonjour, désolée, je suis un peu…
– Non, ne vous inquiétez pas. Entrez donc. »
Kennedy la fit entrer dans son bureau et l'entraîna vers le coin canapé. Dehors, les lampadaires orange dans la cour s'allumaient juste. Cette séance de tutorat programmée en fin d'après-midi, un jour de semaine, faisait bien sûr partie de son plan. Et aucun détail n'avait été négligé.

Il y avait d'abord l'immense affiche du thriller à succès dont il avait rédigé le scénario. Non pas accrochée au mur – trop vulgaire – mais négligemment roulée au pied du canapé. Il avait invité Paige à s'asseoir sur celui d'en face, de sorte qu'elle put lire, sur le bas visible de l'affiche, ces mots magiques encadrés : « Scénario : Kennedy Marr ». Un peu plus loin, sur les étagères, pile à hauteur du regard, il avait artistiquement (et négligemment) aligné toute la gamme des traductions étrangères de ses romans – italiennes, françaises, allemandes, norvégiennes et même turques –, les différentes couleurs de dos épelant clairement le mot T.O.M.B.E.U.R. Au sommet de la bibliothèque, poussée contre le mur, couverte de poussière et à peine visible – mais immanquable quand même –, trônait la statuette de la BAFTA qu'il avait reçue pour le scénario d'*Impensable*. Un carton de déménagement qu'il n'avait apparemment pas encore déballé était posé juste derrière le sofa de Paige. Si, d'aventure, elle tournait son regard dans sa direction – ce qu'elle serait bien obligée de faire lorsqu'elle s'adresserait à Kennedy, debout derrière le bar –, elle y apercevrait une série de photos encadrées : clichés de tournage en extérieur ou en studio, Kennedy avec Ryan Gosling et Nicole Kidman. Et même avec Jack Nicholson. (« Oh, ça ? Je sais, ça fait un peu midinette… »)

Elle ôta son manteau et son odeur corporelle vint lui chatouiller les narines. Une odeur de propre et de savon, avec une légère touche de parfum. Au moment de s'asseoir, elle se pencha en avant pour sortir un dossier de son sac et, entre les deux rideaux de cheveux roux qui encadraient son visage, il eut droit à une vue plongeante sur son décolleté : la peau hâlée, tachée de son, les seins fermes, bien maintenus dans un soutien-gorge bleu marine et encore épargnés par les lois de la gravité.

« Je vous sers quelque chose à boire ? » lui demanda-t-il sur le ton le plus dégagé possible, s'efforçant de rendre la question aussi normale et naturelle que possible, le genre de proposition que n'importe quel professeur respectable pourrait faire à l'une de ses étudiantes à 17 heures avant d'entamer la séance de travail. En tout cas, il fit de son mieux pour que cela ne sonne pas comme : « Puis-je vous proposer du Rohypnol, du chloroforme, ou juste un peu de cocaïne peut-être ? »

« Pardon ? » Elle leva les yeux vers lui.

« Je m'apprêtais à me servir un verre. Puis-je vous en proposer un ?

– Un quoi ?

– Que diriez-vous d'un Negroni ? » Il désigna l'étagère pleine de bouteilles, de quoi faire pâlir d'envie les meilleurs bars à cocktails de Londres.

«Hmm… qu'est-ce que c'est?

– Gin, vermouth et Campari. »

Elle l'observa un moment. «Bon… d'accord. »

Kennedy s'activa avec les glaçons, les oranges, et lui tourna le dos quelques instants.

« Alors, où avez-vous roulé votre bosse? lui demanda-t-il.

– Roulé ma bosse?

– J'ai vu que vous aviez pris deux années sabbatiques après votre deuxième année de licence. » Il versa le gin sur la glace et ajouta un zeste d'orange.

«Oh, je suis allée à Londres. J'ai travaillé. J'ai écrit.

– Travaillé où ça? » Un soupçon de vermouth, à présent.

«Ici et là. Des boulots de serveuse. Ce genre de chose.

– Et pourquoi êtes-vous revenue?

– J'en avais assez.

– Assez de quoi? » La touche finale : une longue rasade de Campari.

«Assez d'expérience.

– Ah. » Il revint avec les verres et lui tendit le sien. « Santé. » Il fit le geste de porter un toast et se délecta de ce cocktail, assis en face d'elle, auréolée des derniers rayons de soleil qui tombaient sur ses épaules, par la fenêtre.

«Mmmm, apprécia-t-elle en prenant une gorgée de son verre.

– J'ai lu les dix premières pages de votre scénario. » Elle le regarda. Ni de « Vraiment? », ni de « Qu'en avez-vous pensé? », ni de « Oh, mon Dieu ». Non, elle soutenait tranquillement son regard en attendant la suite. Sûre d'elle. Troublante. « L'idée de départ… est bonne. Mais l'expression mériterait d'être retravaillée.

– C'est pour ça que je suis là. Alors, dites-moi. Qu'est-ce qui cloche? »

Un léger chuintement, comme un crépitement, lorsqu'elle croisa ses longues jambes. Elle portait des collants couleur bronze, presque dorés, sous sa jupe à mi-cuisses. Elle tendit le pied, son talon quittant la chaussure à présent suspendue en l'air, et se cala bien en arrière contre son manteau léopard qu'elle avait étalé sur le dossier. Kennedy but une longue gorgée de son verre en faisant cliqueter ses glaçons.

« À votre avis, qu'est-ce qui cloche ?

– Ma foi, je dirais qu'en termes de structure générale... »

Lorsqu'il avait son âge, vingt ans plus tôt, il s'était lui aussi retrouvé dans ce genre de pièce, assis face à des hommes censés détenir la clé de toutes les mythologies. Sauf que Paige, elle, ne se comportait pas du tout comme on aurait pu s'y attendre. Un petit sourire au coin des lèvres... Comme si elle sentait à quel point il était fondamentalement ridicule. À quel point il était mené par sa braguette et son désespoir. C'était donc vrai, ce qu'on disait : ça ne faisait pas le bonheur. Le succès, la reconnaissance... le statut de célébrité mineure que l'on pouvait accorder à un auteur comme lui... Cela n'aidait en rien. Ça ne rendait pas les choses plus faciles. Pas même les cinq premières minutes, lorsque vous débarquiez à une réception où vous ne connaissiez personne.

« À votre avis, demanda-t-elle, au moment culminant du deuxième acte, y a-t-il assez d'énergie pour nous plonger dans le troisième ? J'ai l'impression que... »

Les conséquences de sa réunion de travail avec Julie Teal avaient été immédiates, spectaculaires et, pour tout dire, assez inattendues. Keith était à peine sorti des studios de Pinewood que Kennedy avait entendu son portable sonner. Il l'avait ignoré pendant tout le trajet jusqu'à la M40, préférant s'arsouiller tranquillement sur la banquette arrière, avant de se résoudre à écouter sa messagerie.

D'abord Spengler, sous le choc et incrédule : «Nom de Dieu de bordel de merde, tu peux m'expliquer ce qui vient de se passer ? Qu'est-ce que tu lui as dit ? »

Puis Kevin, juste furibond : «Espèce de connard. Grâce à toi, j'ai une star qui refuse de sortir de sa loge pendant que le reste de l'équipe l'attend les bras croisés sur le plus grand plateau de tournage de toute l'Europe, pour la modique somme d'*un million par jour.* »

Puis Julie. Un simple torrent d'injures : «Allez vous faire foutre… Oser me parler sur ce ton… grillé dans ce milieu jusqu'à la fin de vos jours… »

Puis Braden : «Bon, t'as vraiment gagné, cette fois. Tiré du lit à 6 heures du mat' par Scott Spengler qui me fait une scène au téléphone… »

Puis de nouveau Spengler : «Écoute, Kennedy, tu veux bien parler à Julie ? Appelle-la… Merci. »

Puis de nouveau Kevin : «Bon, mec, je ne comprends pas trop ce qui s'est passé, mais ton entrevue avec Julie semble avoir porté ses fruits. Je tenais à m'excuser pour tout à l'heure. Le feu de l'action, tout ça… On se voit bientôt, OK ? »

Puis, pour conclure cette série de messages, une Julie Teal aux intonations calmes et rassérénées : « Re-bonjour, Kennedy. C'est Julie. Vous pouvez me rappeler ? Je voulais juste… Parlons-nous, d'accord ? Je suis joignable au… »

Il avait composé le numéro dans la cuisine de Deeping, où il mangeait un ragoût froid laissé par la gouvernante arrosé d'une bouteille de Barolo.

« Ah, Kennedy…

– Oui. Bonsoir, Julie.

– Je tiens à m'excuser pour tout à l'heure. Je… Personne ne m'avait parlé comme ça depuis tellement longtemps. Je voulais vous remercier.

– Me remercier ?

– Vous savez, avec la célébrité, il y a tellement de gens... Des réalisateurs, des scénaristes... On vous passe tous vos caprices. Parce que c'est votre nom qui remplit les salles. C'est si rare, dans ce métier, de rencontrer quelqu'un comme vous, qui tienne autant à son travail !» Première nouvelle, songea Kennedy. Il essaya d'imaginer ce que c'était, de *tenir à quelque chose*. S'en trouva bien incapable. «J'espère que ce n'est pas la fin de notre collaboration sur ce film.

– Bien sûr que non, Julie. Et je vous présente mes excuses, moi aussi. Le feu de l'action, tout ça...

– On met nos tripes dans notre travail, voilà tout.

– Exactement.

– Repassez-nous voir bientôt, OK ?

– Promis. Bonne nuit. »

Puis Braden, sur un ton guilleret : « Toi, mon salopiaud d'Irlandais, je ne sais pas comment tu t'y es pris mais tu es un dieu... »

Puis, enfin, Spengler, pour la troisième fois : « Ma foi, je croyais tout connaître de l'art de gérer les divas sur les plateaux, mais tu dois bien avoir deux ou trois trucs à m'apprendre, *amigo*. Impressionnant. Écoute, dînons ensemble la semaine prochaine. Vendredi ou samedi. Rien que tous les deux. Mon secrétariat s'occupe de tout. »

Saleté d'industrie du cinéma : les pires égouts de la terre peuplés des rats les plus tarés.

Il revint à la voix de Paige, si douce dans son bureau aux fenêtres fouettées par la pluie. Et s'il l'interrompait soudain : « Écoutez, Paige, si on allait juste à l'hôtel faire l'amour comme des fous ? »

Son visage : d'abord la stupéfaction, l'incrédulité, la rage. Sa paume de main en travers de sa joue, le contenu de son verre jeté à la figure... (Mais Kennedy Marr était un habitué des jets de boisson intempestifs. Il connaissait mieux que personne le choc glacé du champagne sur la peau. Il avait, et plus d'une fois, léché ses larmes de chenin blanc ou de chablis en regardant une silhouette s'éloigner d'un pas fumasse.)

Non, analysa-t-il, mieux valait ne pas s'aventurer sur ce terrain-là.

« J'ai l'impression d'être en panne sèche à partir de la page 70, disait Paige.

– Problèmes de troisième acte ? » dit-il. *Oh, chérie, moi aussi, j'ai un problème de troisième acte. Et un beau.* « Les problèmes du troisième acte sont ceux du premier, poursuivit-il. Les principes de la narration dramatique sont très simples : toute l'action découle d'un événement auquel nous assistons au début et dont les conséquences se déploient en une série de problèmes qui trouvent une résolution heureuse à la fin. L'application rigoureuse de ces principes, en revanche, est pour le moins compliquée. »

Elle lui sourit. Son verre à lui était vide tandis qu'elle avait à peine touché au sien, posé sur sa cuisse.

« David Mamet, dit-elle.

– C'est exact. » Il acquiesça. À présent, le vent aussi s'en prenait aux fenêtres, projetant des paquets de pluie contre les carreaux. « Dix points pour vous. » Le silence retomba dans la pièce jusqu'au moment où il dit : « Voulez-vous dîner avec moi ? »

Elle se pencha pour poser son verre encore plein sur la table basse.

« Je ne peux pas, ce soir.

– Et pourquoi donc ? »

Elle pencha la tête sur le côté, sans se départir de son sourire en coin, et l'observa à la manière de ces gens qui examinent les tableaux dans les musées, en étudiant chaque angle et chaque détail. Elle le regardait tout entier, ne se contentant pas de planter ses yeux dans les siens. Elle croisa les bras, ce qui eut pour effet de presser légèrement ses seins l'un contre l'autre et le creux entre les deux s'accentua.

« Réinvitez-moi une prochaine fois. »

Plus tard, après son départ, assis dans son fauteuil en vidant le verre qu'elle n'avait pas bu, il réfléchit. *Les problèmes du troisième acte sont ceux du premier.*

Qu'est-ce qui avait bien pu foirer pendant le sien, de premier acte, pour expliquer qu'il se comporte encore de cette manière à son âge ? Que pouvait-il bien lui passer par la tête pour proposer des rencards à des filles de vingt ans de moins que lui ? N'avait-il pas le sentiment de commencer à ressembler à Humbert Humbert ? Il se retrouvait au début du troisième acte, le dernier, avec tout un tas de fausses pistes et de MacGuffin surgissant ici et là, sans qu'il se soit encore véritablement dessiné de thème ou d'intrigue. Là où la clarté devait commencer à émerger, et les éléments se mettre en place pour mener à la résolution finale, il n'y avait... que le chaos. Il se comportait exactement de la même manière, sans jamais rien changer, depuis un quart de siècle. Quel terrible événement, quelle anomalie chromosomique avait causé cela ? Ses amis, presque tous sans exception, avaient fait un choix et s'y étaient tenus. Condamnés à l'ennui et au marasme de la cinquantaine, certes, mais au moins, il y avait une certaine logique à l'affaire. Une sorte de structure narrative conventionnelle. Alors que Kennedy, lui, était décousu. Une série d'épisodes. Une émission à sketchs. Une pub télé japonaise. « Aléatoire », comme disait Robin.

Il leva le verre de Paige sous la lumière de la lampe d'architecte posée sur le bureau derrière lui : il y avait l'empreinte rose de son rouge à lèvres sur le bord. Il plaça ses propres lèvres par-dessus et but, un arrière-goût de cire dans la bouche. Ce détail lui rappela Vicky, bien plus portée sur le maquillage que ne l'avait jamais été Millie.

Vicky. Dire qu'elle l'avait vraiment aimé. Il se souvenait de la fois où elle le lui avait dit. Ils étaient allongés dans le lit, à Hollywood Hills. Une chanson passait à la radio et il fredonnait vaguement l'air tout en bouquinant, peu à peu conscient qu'elle s'était tournée sur le flanc et qu'elle le fixait. « Quoi ? » lui avait-il demandé. « Je t'aime », lui avait-elle répondu. Et il avait sauté sa copine le jour de leur mariage. Hein ? Mais... pourquoi ? Question d'hormones, sans doute. Vicky était brillante, jeune, drôle, belle et tout le reste... mais ça n'avait pas suffi, hein ? Mais est-ce que quelque chose, un jour, lui avait déjà suffi ? Qu'était-on censé faire quand rien ne vous suffisait jamais tout à fait ? C'était le syndrome Judy Garland, vouloir s'emparer du monde et l'avaler. Mais comment savoir qu'il était temps de s'arrêter avant qu'il ne soit trop tard ?

Tu sais quoi, Vicky ? songea Kennedy. Tu les auras, ta nouvelle salle de bains, ton voyage dans les îles et ton Warhol. Tu les as bien mérités.

37

« C e n'est qu'un tissu de conneries », commenta Spengler à propos de sa querelle très médiatisée avec les habitants d'Iver Heath, sympathique village du Buckinghamshire, tout en levant l'index pour attirer l'attention du sommelier. Ils étaient attablés chez Dabbous, à deux pas de Goodge Street, un établissement où les êtres humains ordinaires devaient appeler six mois à l'avance pour espérer décrocher une réservation. Mais Spengler (ou plutôt l'un de ses sous-fifres) n'avait eu qu'à passer un petit coup de fil dans la matinée et hop ! ils s'étaient retrouvés sur place le soir même, un samedi de surcroît, autour d'une table idéalement placée dans un coin. Pourquoi Dabbous ? Parce que c'était branché. Et parce qu'il était *Scott Spengler*, nom de Dieu. Voilà pourquoi. On aurait aussi bien pu leur servir des tripes de chiens écrasés marinées dans leur jus d'excréments : s'il était impossible d'avoir une table, alors c'était là qu'il fallait dîner. « On est perdus au milieu de nulle part. Alors on a décidé de se faire installer un court de tennis. On les emmerde. Mais je ferai une donation au village en partant. Une salle commune ou je ne sais quoi. » Il avait toujours le doigt en l'air. « Cet endroit, soupira-t-il. Tu devrais passer à la maison un de ces quatre pour prendre l'apéro ou dîner avec nous. C'est tout près du studio. Je t'enverrai l'adresse. » Enfin, le sommelier arriva. Spengler ne lui adressa pas la parole, se contentant d'abaisser son index en direction du verre vide de Kennedy. Le serveur s'empressa de repêcher le Dom Pérignon dans le seau en argent. Les glaçons s'entrechoquèrent avec un joli bruit quand la bouteille se souleva. Chuintement festif et prétentieux du champagne dans le verre, puis retraite discrète du serveur. Spengler, lui, ne buvait que de l'eau du robinet. Kennedy y allait mollo, cela dit. Il ne tenait pas à avoir la gueule de bois pour son déjeuner avec Robin, le lendemain midi. Sans parler du vol pour Dublin – Seigneur !

« Alors, dit-il, c'était comment, en Serbie ? » La production venait d'y passer un peu plus d'une semaine, essentiellement pour y filmer des scènes de la seconde équipe, afin de respecter une partie des clauses de financement du film.

« Ces gens sont timbrés. Je ne t'explique pas ce que c'est, de bosser avec les techniciens du cru... Mais ils ont de ces gonzesses, Kennedy, ma parole ! Imagine deux jumelles top-modèles de dix-neuf ans qui se raclent le fond des amygdales avec ton braquemart, toute la nuit, pour le prix d'une coupe de cheveux ! Tu vois la scène de la partouze ?

– Oui.

– On avait engagé quelques...

– Minute. Quelle scène de partouze ? Il n'y a pas de scène de partouze !

– Non, pas une partouze mais – comment on dit déjà ? Un...

– Il y a juste une courte scène avec un type et deux filles...

– Voilà, celle-là. Kevin voulait qu'on en rajoute un peu, histoire de profiter du décor. Esthétiquement. On avait une grande salle de bal, Julie et Michael n'étaient pas là – oh, à ce propos, leurs moments d'impro sont fabuleux – et donc, bref... »

– Quels moments d'impro ?

– … avec quelques dizaines de figurants… »

Non.

Kennedy écouta Spengler lui expliquer comment l'art avait pénétré le réel et à quel point cette scène avait fini par prendre des accents ultra-réalistes pendant le tournage. Pourquoi y avait-il une scène d'orgie dans son putain de film ? Il nota dans un coin de sa tête d'en toucher deux mots à la Writers Guild, histoire de voir si on ne pourrait pas supprimer son nom du générique.

D'une certaine manière, il aurait aimé que ses étudiants soient là afin de profiter de cette expérience très instructive. Vous peaufiniez amoureusement votre thriller politique, seul à votre bureau, faisiez de chaque virgule une œuvre d'art, en pensant avec soin la moindre indication de scène, en émaillant habilement le tout de nuances et de sous-texte. Et dix-huit mois plus tard, vous vous retrouviez à boire du champagne et à manger un œuf dur à huit livres sterling (« Œuf de poule », pouvait-on lire bêtement sur le menu. « Ah bon, pas d'œufs de coq ce soir ? » avait-il demandé au serveur) en écoutant un taré vous raconter comment deux acteurs tout juste sortis du lycée étaient en train de vous bousiller votre script et aussi que, oui, ils avaient rajouté une petite partouze en plein milieu. Parce que voilà, quoi, ils avaient une journée de libre dans leur planning et aussi un beau décor que le réal voulait mettre à profit.

« Pardon ? »

Spengler venait de lui poser une question.

« Et l'enseignement, ça va comment ?

– Oh, la barbe. C'est… Ils sont très jeunes. Tu vois le tableau.

– Je vois, oui. Espèce d'obsédé…

– Non, je veux dire…

– Quelques bons scénaristes, dans le tas ? Un nom à me recommander ?

– Peut-être… non. En fait, non. »

Il y eut soudain de l'agitation derrière eux, du côté de l'entrée. Du vacarme, des flashs d'appareils photo derrière la porte du restaurant. Kennedy et Spengler se retournèrent et virent Julie Teal entrer avec sa clique. Les autres clients en restèrent bouche bée. Le maître d'hôtel s'empressa de conduire tout ce beau monde vers un coin banquette aux lumières tamisées.

« Et merde, lâcha Kennedy.

– J'adore ! fit Spengler. On ira lui dire bonjour dans deux minutes. D'abord, j'aimerais t'expliquer pourquoi je tenais à te voir en tête-à-tête… »

Kennedy comprit alors la véritable raison de cette invitation à dîner : les séquences improvisées lors du tournage en Serbie avaient fait émerger des possibilités « intéressantes » et des « perspectives nouvelles » sur les personnages. Julie, Kevin et Michael avaient « beaucoup réfléchi » à l'ajout de nouvelles scènes et d'« éléments contextuels » qu'ils aimeraient voir intégrer au scénario. Tout le monde était « très excité » par ces changements qui avaient vraiment fait « décoller » l'histoire.

Kennedy l'écouta en hochant la tête et en avalant d'abord son dessert, puis une série de calvas à trente livres sterling le verre. Mais aucun des adjectifs qu'il entendait – « intéressant », « excitant », « nouveau »… – ne lui semblait pertinent. « Cauchemardesque ». « Abominable ». « Atroce ». Voilà le genre de termes qu'il aurait employés, pour sa part.

Mais Hollywood était imprévisible. On lançait les dés et on courait se planquer. Vous aviez beau réunir au casting des pointures telles que Kevin Kline, Susan Sarandon, Harvey Keitel,

Alan Rickman, Danny Aiello et Rod Steiger, un scénariste oscarisé et un vétéran de la réalisation comme Norman Jewison avec ses trente ans de métier, vous obteniez au final *Calendrier meurtrier* : un échec cuisant, à peine quatre millions de recettes au box-office, une tache honteuse sur le profil IMDb de tous ses participants. À côté de ça, prenez un réal débutant et un casting de seconde zone, commencez le tournage sans story-board, improvisez au fur et à mesure, et vous vous retrouvez avec *Les Dents de la mer*. Les productions les plus désastreuses se révélaient parfois des machines de guerre commerciales, tandis que les tournages les plus réussis pouvaient engendrer des naufrages. Et puis, dans tous les cas, personne ne disait jamais à sa femme ou à sa petite amie : « Tiens, chérie, allons voir *Machin Truc* au ciné ce soir. Il paraît que le script original du scénariste n'a quasiment pas été retouché, et que le tournage s'est achevé dans les temps et sans le moindre dépassement de budget. » Tout le monde s'en branle. Si le film fait un bide, c'est vous qui portez le chapeau et on vous enterre définitivement comme le pire naze ayant jamais ouvert son ordinateur portable sur Sunset Boulevard. Si le film fait un carton, on applaudit le réalisateur en criant au génie et tout le monde vous oublie. Kennedy aimait particulièrement cette histoire drôle qui circulait à Hollywood : un scénariste se rend à l'avant-première de son film mais se voit refoulé, à l'entrée de la fête qui suit la projection. Finalement, un producteur a pitié de lui et réussit à le faire entrer. Il aperçoit une jolie blonde. « Bonsoir, lui dit le scénariste, vous faisiez quoi, sur le film ?

– J'étais la dresseuse de chiens, dit-elle, et vous ?

– J'ai écrit le scénario.

– Oh, couine la blonde, c'est si gentil de leur part de vous avoir invité ! »

« Je t'enverrai les annotations de Kevin. Il a déjà fait une nouvelle mouture avec un réviseur de script, mais on aura besoin de
ton coup de baguette magique.

– Mmmm, répondit Kennedy de la manière la plus neutre
possible.

– Gentil garçon. OK. Allons voir notre poule aux œufs d'or.

– Attends, t'es sérieux ?

– La loi du show-business, très cher, fit Spengler en se levant.
Allez, viens, elle t'adore !

– Salut, les gars ! » s'écria Julie en les voyant approcher. Elle
était entourée de quatre filles – la vingtaine, le genre mannequin, actrice ou assimilé – et de ce bon vieux Juan. Deux des
filles avaient presque l'air déguisées – difficile à dire. Clin d'œil
à Halloween ou extravagance haute couture ?

« Ça alors, vous ici ? On s'est décidés à la dernière minute.
Venez avec nous ! Kennedy, à côté de moi ! Les filles, Kennedy est
le meilleur écrivain du monde et... je vous jure, vous allez *trop*
craquer sur son accent ! »

Kennedy fut surpris de voir une flûte de champagne dans sa
main.

« Bah, c'est des conneries », répliqua-t-il avec son plus bel accent
irlandais, déclenchant un concert de petits cris hystériques. On
fit apporter des chaises supplémentaires, une bouteille de Cristal
(personne ici n'avait l'intention de manger, de toute évidence)
et, quelque part au milieu de la mêlée, Spengler s'éclipsa pour
s'engouffrer dans sa Maybach avec chauffeur, direction le Buckinghamshire, tandis que Julie Teal se penchait à l'oreille de
Kennedy pour lui murmurer « Un petit rail, ça te dirait ?

– Avec plaisir », s'entendit-il répondre.

Quelle surprise !

38

Kennedy venait de se réveiller. Enfin, à peu près. Il cherca à se redresser en position assise mais parvint assez vite à la conclusion que c'était l'idée la plus stupide qu'il ait jamais eue. Son crâne – *la vache*. Il se sentait… comme si on avait remplacé son sang et sa chair par de la sciure et du papier crépon. Sa bouche était aussi sèche que la semelle de sandale d'un Bédouin qui vient de marcher cinquante bornes dans le désert. Il chercha à tâtons la bouteille d'Évian sur la table de nuit, l'ouvrit et la renversa par terre. Il réussit à faire couler les dernières gouttes sur ses gencives et cligna des yeux dans la semi-pénombre en s'efforçant de comprendre où il était. La réponse lui fut fournie par le bloc-notes à en-tête posé à côté du lit : l'hôtel Mandarin Oriental. Lorsqu'il se retourna, la vision qui l'attendait sur sa gauche acheva de l'informer sur sa situation. Il s'agissait du corps endormi de Julie Teal.

Et merde. Putain de bordel de merde.

Les événements de la soirée d'hier lui revinrent sous forme de flashs parcellaires : le resto, Soho House (ah, le *clubbing* – cette curieuse institution. Quand vous étiez jeune, vous sortiez en meute. Vous n'aviez pas encore trente ans, ni enfants ni la moindre responsabilité quelconque, le cimetière n'était qu'une lointaine chimère, une sale rumeur, un truc qui n'arrivait qu'aux autres. Alors vous sortiez tout le temps, et vous croisiez sans arrêt d'autres gens, pour la bonne raison qu'ils fréquentaient les mêmes endroits que vous. Et puis la vie vous tombait dessus – famille, enfants, carrière – et, pendant un bon moment, plus personne ne mettait le nez dehors. Jusqu'au tournant de la cinquantaine : avec les divorces, les enfants vivant désormais leur vie d'adultes, l'ennui à combattre et l'adultère à expérimenter, l'entrée du cimetière qui se profilait à l'horizon, ces mêmes endroits se retrouvaient de nouveau pris d'assaut par les gens que vous connaissiez autrefois. Tous ces cadavres souriants, ridés, échevelés et grassouillets, qui brandissaient leur flûte à champagne ou leur whisky glace en vous disant : « Viens avec nous ! » et « Qu'est-ce que tu bois ? ». Et qui, tous, vous appelaient par votre prénom. Oui, Kennedy aimait ça. C'était un adepte du clubbing. Pourtant, il percevait le désespoir sous les lumières de la fête. Chaque fois que quelqu'un riait un peu trop fort ou soutenait votre regard un peu trop longtemps, un truc vacillait derrière ces sourires forcés et la vérité éclatait devant vous, une ombre dansait dans leurs yeux, un poisson noir et inquiétant qui remontait des profondeurs sans jamais crever la surface. La peur) puis un club, suivi d'un autre. Le retour ici. Et, à chaque coin de rue, des flashs de lumière blanche et des gens qui leur couraient après, ou devant eux, à reculons. Des rires, des larmes, du champagne, des cris et de la coke, toujours plus de coke. Et, pour finir, l'acte en lui-même…

« Ooooh… baise-moi, baise-moi, baise-moi », ses talons aiguilles enfoncés dans ses cuisses tandis qu'il lui caressait la croupe, remontait la main sur la peau laiteuse de son dos pour dégrafer son soutien-gorge, provoquant la délivrance d'une masse lourde. Ses mains avaient glissé autour d'elle, trouvé sa poitrine, et il s'était penché pour pétrir et pincer ses tétons, elle avait gémi de plus en plus fort et ses coups de reins s'accéléraient, alors Kennedy n'avait plus bougé, agenouillé et immobile sur ce lit, les bras derrière le dos, il l'avait laissée accomplir son lent mouvement de va-et-vient. Avant, arrière. Avant, arrière. Il avait focalisé son esprit sur les trucs auxquels il pensait toujours quand il voulait retarder l'éjaculation : les mauvaises critiques. Kennedy était incapable de citer une seule des phrases élogieuses que les critiques avaient formulées à son égard (les idiots, qu'en savaient-ils ?) mais, après quinze ans de succès, il pouvait vous ressortir de mémoire, à la virgule près, les perles de ses détracteurs (tous de puissants génies, cela va sans dire).

La prose de Kennedy Marr n'est qu'une écriture confuse et indigeste qui se fourvoie en se pensant originale et importante.

Froid et stérile. Pas un seul personnage auquel s'attacher.

Ce blockbuster sans charme, qui repose sur un scénario désastreux signé du célèbre écrivain Kennedy Marr...

Alors elle s'était retournée. Longue jambe tendue en un éclair, vision fugace de la blancheur de son ventre et de son propre sexe, luisant et dur, soudain exposé, en attente, et soudain elle – *mmmh, c'est bon, ça* – l'avait ramené à l'intérieur d'un geste expert en s'écriant : « Oooooh oui ! »

Certes, le réalisateur a sa part de responsabilité dans cette affaire, mais le principal fautif reste le scénariste, Kennedy Marr...

« Baise-moi, baise-moi, baise-moi ! » pendant que, de son autre main, elle s'excitait le...

Il y manque la profondeur et l'assurance de son premier...

« Oh, mon Dieu, haletait-elle, j'y suis presque ! »

Une pose en quête d'une histoire, voilà comment résumer ce roman qui se traîne en longueur...

« Kennedy... Ça y est, je jouis ! »

Kennedy Marr est un jeune auteur important dont l'œuvre sera encore lue dans cent ans pour le seul plaisir de la langue ! Aaaaaah.

Et puis, quelque part au milieu de tout cela, une image peu glorieuse qu'il avait plutôt envie d'effacer : Julie Teal à genoux, en train de le sucer, les yeux levés vers lui, tout en lui palpant (très professionnellement) les couilles et en émettant un commentaire sur sa bite.

Il fouillait du regard la pénombre de la suite à la recherche de ses pompes, de son futal et de son cerveau, lorsqu'il eut soudain l'intuition qu'un détail malheureux lui échappait, quelque chose de bien pire que de s'envoyer la star du film sur lequel il bossait. Pire que toutes les cochonneries qu'elle lui avait dites. Il regarda les chiffres verts sur le réveil de la table de nuit : 13 h 43. Quel jour était-ce ? Dimanche. N'avait-il pas un rendez-vous quelque part... ?

Nom de Dieu.

Il chercha son portable dans sa veste en bouchon et changea de pièce. Robin décrocha au bout de la troisième sonnerie. Dès qu'elle entendit le son de sa voix – ou plutôt son murmure rauque –, elle s'inquiéta :

« Eh, tu te sens bien, papa ?

– Ouais, ouais... Écoute, je te présente mes plus plates excuses. Je crois que j'ai chopé un truc. La grippe ou je ne sais quoi. Ça circule pas mal sur le plateau. Désolé, ma chérie... mais est-ce qu'on pourrait reporter notre déjeuner à un autre jour ? Dans la semaine ?

– Bien sûr. J'espère que ça va s'arranger. »

Il raccrocha et s'observa longuement dans le miroir au-dessus de la cheminée – le visage d'un homme qui vient de mentir à sa fille unique. Comme s'il lisait dans ses pensées, son téléphone couina au même moment. Un SMS de Millie. Trois mots : « La grippe, hein ? »

Serait-il en état de prendre l'avion pour Dublin à 17 heures ? Il dressa un rapide bilan de sa situation physique et mentale. Vu son âge, il était parti pour se traîner une gueule de bois de trois jours. Un vrai feu d'artifice. Terminé, le petit mal de crâne au réveil qui disparaissait à 3 heures de l'après-midi. Un vol pour Dublin, suivi d'une angoissante visite à l'hôpital ? Il avait le sentiment que sa place était *sur* un lit d'hôpital, et pas à son chevet. Il se prépara psychologiquement à appeler son frère pour lui faire exactement la même annonce qu'à Robin.

Patrick éclata de rire. Purement et simplement.

39

« N ous sommes la risée de tout le monde !

– Je crois que vous y allez un peu fort, Dennis. »

Le doyen n'avait vraiment pas besoin de ça pour démarrer sa journée du lundi : une crise de rage du Dr Dennis Drummond. Il venait d'achever sa deuxième tasse de Darjeeling, tandis que le reste continuait à infuser gentiment dans la théière, quand Drummond avait fait irruption dans son bureau, sans rendez-vous, avec une pile de tabloïds coincés sous le bras comme une menace et, sans même dire bonjour, avait entrepris de les poser un par un sur la table, façon déballage de pièces à conviction.

Le *Mirror* : « Nuit de folie pour Julie Teal et son nouveau chéri d'écrivain ! », suivi d'un cliché volé où l'on voyait l'actrice et Kennedy sortir du Groucho en titubant, bras dessus, bras dessous. Une autre image, plus petite, montrait l'intérieur de la grande suite du Mandarin Oriental avec ces mots : « Leur nid d'amour ! »

Le *Sun* : « La star ivre morte se lâche ! », avec une photo de Julie qui semblait à peine tenir debout au moment de son arrivée à l'hôtel, en train de vociférer et de faire un doigt d'honneur au photographe. Quelques pas derrière elle, Kennedy avec un sourire d'ivrogne aux lèvres.

Le *Star* : une vieille photo, à gros grain et mal reproduite, datant de l'un de ses premiers films et la montrant seins nus, avec la légende : « Ils font vraiment la paire ! » Un peu plus loin dans l'article, sur une autre image plus petite, on voyait l'actrice en compagnie de Kennedy.

Même le *Times* s'était fendu d'un petit encart en page 3 avec ce titre : « Le lauréat du prix F. W. Bingham s'encanaille avec une starlette de Hollywood ».

Tous les articles disaient peu ou prou la même chose sur Kennedy. « L'écrivain irlandais, fêtard invétéré... presque vingt ans son aîné... scénario du nouveau film de Julie Teal, actuellement en tournage à Londres... de retour en Angleterre pour enseigner à l'université de Deeping, dans le Warwickshire... lauréat controversé du prix littéraire dont le montant s'élève à un demi-million de livres sterling... fille de seize ans née d'un précédent mariage... »

Le doyen faisait claquer sa langue contre son palais à mesure qu'il lisait, tournant les pages du bout des doigts comme si elles avaient trempé dans de la bouse.

« Qui lit ce genre de torchons, de toute manière ? Qui les *écrit* ? Regardez-moi ça ! Trois adverbes dans la même phrase, dès le premier paragraphe ! »

Drummond le dévisagea, ahuri.

« Trois adverbes dans la même phrase ? Le nom de l'université est cité dans tous ces articles. Juste après "cocaïne", "marathon sexuel" et... Dieu sait quoi d'autre... C'en est assez !

– Que voulez-vous dire ? Au fait, une tasse de thé ?

– Non. Ce que je veux dire, c'est que... cet homme ne peut décemment pas rester ici ! »

Le doyen soupira en se versant sa troisième tasse de thé de la matinée. « Que voudriez-vous que je fasse, au juste ?

– Imposez-lui les mêmes règles de discipline qu'à chacun de nous. Si j'avais moi-même été impliqué dans une bagarre d'ivrognes à bord d'un avion, si mon nom s'était retrouvé à la une des journaux à cause d'une sombre histoire de drogue et j'en passe, n'aurais-je pas enfreint la clause de moralité de mon contrat ? »

Le doyen passa un long moment à essayer d'imaginer Dennis Drummond menant une vie aussi distrayante. Mais il n'y parvint pas.

« Vous semblez oublier un détail. Je ne peux pas le renvoyer. Seul le comité F. W. Bingham peut prendre une telle décision en le destituant de son prix pour une raison ou une autre.

– Vous faites partie du comité.

– Je ne compte que pour une voix.

– Mais vous voteriez contre lui, n'est-ce pas ?

– Eh bien…

– Je n'en crois pas mes oreilles !

– Il s'agit d'une question de probité. Tout homme a droit à une vie privée.

– Privée ? » s'enflamma Drummond en désignant la marée de tabloïds.

Le doyen souffla sur son thé, leva les yeux vers son collègue et lui demanda d'un ton très calme :

« Seriez-vous en train de me crier dessus, Dennis ?

– Je… non. Ce n'était pas mon intention. Mais toute cette affaire… son comportement… Veuillez m'excuser.

– Excuses acceptées. Je vais lui en parler.

– Bien. J'ignore toutefois si cela suffira…

– J'aimerais les garder, si cela ne vous ennuie pas, fit le doyen en montrant les journaux.

– Avec plaisir. »

Drummond referma la porte d'un coup sec derrière lui et s'éloigna en se raccrochant à une pensée, et une seule : *Si les*

membres du comité décidaient de le destituer de son prix, pour
une raison ou une autre...

Lyons sirota son thé en parcourant les articles. Eh bien, eh
bien ! Voilà une demoiselle qui n'avait pas peur d'attraper froid.
Et qui ne laissait plus grand-chose à l'imagination du lecteur. En
pleine page, dans un journal familial ? Fascinant. Absolument
fascinant.

Pendant que le doyen de l'université se familiarisait avec la
culture tabloïd, à l'autre bout du campus, dans le département
d'anglais, Kennedy montait l'escalier qui menait à son bureau
avec la ferme intention de baisser les stores et de faire la sieste
jusqu'à son séminaire de l'après-midi quand, au détour d'un couloir, il tomba nez à nez avec Millie. Ils se détaillèrent pendant
une seconde et il lut le verdict sur son visage : il avait encore
une mine de déterré. Clairement, ces choses-là n'étaient plus de
son âge. Il fallait sacrément en vouloir pour continuer toutes ces
conneries passé la quarantaine.

« Millie...

– Wow, félicitations. Non, vraiment. Chapeau bas. Même toi,
je n'aurais jamais cru que tu tomberais aussi bas. Mentir à ta
propre fille, pour qu'elle se réveille le lendemain en découvrant
ces... ces *saloperies*. » Elle avait un exemplaire du *Sun* sous le
bras.

Lundi matin – il avait mal aux cheveux jusqu'à l'intérieur du
crâne. Dieu sait ce qu'il avait fait de son dimanche. Il se souvenait vaguement avoir pris un train à Marylebone pour Banbury
ou ailleurs. Keith, fidèle au poste, était venu le chercher. (« Ben
dis donc, chef, vous en tenez une bonne, hein ? »)

Il ne l'avait jamais vue aussi furieuse. Il resta planté devant
elle, la bouche sèche et le cœur battant, à subir les foudres de sa

colère. Spengler avait déjà essayé de l'appeler sept fois depuis le début de la journée. (« Je me fous de savoir qui tu baises, Kennedy, tant que son nom n'apparaît pas dans les journaux ! »)

Les tabloïds ne lui avaient pas fait de cadeau. Quelqu'un avait dû vouloir régler ses comptes avec lui.

L'actrice de 27 ans a vécu une folle nuit de passion avec l'écrivain, de près de vingt ans son aîné.

« Écoute, c'est déjà assez le merdier comme ça...

– C'est tout ce que tu trouves à dire ? »

Elle se tut à l'approche d'un groupe d'étudiants. Majoritairement composé de garçons. En apercevant Kennedy, ils se mirent à l'acclamer et deux d'entre eux firent même le bon vieux geste de s'injecter quelque chose dans les veines, au creux du coude. Kennedy soupira.

« Viens, allons dans mon bureau... On est en train de se donner en spectacle. »

À la seconde où la porte se referma derrière eux, il regretta amèrement d'avoir permis à Millie de laisser libre cours à sa fureur dans un espace clos.

« Tu appelles ta fille pour lui poser un lapin à la dernière minute sous prétexte que tu as la grippe, alors que tu es bourré comme un coing dans un palace de Londres, en train de baiser une starlette ?

– Je n'étais pas bourré comme un coing. »

Mais elle parcourait déjà les pages du journal à la recherche de l'article.

« "Le couple a débarqué au petit matin dans une suite à 3 500 livres la nuit et, visiblement, ils n'avaient pas bu que du jus de papaye" ?

– Il faut toujours qu'ils déforment les choses !

– Je savais que ton retour était une mauvaise idée. Je l'aurais parié ! Ça fait vingt ans que tu répètes les mêmes conneries. Quand vas-tu enfin grandir, nom de Dieu ?

– Et Robin, qu'est-ce qu'elle a dit ?

– Elle a rigolé. Sorti un truc du genre "Il est incorrigible". Mais au fond d'elle, sais-tu ce qu'elle ressent ?

– Je... je tâcherai de me rattraper la prochaine fois.

– Il n'y a rien à rattraper, Kennedy. Tu n'es qu'un étranger à ses yeux. Un type amusant. Un personnage comique.

– Oh non, ne dis pas ça. Non... »

Kennedy s'assit sur le canapé. Il ne tenait pas trop la forme. D'autres photos de Julie Teal étaient parues dans la presse du jour : prises hier après-midi, assorties des classiques « aucun commentaire » et « on est juste bons amis », alors qu'elle partait jouer au tennis. *Tennis ?* Rien que le mot lui donnait envie de s'évanouir. Pas de doute : la coke, c'était vraiment un truc de jeunes.

Sur l'étagère du bar, la Stoli lui faisait de l'œil, juste au-dessus de la bouteille de Big Tom derrière la porté vitrée du frigo. Avec un peu de chance, on devait pouvoir trouver du céleri au réfectoire. Tous les ingrédients d'un bon Bloody Mary. De quoi, peut-être, survivre à ce putain de séminaire.

« Je... je lui téléphonerai tout à l'heure.

– Ça fait bientôt deux mois que tu es là. Tu n'es toujours pas allé voir ta mère et tu infliges *ça* ta fille. Ne t'est-il jamais venu à l'esprit qu'il était possible de ne *pas* coucher avec quelqu'un ? De ne *pas* boire un dernier verre ? J'ai longtemps cru que tu pourrais être quelqu'un de bien le jour où tu grandirais un peu, mais là... force est de constater que j'avais tort. Tu ne seras jamais rien d'autre qu'un vaurien d'ivrogne narcissique !

– Un *vaurien* ? »

Cette scène était-elle réellement en train d'avoir lieu ? Maintenant ? Oui. Millie était lâchée. Et elle lui faisait la totale. Les gens qui ne buvaient pas n'avaient aucun respect pour les horaires de ceux qui buvaient ; il y avait des moments où vous aviez bu et où, par conséquent, vous ne vous intéressiez pas le moins du monde à ce qu'ils pouvaient bien déblatérer. Des moments (quand ce n'était pas, à son âge, des jours entiers) où vous étiez terrassé par la fatigue et la gueule de bois et où vous n'aviez aucune envie d'entendre ce qu'ils avaient à vous raconter. Ces gens-là ne voyaient que leur sobriété. Ils aimaient plus que tout vous faire la morale. Ils en rajoutaient à coup de « Je n'ai pas terminé », de « Et puisqu'on en parle », de « Ce n'est jamais le bon moment pour discuter, avec toi, alors autant le faire maintenant ». Ces gens-là n'avaient-ils donc aucune pitié, aucune décence ?

« Oui, Kennedy. Un *vaurien*. Oh, tu te crois malin sous prétexte que tu peux te couper du monde quelques heures par jour pour bricoler un truc qui donnera envie aux gens de tourner la page ou de regarder la scène suivante. Sous prétexte que tu as un vague don pour l'écriture, tu t'imagines que le reste de l'humanité n'est qu'un décor, la toile de fond indispensable à tes glorieuses aventures. Eh bien, tu veux que je dise qui tu es, en réalité ?

– Non ! Je t'en supplie, arrête, dit-il en pressant ses poings contre ses oreilles pour ne plus l'entendre.

– Tu es un quadragénaire alcoolique et pathétique qui mourra dans la solitude et qui comprendra trop tard à quel point il a foutu sa vie en…

– Tu vas la fermer oui ? » cria-t-il juste à l'instant où le téléphone de son bureau se mit à sonner. Il décrocha. « Allô ? Ah,

Angela. Bonjour. Mmm. Et merde... Bon, dites-lui que j'arrive dans une minute. Oh, et si vous passez par le réfectoire, pourriez-vous aller voir s'ils ont du cél...» – il jeta un œil à Millie, enveloppée dans sa droiture indignée, les bras croisés avec son journal serré dans la main – «... Bah, laissez tomber. Merci.» Il raccrocha. «Le doyen veut me voir.

– Je suis sûre qu'il tient à te féliciter personnellement pour l'excellente publicité que tu fais à cette université.

– Écoute, Millie, je suis vraiment désolé.» Il grimaça en s'asseyant lentement et avec mille précautions sur le canapé, tout à fait l'image de l'octogénaire souffrant d'arthrite et s'enfonçant dans un bain trop chaud. «J'appellerai Robin tout à l'heure pour m'excuser. Je trouverai le moyen de me faire pardonner.

– C'est ça, Kennedy. Va au diable.»

Elle lui jeta son journal à la figure et se dirigea vers la porte. Avant qu'elle ne l'atteigne, il lui lança d'une toute petite voix :

«Millie?»

Elle fit volte-face, la main sur la poignée.

«Quoi?»

Il poursuivit tout bas, en se malaxant les sourcils, paupières closes.

«Penses-tu qu'il soit possible, juste *possible*, que la raison de ta colère n'ait rien à voir avec Robin mais plutôt avec le fait que, secrètement, tu espérais que je change et qu'on se remette ensemble?»

Elle le dévisagea quelques instants avant de répondre :

«Je crois qu'il est possible qu'enfin, ta folie soit en train d'éclater au grand jour.»

Le claquement sec de la porte résonna dans toute la pièce. Au même moment, son portable retentit. Spengler. Encore. Nom de

Dieu. Il jeta l'appareil dans la corbeille à papier, où il continua à sonner, amplifié par la paroi métallique.

Sur le papier, se dit-il (et ce n'était pas la première fois), tout semblait parfait. Pas une ombre au tableau. Du fric comme s'il en pleuvait. Un boulot intéressant – que beaucoup n'hésiteraient pas à qualifier de glamour. Des femmes désirables et en quantité illimitée. Pourtant, Kennedy avait l'impression de vivre un enfer. Il s'était apparemment fixé l'objectif unique – une mission digne d'un kamikaze – de se compliquer la vie le plus possible. *Ne t'est-il jamais venu à l'esprit qu'il était possible de ne* pas *coucher avec quelqu'un ?* Cela méritait réflexion. Il avait bien dû lui arriver de dire « non »… non ? Ah, oui, cette fois où, peut-être… non en fait, parce que planter une gonzesse sous prétexte qu'on pensait trouver mieux d'ici la fin de la soirée ne comptait sans doute pas.

Le téléphone de son bureau recommença à sonner. Encore Angela. Il décrocha. « C'est bon, j'arrive !

– Non, non. Désolée. Il sait que vous arrivez. Il voudrait juste savoir si vous seriez libre pour venir dîner chez lui la première semaine de décembre. Lundi, je crois.

– Je… Un lundi soir ? J'imagine, oui. Qui d'autre y aura-t-il ?

– Ça reste à confirmer.

– Mmm. » Son regard tomba sur le gros titre du journal qui gisait à terre. « C'est d'accord. Dites-lui que j'accepte. »

Il lui arrivait de penser que les gens seraient nettement plus heureux et que les choses seraient beaucoup plus simples en général si on laissait carrément tomber le sexe. Kingsley n'avait-il pas affirmé que perdre son appétit sexuel était une sorte de soulagement, pour un homme, après avoir été « menotté à un fou pendant cinquante ans » ? Prenez l'exemple de James Lees-Milne, qui avait subi une ablation des testicules à l'âge de soixante-quinze ans pour prévenir un risque de cancer de la prostate. Qu'avait-il écrit dans son journal ? Grosso modo, que sa castration avait, contre toute attente, transformé sa personnalité de façon positive et qu'il était enfin capable de porter sur les choses un regard objectif, non biaisé par le désir. Oscar Wilde, qui en connaissait un rayon en matière de pulsions inextinguibles, avait lui-même défini la vertu comme « l'absence de tentation ».

Ces heures innombrables perdues dans la picole, la drague et la drogue alors qu'il aurait pu lire, réfléchir, *travailler*. Tout ça à cause du machin insatiable qui lui pendouillait entre les jambes. Déjà, rien que la masturbation...

Kennedy se livra à un petit calcul mental : disons cinq minutes en moyenne, même si la chose se réglait certains jours en moins d'une minute et qu'à l'inverse, il avait parfois vécu des sessions épiques de dix minutes, voire un quart d'heure. Une dizaine de fois par semaine, minimum. Là encore, il lui arrivait de faire abstinence un jour par-ci par-là (avant un gros rencard, par exemple, ou en cas de grippe), mais aussi des jours fastes où il y revenait une deuxième, une troisième, voire une quatrième fois. Seigneur – il y avait même eu des journées (adolescence, grosse gueule de bois) où il avait remis le couvert cinq ou six fois dans la même journée. Mais on pouvait raisonnablement tabler sur une moyenne de dix branlettes par semaine. Dix fois cinq minutes égale cinquante minutes. Multipliez cinquante minutes par quatre, et vous obtenez un chrono mensuel de deux cents minutes, c'est-à-dire un peu plus de trois heures. Trois heures multipliées par douze, soit une durée annuelle de trente-six heures. Sachant que cela durait depuis ses quatorze ans, autrement dit depuis trente putain d'années. Kennedy ressortit son iPhone de la poubelle, activa la fonction calculatrice et se mit à taper les chiffres, les doigts tremblants.

Trente multiplié par trente-six équivalait à une brillante et longue carrière de...

Mille quatre-vingts heures d'onanisme pur.

La rédaction du premier jet d'un roman lui prenait (enfin, lui prenait autrefois) environ six mois de travail, à raison de cinq matinées par semaine, du petit-déj jusqu'à midi. Disons quatre heures par jour, sans interruption ni distraction. Vingt heures par semaines. Quatre-vingts heures par mois, pendant six mois égale quatre cent quatre-vingts heures. Il reprit sa calculatrice, divisa 1 080 heures par 480 et découvrit le résultat final avec horreur.

La branlette lui avait coûté 2,25 bouquins.

Ne parlons même pas des journées et des semaines de gueule de bois pour cause de nuits entières passées à faire la fête dans l'espoir de conclure. Les chiffres se passaient de commentaires : la Veuve Poignet, à elle seule, lui avait volé deux romans et un texte plus court qui auraient pu se retrouver sur les étagères de bibliothèques du monde entier ; des œuvres troquées contre un peu plus de mille heures de gymnastique manuelle sur le dos, debout au-dessus des toilettes et même, à une ou deux occasions, au volant de sa voiture. Un quart de million de mots volatilisés en échange de quoi ? Deux pintes de sperme épongées dans des chaussettes, des mouchoirs en papier, des serviettes et un assortiment de caleçons et de slips dont la variété esthétique témoignait de quatre décennies d'évolution de la mode en matière de sous-vêtements.

Vous parlez d'un mauvais investissement !

Alors, oui, la solution était peut-être là. La solution – enfin ! – à tous ses problèmes. Peut-être Kingsley et Lees-Milne avaient-ils vu juste : c'était la voie de l'avenir. Il n'avait sans doute plus qu'une vingtaine d'années d'écriture devant lui. Il n'avait plus le *temps*. Le seul truc à faire était d'entrer dans une clinique, de sortir son chéquier et de dire : « OK, soyons clairs. Tout doit disparaître, compris ? Laissez-moi juste de quoi pisser. Parce qu'au fond, vous savez quoi, les gars ? Ce truc ne m'a valu que des emmerdes. »

40

Kennedy observait Paige Patterson porter sa fourchette de salade à ses lèvres, les feuilles vert émeraude luisantes d'huile d'olive. Certes, son machin ne lui avait apporté que des emmerdes mais il était toujours là, bien en place entre ses jambes, à dicter les règles du jeu. Ce qui expliquait leur présence à la table de ce restaurant, un endroit baptisé The Bear, sorte de bouge gastronomique ultrachic que Kennedy avait choisi exprès en raison de son éloignement du campus et, par conséquent, du risque zéro d'y croiser un prof ou un étudiant. Du reste, il n'y avait que deux autres clients dans la salle. Ô joie des restaurants de l'Angleterre rurale, avec leurs salades César sans anchois et leur sauvignon minable. Kennedy se languissait de la salade de poulpe du Moonshadows et d'un cocktail martini digne de ce nom, mais il se contenta de grignoter sa truite trop cuite en se rinçant la gorge avec le vin blanc le moins agressif de la carte. À sa surprise, Paige en avait accepté un verre sans trop se faire prier. (Il avait pourtant répété à l'avance plusieurs répliques possibles pour vaincre son abstinence d'alcool, avant de porter son choix final sur celle-ci, empreinte d'un ton humoristique et faussement impérieux : « Oh, pour l'amour du ciel, taisez-vous et prenez donc un verre ! ») « Mmm, disait-elle à présent en sirotant sa piquette, ses parfaites lèvres charnues brillantes d'huile. (Elle n'avait pas voulu d'assaisonnement, juste demandé au serveur de lui apporter de l'huile d'olive vierge et un demi-citron. Elle serait comme un poisson dans l'eau à L.A., songea Kennedy.)

Après le scandale Julie Teal, le mois de novembre se déroulait à peu près correctement pour lui. En tout cas, aucun incident à signaler pour la première quinzaine. Il s'était mis sérieusement à la réécriture du scénario, bien décidé à démolir son propre travail avec un détachement total, et ses séminaires se succédaient bon gré mal gré chaque semaine. Il hochait la tête, écoutait parler ses étudiants et leur collait des C à tous. Il avait reprogrammé son séjour à Dublin : dans deux semaines. Début décembre. S'il annulait encore cette fois-là, quelque chose lui disait que son frère n'hésiterait pas à attacher le lit de leur mère sur le toit de sa bagnole pour la faire venir jusqu'à lui.

Penchant à nouveau la tête vers son bol de salade, Paige leva soudain ses grands yeux vers lui, coinça une mèche de cheveux derrière son oreille au lobe rose et appétissant, et lui demanda :

« Au fait, qu'a dit le doyen ?

– Bah, tout s'est bien passé. »

Et c'était la vérité. Ce cher vieux Lyons. « Il semblerait qu'on nage en eaux troubles, hein ? Saleté de presse de caniveau. Avec tout ce qui se passe dans le monde, il faut qu'ils s'intéressent à ça ! Certains membres du conseil d'administration, et même de l'équipe pédagogique, sont assez furieux. » Ce couilles-molles de Drummond, à n'en pas douter. « Mais je crois que nous pouvons apaiser les choses. On rentre le menton, on fonce dans le tas et haut les cœurs !

– Je vous demande pardon ? fit Paige, l'air perplexe.

– C'est un vieux dicton estonien. Un jeu qu'ils ont là-bas. Une sorte de tradition sodomite, sans doute. »

Paige se redressa sur sa banquette et s'essuya la bouche.

« Et alors ? poursuivit-elle.

– À propos des *Collectionneurs d'os* ? » Il lui avait promis ses impressions sur le scénario complet, seul prétexte qu'il avait trouvé pour ce déjeuner de « travail », cette « séance de tutorat informelle et conviviale ».

« Mais non, enfin. Julie Teal ! Elle est comment ?

– Julie ? Oh… c'est une actrice, vous savez. Elle est folle. Complètement barrée. Madame est une star. Elle voudrait que tous les rôles qu'elle incarne soient à mi-chemin entre la physicienne nucléaire, la combattante ninja, la mère idéale et la pute de luxe. Vous devriez venir sur le plateau, je vous la présenterais.

– Non, non, non… » Elle se pencha en avant et secoua la tête, les coudes sur la table, pour se rapprocher encore plus. « Je veux dire… au lit, elle était comment ? »

Et merde. « Au lit ?… Voyons, Paige, répliqua-t-il, affectant un ton paternaliste et amusé, il ne faut pas croire tout ce qu'on lit dans les journaux.

– Mes fesses, oui », répondit-elle simplement, sans malice aucune, soutenant son regard avec un grand sourire. Cette fille, je vous jure.

« On bosse ensemble, voilà tout ! protesta-t-il mollement. Elle… » Il voulut jouer la carte de la modestie sexuelle mais eut un mal fou à trouver ses mots, comme s'il s'exprimait dans une langue étrangère.

– Mes fesses, oui », répéta Paige.

Il s'esclaffa. « Bah. Elle… » Il but une longue gorgée de vin. Comment décrire Julie Teal au lit ?

Racée, impeccable. Jusqu'au bout des ongles. *Vide, Paige, une coquille vide*, aurait-il aimé lui répondre. *Une énième expérience sensuelle proche du néant. Une distraction pour profiter de la mince lumière d'une fente entre deux éternités de ténèbres. Toujours et encore ce même...*

« Elle a un cul magnifique, non ?

– Hum, certes, en effet, on peut dire ça.

– Et cette paire de seins. Oh, mon Dieu. Vous avez dû penser que c'était Noël ! Ils sont naturels ? »

En tant que pur produit sexuel des années 1980, une décennie autrement plus raffinée, Kennedy oubliait parfois comment étaient les filles d'aujourd'hui. Et comment elles s'exprimaient. Bien sûr, il y avait toujours eu l'hystérique de service, la marie-couche-toi-là du quartier, qui adorait raconter les trucs les plus orduriers, mais de nos jours ? Elles étaient toutes comme ça. Quand les choses avaient-elles changé ? Au tournant du millénaire, sans doute. Avant, il n'y avait que les pornostars et les nymphos pour parler de cette façon. Du temps où il allait à la fac, il fallait être super motivé, à 4 heures du mat', pour passer le barrage du collant en laine, de l'armure de badges pour le désarmement nucléaire, des Doc Martens recouvertes de barbelé et de la petite culotte dans laquelle on aurait pu tailler un chemisier. Aujourd'hui, c'était paire de bas et string. Les filles se la jouaient avaleuses de sabres avec un plug anal dans le derrière et la chatte rasée façon moustache hitlérienne. La fin des années 1980 ressemblait à une pub gentille pour une marque de biscuits à l'ancienne ou un film de Merchant-Ivory. Aujourd'hui, on nageait en pleine esthétique porno. Robin était-elle comme ça, elle aussi ? Le serait-elle un jour ? Il y avait de quoi pleurer.

« Oui, je suis sûr qu'ils l'étaient », répondit Kennedy d'une voix un poil plus haut perchée que ne l'était la sienne. Ils n'étaient plus qu'à quelques centimètres l'un de l'autre, dans la pénombre de leur coin banquette.

« Parlez-moi de ses tétons, Kennedy, dit-elle.

– Non, chut, venez par là… » Sa main posée sur son dos, il l'attira délicatement contre lui. Ses lèvres – plus douces qu'il ne l'aurait imaginé et nappées d'huile, un zeste de citron en plus. Leurs langues se rencontrèrent à mi-chemin, chacune tentant de forcer le passage pour aller voir de l'autre côté, la sienne à lui tendue vers le haut, en direction du palais, et celle de Paige impatiente d'explorer le fond marécageux de sa bouche. *Ça*, c'était un baiser. Tous ces ersatz qu'il connaissait d'habitude, c'était des trucs bons pour votre vieille tata. Pour une rencontre avec la reine. Pour une fête d'anniversaire chez les Amish. C'était comme si elle cherchait à extraire un morceau d'épinard de sa molaire du fond avec la pointe de sa langue. Et pendant ce temps-là, dans l'antre de la bombe, on armait le Bonhomme. Le Mastodonte. La putain d'arme de destruction massive… Kennedy avait la sensation que du liquide affluait vers ses testicules depuis certaines zones inconnues de son corps, un long pèlerinage depuis l'extrémité de ses doigts, de ses orteils et même de son *cuir chevelu*.

« Pfiou ! » Elle se détacha de lui et recula son visage en souriant, la main encore plaquée contre la nuque de son professeur. « Je vais faire un petit tour aux toilettes. »

Kennedy Marr ne perdit pas une minute. En un enchaînement ultra-rapide, il finit son vin, réclama et régla l'addition avec un billet de vingt (ne surtout pas s'emmerder avec la machine à carte bleue), récupéra leurs manteaux et fit une recherche express sur Google pour trouver l'hôtel le plus proche. Coup de bol : on signalait un quatre étoiles pas trop mal un peu plus loin sur la route. Il leva les yeux vers les deux autres clientes du restaurant, une mère et sa fille. Cette dernière était de l'âge de Paige, ou un peu plus jeune, très jolie elle aussi, mais ne relevait indéniablement pas de la même catégorie que la merveille sexuelle qui sortait à présent des toilettes. La mère avait des bajoues, la cinquantaine, de grosses lunettes et un pull trop large orné d'une espèce de broche. Exactement le genre de femme qu'on croisait dans les restaurants ici ; à West Hollywood, elle passerait pour un croisement entre une clocharde et Mathusalem mal coiffé un lendemain de cuite. Kennedy s'aperçut qu'elle le regardait fixement, d'un air qui n'avait rien de très amical. Et il comprit soudain pourquoi : il avait sans doute le même âge qu'elle. Ou quelques années de moins, tout au plus. Pourtant, à ses yeux, cette femme était quasi inexistante. Sa fille, en revanche, lui semblait on ne peut plus réelle. Il s'imaginait tout à fait boire un verre avec elle. Rire. La soulever en l'air puis l'approcher de son visage pour frotter son nez contre le sien. Mais la mère ? Ce n'était rien qu'une vieille harpie. Une non-entité. Nom de Dieu, qu'est-ce qui ne tournait pas rond, chez lui ? Quel branchement défectueux l'empêchait de reconnaître les siens ? De regarder la cinquantaine en face alors qu'il y était lui-même plongé jusqu'au cou ? *Dites, Dr Brendle. Vous auriez pu m'expliquer un ou deux trucs, quand même.* Bah – et merde. Il sourit et adressa un signe de la tête à la harpie, qui détourna le regard, soudain fascinée par la carte des desserts. Il boutonna son manteau et prit brutalement conscience de la douleur provoquée par l'érection monumentale qui forçait sur la taille de son pantalon, comme un chien pressant sa truffe contre l'interstice d'une vitre entrouverte à l'intérieur d'une voiture laissée en plein soleil.

Il sortit, s'alluma une cigarette et attendait près de son Aston en agitant impatiemment ses clés quand Paige le rejoignit enfin d'un pas nonchalant. « Tiens, tiens », dit-il en souriant, tout en faisant semblant d'être absorbé par son téléphone. Il débloqua les portières d'un clic et les phares clignotèrent docilement derrière lui.

« Prêt ? lui lança Paige.

– Toujours prêt, poupée.

– Tant mieux. Il faut que je sois de retour à 16 heures. »

Hein ? Il regarda sa montre. 15 h 15 quinze.

« 16 ? Mais il est…

– Je sais. Anglais médiéval. Professeur Wallace.

– Tu plaisantes ?

– J'aimerais bien. » Elle le contourna pour ouvrir la portière côté passager.

« Plutôt crever. Tu rattraperas ton cours. Tu récupéreras bien les notes de quelqu'un. Il y a un hôtel…

– Je regrette, mais non. C'est un cours important. J'ai vraiment hâte de savoir ce que devient Bède le Vénérable, cette semaine.

– Mais on a… à peine parlé du scénario.

– Ha ! Ben voyons. Écoutez, je ne peux vraiment pas aujourd'hui, Kennedy. Mais vous savez quoi ? J'accepte volontiers votre proposition de tout à l'heure. La visite sur le plateau. Ça me plairait beaucoup. On pourrait se prendre une journée entière. Peut-être même passer la nuit à Londres ? »

Elle haussa les sourcils très haut, d'une manière presque comique, et l'embrassa sur la joue avant de s'asseoir dans la voiture, en faisant remonter en dernier son mollet fin et galbé. Kennedy soupira. « Une petite seconde. Je reviens. »

Quelques instants plus tard, il poussa un autre soupir, plus mélodieux celui-ci, en éjaculant dans la cuvette toujours consentante des toilettes. Il regarda sa montre : une minute et vingt-trois secondes. *Et voilà*, songea-t-il. Deux ou trois phrases, un paragraphe entier peut-être, littéralement balancés aux chiottes. Lorsqu'il retraversa la salle pour sortir, la femme leva les yeux de sa Mort subite au chocolat ou Dieu sait quel autre dessert elle avait commandé et le foudroya du regard. *C'est ça. Ta gueule, vieille peau.*

Il s'avala un whisky, décrocha le téléphone, aussi nerveux que lorsqu'il avait appelé Karen McGill au CE1 après que quelqu'un lui avait dit qu'elle le trouvait « mignon » (mais ça, c'était avant que les filles se mettent à dire « canon », « bien gaulé », voire pire de nos jours), il avait composé le numéro de son portable.

« Salut, Robin, quoi de neuf ?

– Ben, ça va. Je viens de rentrer du bahut.

– Écoute, l'autre jour, pour notre déjeuner de dimanche, je voulais m'excuser… tu sais, de t'avoir raconté des craques.

– La grippe, ouais, lui ressortit-elle sur un ton plat où perçait une petite note d'humour.

– Oui. Je suis vraiment désolé.

– On dirait que t'as passé une bonne nuit ?

– Oh, toute cette histoire a pris des proportions ridicules. On a juste bu quelques verres avant d'aller se coucher.

– Tout le monde en parlait, au lycée.

– Seigneur…

– Non, ils pensent tous que t'assures.

– Ah. Et ta mère aussi ?

– Mmm. Je dirais pas ça…

– Bon. Calons une autre date. Qu'est-ce qui te ferait plaisir ? Tu fais quelques chose, vendredi soir ? Dîner ? Puis un ciné, par exemple ?

– Vendrediiiii… » Elle étira la dernière syllabe, comme si elle était en train de consulter son agenda. « Ouais, vendredi, c'est bon.

– Génial. Je passe te prendre vers 19 heures.

– OK, p'pa, salut.

– Et dis à ta mère qu'on a rendez-vous ensemble, d'accord ? Dis-lui bien que… que je t'ai appelée.

– Ça marche.

– Bisous. »

41

« OK! OK! Coupez! Et maintenant... Dégagez-moi le plateau! Scène de pluie! Je répète, scène de pluie! Il faut tout mouiller!» L'énorme hangar 007 se mit aussitôt à grouiller de techniciens qui s'affairèrent dans la pénombre pour inonder la moindre surface plane. Kennedy ne se souvenait pas d'avoir écrit de scène de nuit et de pluie dans le scénario d'origine. Selon toute apparence, quelqu'un avait décidé de la jouer en mode «film noir», ici. Toujours se méfier des réalisateurs qui veulent donner dans la gravité à peu de frais.

«Kennedy!» Une voix tonna et, tiens, quand on parle du loup, l'imbécile apparut en personne. Il surgit d'un recoin obscur et vint à leur rencontre en ôtant son casque. «Alors, on a encore fait des bêtises? On cherche à dévergonder ma star principale, hein?» Son gros bras d'ours s'enroula autour de l'épaule de Kennedy. «Comme si Julie avait besoin qu'on l'encourage là-dedans, hein, pas vrai? T'es qu'un fou furieux d'Irlandais, toi, hein?

– Bonjour, Kevin, fit Kennedy en se dégageant de son étreinte. Je te présente Paige. Paige, Kevin. Le réalisateur.

– Enchantée, dit Paige en lui tendant une main que Kevin écrasa entre ses deux grosses paluches.

– Salut, Paige.

– Wow, commenta-t-elle en jetant un regard circulaire. Quel décor !

– Ouais, ça en jette. On construit, puis on détruit.

– Paige écrit, elle aussi, précisa Kennedy.

– En fait, je… commença-t-elle à protester.

– Sérieux ? On aurait besoin de quelqu'un pour retoucher le scénar. Le type qu'ils ont engagé est un parfait tocard. » Il acheva sa blague par un petit coup de poing dans le bras de Kennedy. Ce dernier se fendit d'un sourire poli, à la limite du rictus, en le maudissant intérieurement jusqu'à la quatorzième génération. Autour d'eux, tout n'était que bruit et agitation – claquements métalliques, coups de marteau et vociférations.

« Scott est dans le coin ?

– Il est toujours dans le coin. Sûrement dans sa caravane.

– Chef ? demanda une fille qui venait d'apparaître à côté de Kevin avec une planche à pince. J'ai vraiment besoin de savoir quelle couleur pour la porte, l'accessoiriste n'a pas trouvé le flingue que vous vouliez et on a un problème avec la scène 91. Je ne crois pas que vous pourrez poser la caméra à l'endroit que vous voulez si vous… »

Elle continua à parler. Comme souvent lorsqu'il se retrouvait sur un plateau de tournage, Kennedy remercia le ciel de ne pas être réalisateur de films.

« Eh, Kennedy ! » Michael Curzon venait de les rejoindre, l'air soucieux mais follement, absurdement séduisant. « Comment ça va ?

– Tiens, salut, Michael. Ça va super. Au poil. Je te présente Paige.

– Salut.

– Bonjour, fit Paige, visiblement intimidée.

– Kennedy, heu… Je pourrais te parler une minute ? »

Ne *jamais* venir sur le tournage. Putain de règle d'or à faire graver dans le marbre.

« Mais bien sûr. » Il se tourna vers Paige. « Ça ira ? Je n'en ai pas pour longtemps. Il y a un buffet là-bas avec à boire et à manger…

– Ça ira très bien. Dites… » Elle s'empara d'un exemplaire du script posé sur une chaise pliante en toile avec le nom « Scott Spengler » imprimé au pochoir sur le dossier. « Ça vous ennuie si je jette un œil ?

– Pas du tout. Je reviens dans une minute. »

Elle s'assit sur la chaise et ouvrit le manuscrit, croisant ses jambes hâlées sous sa jupe qui était ultracourte, même pour elle.

« Alors comme ça, lui demanda Curzon lorsqu'ils se furent éloignés de quelques mètres, c'est ta fille ? »

Kennedy ignora sa question. « Je t'écoute, Michael. Raconte-moi ce qui te tracasse.

– Ah, mec… »

Quinze minutes plus tard, dans sa caravane – plus petite et moins bien agencée que celle de Julie –, Curzon était *encore* en train de parler. Kennedy, lui, ajoutait mentalement la phrase « Dire à un acteur "Raconte-moi ce qui te tracasse" » à la petite liste qu'il gardait en permanence dans un coin de sa tête et qui comportait déjà des entrées telles que : « Conclure une soirée par une tournée générale de Jägerbomb », « Accepter de participer à un débat organisé par la Writers Guild Arbitration Panel » ou encore : « Insérer ses parties génitales dans une machine à viande hachée ».

« C'est un cauchemar, mec. À chaque scène, chaque putain de scène, elle est là, elle m'écrase, elle essaie de modifier les dialogues, de réduire mes gros plans. Dès que j'ai une bonne réplique, n'importe laquelle, elle veut la prendre pour son personnage! Elle se fout totalement – *totalement* – de l'intégrité du script. Je te le dis juste parce que j'ai le plus grand respect envers ton travail, Kennedy, et... et... ça me fend le cœur, tu comprends? Je sais que tu l'as sautée, mec, franchement, ce sont des choses qui arrivent, mais là, tu vois, ça me fait trop mal de voir ce qui est en train de se passer. Tu sais, l'autre jour, pour la scène où on est retenus dans le bureau de la CIA et où j'ai toute cette tirade sur l'implication de mon père dans l'affaire de la baie des Cochons en 1961...»

Kennedy finit soudain par dresser l'oreille. «Hein? Quelle putain de tirade sur la baie des Cochons?

– Ah, heu, on t'a pas... Ça fait partie des nouveaux... On pensait que ça ajouterait une dimension supplémentaire à mon personnage si son père avait fait partie des services secrets, comme lui, tu vois? Que ça le rendrait distant, détaché de ses propres enfants? On a improvisé des trucs, Kevin a écrit certains dialogues – tu savais que Kevin écrivait, lui aussi, pas vrai? Enfin, bref, toujours est-il que...»

Qu'est-ce que c'était que ce merdier? Saloperies d'acteurs avec leurs «dimensions» et leur «contexte». *Combien d'enfants a Lady Macbeth?* se demanda Kennedy.

«... au moment de répéter la scène...

– Michael?

– ... voilà qu'elle se met à raconter que...

– Michael?

– "Oh, peut-être qu'on n'a plus besoin de cette tirade finalement, parce que blablabla..."

– Michael!

– Oui?

– Pourquoi est-ce que tu me racontes ça?

– Pourquoi ? Ben, comme je te l'ai dit, elle fout le scénario en l'air, mec. Elle salope tout ton travail.

– C'est une Méga-Star, Michael. Et les Méga-Stars adorent faire ça. C'est même tout ce qu'elles font. Son boulot – sa putain de raison d'être – consiste à se pavaner en faisant chier la terre entière et en semant la discorde sur son chemin. Voyons, Michael, tu débarques dans ce métier ou quoi ? Tu devrais savoir ça par cœur !

– Pas à ce degré-là, mec. Et comment ça, je "débarque dans ce métier" ? Tu te fous de moi ? J'ai joué Beckett, moi, monsieur. Et Pinter. J'ai fait *Voyage au bout de la nuit* à Broadway. » Kennedy remercia le ciel de n'avoir jamais eu à s'infliger ces massacres. Ah, le théâtre – ce truc auquel accouraient les abrutis de la classe moyenne pour se donner l'air cultivé. Il partageait complètement l'avis de Nabokov sur ce point : faire de Shakespeare un dramaturge avait été l'une des meilleures blagues de Dieu. « Que cette pauvre idiote essaie de faire la même chose, s'enflamma Curzon. Quelle conne ! » D'un revers de main, il envoya valser une canette vide de Coca *light*, qui effectua un vol plané jusqu'à l'autre bout de la pièce où elle s'écrasa parmi d'autres spécimens de son espèce. Un désordre épouvantable régnait dans la caravane. À bien y regarder, Curzon semblait lui aussi dans un sale état : yeux rougis, teint brouillé, mal rasé. Comme s'il avait un peu trop forcé sur la bouteille.

Kennedy soupira. Ça aussi, comme tout le reste, serait bientôt terminé. « Alors pourquoi m'en parler ? Qu'est-ce que je suis censé faire ? Je ne suis qu'un larbin ici, comme toi. Plains-toi plutôt à Kevin. Ou à Scott.

– Ils s'en foutent. Ils la laisseraient me chier dans la bouche si elle décrétait que c'est pour le bien de la scène. Allez, mec… vous êtes proches, toi et elle…

– Ne crois jamais tout ce que tu lis dans les journaux, Michael, fit Kennedy en se levant et en reboutonnant sa veste. Courage ! T'es pas en train de pousser un wagonnet au fond de la mine, comme dirait ma mère. Tu as un travail, tu es payé. Alors bref, on rentre le menton, on fonce dans le tas et haut les cœurs !

– Hein ?

– Laisse tomber. Écoute, la prochaine star, c'est toi. Si tout se passe bien, dans deux ans, tu seras le roi d'Hollywood et tu pourras faire les mêmes caprices qu'elle. OK ? Allez, à plus tard.

– Eh, tu fais quoi, là ? T'as un truc de prévu ? Tu veux pas rester un peu, te faire un petit rail ?

– Non, non merci. »

La tirade de la baie des Cochons ? se demanda Kennedy en sortant de la caravane pour regagner le plateau *fissa*. Nom de Dieu, ça commençait vraiment à partir en couille, cette affaire. Il vérifia sa montre – 6 heures du mat' à Los Angeles. Braden devait être à la salle de gym. Il composa son numéro et tomba sur sa messagerie. « Allô, ici Kennedy. Écoute, je suis sur le tournage à Pinewood. Ils sont en train d'improviser le film au fur et à mesure – et je n'exagère pas. Peux-tu demander une copie de la dernière version officielle du script auprès de la boîte de prod ? Je me demande si je ne devrais pas faire retirer mon nom de ce navet. » Il raccrocha, zigzagua entre des techniciens qui transportaient une énorme plaque de verre en sucre – une fausse fenêtre que Julie ou Michael, ou plus probablement l'une de leurs doublures, devrait traverser tête la première dans un instant – et regagna la pénombre du hangar.

Tu savais que Kevin écrivait, lui aussi ?

Ce gros empoté n'aurait même pas été foutu de rédiger un message convaincant sur une carte d'anniversaire. Vraiment tous les mêmes. De bons réalisateurs, capables de faire des films corrects sur la base de scénarios pour lesquels des écrivains tout aussi valables ont sué sang et eau pendant des mois, voire des années. Mais ça ne leur suffisait pas. « Réalisé par » ne leur semblait jamais aussi bandant que « Écrit et réalisé par ». Alors ils s'asseyaient derrière un bureau pour essayer de faire la même chose. Et pour quel résultat ? Peau de zob. Deux singes en train de se gratter les puces. Parce que c'est dur. Il n'y a personne sur qui crier, personne pour vous poser les bonnes questions. Il n'y a que *vous*. Et les questions que vous vous posez à vous-même. Pour écrire avec clarté, il faut penser avec clarté. Et penser, c'est du boulot. Alors quand ils réussissent, par miracle, à trouver cinq ou six bonnes idées de scènes, ils demandent à un scribouillard quelconque de leur relier tout ça – anonymement, bien sûr –, et voilà le travail : *Mon pur scénario* par Todd Baltringue, vingt-neuf ans et demi. Mais le film se fera quand même – ben oui, le type est un réalisateur génial, pas vrai ? – et ce sera un bide, pour la bonne raison qu'il repose sur une moitié d'idée foireuse griffonnée sur une serviette hygiénique par M. Deux-Neurones. Qui, forcément, se fait ensuite lâcher par tout le monde. Et tout à coup, « Réalisé par » redevient une mention follement désirable à ses yeux. Dommage, vu que plus personne ne veut le faire bosser et qu'il aurait dû se contenter de faire la seule chose qu'il savait faire.

Kennedy aperçut Kevin au milieu du plateau inondé, entouré de son équipe qui lui baisait les pieds – son chef op, son premier assistant réal, sa scripte –, en train de gesticuler et de faire son show habituel. Sale tête de fouine. Au détour d'un décor, il tomba sur Paige, en pleine conversation avec Scott Spengler, et tous deux éclatèrent de rire à son approche.

« Kennedy ! s'exclama Paige.

– Eh, maestro », le salua Spengler. Il portait un pull en cachemire très BCBG par-dessus une chemise en soie blanche et un jean ajusté. Pas un cheveu de travers. L'uniforme du quinqua nanti. « J'ai fait la connaissance de ton étudiante.

– Ouais, c'est ce que je vois. Scott, je peux savoir pourquoi Kevin réécrit mon scénario de A à Z ?

– C'est faux.

– Bizarrement, ce n'est pas ce que Michael Curzon vient de me dire.

– Écoute, Kevin a juste intégré certaines des idées que Julie et Mike ont eues pendant les répètes, et il a tourné quelques scènes supplémentaires. Qui finiront sans doute coupées au montage. Nous tournons le film que tu as écrit. Le *grand* film que tu as écrit.

– Vous voyez, Paige, fit Kennedy en désignant Spengler. Toujours se méfier d'un homme souriant.

– Scott était en train de me dire à quel point il adorait travailler avec vous.

– Ah bon ?

– T'es un champion, Kennedy. Dites, tous les deux, ça vous dirait de rester manger un morceau ?

– Non, il faut qu'on...

– Je meurs de faim, fit Paige.

– Dans ce cas, allons déjeuner dans ma caravane. Freddy fait son rôti de bœuf saignant, aujourd'hui. Un must. Vous adorez ça, vous, les Anglais. Suivez-moi. Je veux tout savoir sur votre *Collection d'os*.

– *Collectionneurs d'os* », corrigea Paige.

Tiens, tiens, songea Kennedy.

« Oui, c'est ce que j'ai dit, fit Spengler en posant sa main dans le dos de la jeune femme pour la guider vers la sortie, matérialisée par un carré de lumière encastré dans le fond du hangar.

Pour la plupart des gens, l'expression « déjeuner dans une caravane » évoque aussitôt des images de couverts en plastique et d'assiettes en carton posées sur les genoux. Si la loge de Michael Curzon était un taudis comparée à celle de Julie Teal, le palace de Spengler les faisait allègrement passer pour deux vulgaires baraques à frites en bordure d'autoroute. Il s'agissait en réalité de *deux* espèces de camping-cars reliés et soudés l'un à l'autre, créant ainsi un espace de vie immense. Avec sa déco intérieure raffinée, c'était en gros un cinq étoiles monté sur roues. Un appartement. *Exit* les assiettes en carton : vaisselle en porcelaine, verres en cristal de Waterford et couverts en argent massif, le tout sur une nappe blanche immaculée. Avec une magnifique composition florale à base de lilas au centre de la table, « cadeau de la Creative Artists Agency », précisa Spengler. (Pourquoi ces types avaient-ils l'obsession des fleurs ? se demanda Kennedy. Toujours à s'envoyer des putains de bouquets pour un oui ou pour un non.) Paige prit place entre eux deux, et le chef personnel de Spengler leur servit un rôti de bœuf saignant accompagné de mini-légumes au beurre. Ils partagèrent une bouteille de Krug à l'apéritif et arrosèrent la viande d'un excellent saint-estèphe. En dessert, une crème brûlée (caramélisée au chalumeau sous leurs yeux) accompagnée d'un petit verre de sauternes tout à fait potable... ainsi que du blabla de Spengler. Nombre d'entrées. Retours de projections tests et recettes du premier week-end de sortie. Réseaux de distribution et partenariats pour le financement. Niches fiscales. Coûts officiels et officieux. Recettes à l'étranger. Garanties d'achèvement et taux de caution. Avantages respectifs du dollar et de la livre sterling. FTSE et Dow Jones. Profits participatifs. Téléchargement. VOD et ventes aux compagnies aériennes. Kennedy n'était pas mécontent que Paige soit là. Qu'elle entende le vrai jargon du métier.

Il avait déjà connu pires repas dans des caravanes. À Kilkee, avec la pluie qui martelait le toit en métal et sa mère qui chantonnait pour calmer les vagissements du bébé tout en versant le contenu d'une boîte de raviolis dans une casserole. L'odeur du pain sur le point de brûler. Le déjeuner. (À ce jour, en cas de méchante gueule de bois, n'importe quel truc en conserve de chez Heinz – spaghettis, raviolis ou gratin de macaronis – étalé sur des toasts lui apportait un réconfort immédiat.) Papa essayant de suivre le match sur son transistor. Patrick encore si petit dans son berceau. Gerry et lui jouant avec Mamie. C'était l'été de ses sept ans, Gerry en avait à peine cinq. Elle ne tenait pas en place. Mamie avait fait une remarque, un truc terrible. Impardonnable. C'était quoi, déjà ? s Il venait de réaliser qu'elle était soûle. Ces verres à whisky avec le fond renflé, ceux qu'ils avaient gagnés au bingo. « Mais la deuxième, c'est de la mauvaise graine, pas vrai ? », avait-elle déclaré tout en se versant un autre verre. Sa toute première expérience de la métaphore. Mamie, papa et Gerry, retournés tous les trois à la poussière depuis belle lurette. Et maman qui prenait le même chemin.

Son prénom. Quelqu'un l'appelait par son prénom.

« Pardon ? fit Kennedy en levant les yeux de son expresso.

– Toujours parmi nous ? » demanda Spengler. Paige et lui le fixaient du regard.

« Ouais, désolé.

– Je disais, as-tu le script de ta petite protégée ici présente ?

– Seulement le début. C'est très bien. Elle a une jolie plume.

– Avez-vous déjà un agent, Paige ? lui demanda Spengler en lui remplissant son verre.

– Seigneur, non ! Je n'ai même pas encore fini l'écriture. Ni mes études.

– C'est des conneries, tout ça, grommela le producteur. Quittez la fac et mettez-vous au boulot. Noircissez du papier. N'essayez pas d'écrire le scénario parfait – écrivez un scénario, point barre. Faites-moi confiance. Personne n'a jamais emmené sa gonzesse voir un film le samedi soir sous prétexte que le scénariste était premier de sa classe. Kennedy, j'ai pas raison ?

– Non.

– Ah, n'écoutez pas cet abruti. Qu'est-ce qu'il en sait ? » Spengler lui adressa un clin d'œil et leva son verre. Kennedy et Paige l'imitèrent. Il observa Spengler, radieux dans sa chemise en soie au milieu de l'argenterie et des verres en cristal, avec ses dents blanches, sa peau parfaite et ses cheveux impeccables, son aura rayonnante de bonne santé et de fric. Leurs trois verres levés au-dessus de la table, Scott déclara : « Un toast. Aux *Collectionneurs d'os* de Paige… Quel est votre nom de famille, ma belle ?

– Patterson, lâcha-t-elle en hoquetant avant de glousser.

– Aux *Collectionneurs d'os*, par Paige Patterson. Et à votre pourcentage sur les recettes brutes. » Il trinqua avec elle et ils burent chacun une gorgée de vin blanc sucré. Un sous-fifre vint apporter un parapheur à Spengler.

« Oyez, oyez ! déclama Kennedy à la manière d'un chansonnier médiéval. Qui soupe avec le diable doit avoir la cuiller longue !

– Pardon, mon vieux ? fit Spengler.

– C'est extrait des *Contes de Canterbury*, l'informa l'écrivain tout en regardant Paige.

– Ah ? Pas vu, répondit Spengler en signant ses papiers.

– Ça vous plairait beaucoup », poursuivit Kennedy. Il souriait à Paige. « C'est une histoire d'amour. » Sous la table, elle fit courir ses orteils le long de son mollet. Il la regarda fixement. Nom de Dieu, elle était en train de...

Elle disparut soudain aux toilettes et Kennedy rapprocha sa chaise de Spengler. « Sacré numéro, hein ? lui dit le producteur. T'es vraiment incorrigible. D'abord Julie – j'exige de connaître tous les détails, d'ailleurs –, et maintenant...

– Oh, lâche-moi. Écoute, toi qui es américain, riche, et entouré de médecins... je peux te poser une question ?

– Bien sûr, mon pote.

– J'ai ce... ce... sur la... C'est... Oh, et merde. » Il jeta un coup d'œil en direction des toilettes, baissa la voix, et finit par se résoudre à déballer le matériel.

« Mon Dieu, tu devrais consulter quelqu'un illico presto, commenta Spengler en se mettant aussitôt à pianoter sur son BlackBerry. Vous, les Anglais ! C'est du suicide, voilà ce que c'est. Tiens, je t'envoie le numéro de mon spécialiste. Il est sur Harvey Street.

– Bah, je suis pas trop branché médecine privée, tu sais...

– Comme tu voudras. Va faire la queue pendant six mois dans ton dispensaire de cocos utopistes pendant que ta bite s'effrite morceau par morceau.

– Ça va, ça va... Il est bon, ton mec, au moins ?

– Le Dr Beaufort ? C'est le meilleur. Il m'a remis sur pied juste après un... pépin sur un tournage, il y a quelques années.

– Tout le monde est toujours "le meilleur", avec toi.

– Je t'assure, Kennedy. Il est un peu de la vieille école, mais c'est le meilleur Docteur Bistouquette de tout Londres. Et c'est normal, l'enfoiré, vu ce qu'il coûte. Cela dit, ne t'inquiète pas pour ça. La facture atterrira directement sur mon bureau.

– Pas question, je...

– Non, j'insiste. Cadeau de la maison. Et sois tranquille, ton service public chéri ne saura jamais que tu l'as trompé avec un autre.

– Tu parles d'un cadeau. »

Plus tard dans la soirée, dans une chambre du Dean Street Townhouse, après les cocktails et le dîner, baigné d'une douce euphorie post-coïtale, il faillit dire quelque chose à Paige – des mots qu'il n'avait pas prononcés depuis des années. Mais il se ravisa et se contenta d'un : « Et si on se commandait un truc au room service ? »

42

« **À** vrai dire, j'y pense pas trop pour l'instant.

– Il va pourtant falloir que tu commences à y réfléchir, Robin...

– Ouais, je sais... »

Attablés dans la grande salle du Manoir, ils discutaient de l'avenir de Robin et de ses orientations possibles en fac. Père et fille, enfin réunis. Keith attendait sur le parking, derrière le volant de la Mercedes, bien calé dans son siège incliné en arrière et plongé dans la lecture d'un de ces thrillers qu'il affectionnait tant, en attendant de les ramener par l'autoroute. (« Pour l'amour du ciel, avait soupiré Millie, tu as vraiment besoin de l'emmener dîner là-bas ? Tu sais qu'elle se contenterait d'un Pizza Express sur Deeping High Street. – "Ô, ne raisonne pas le besoin" » lui avait-il rétorqué, vieil automatisme.)

« Tu dois bien avoir une idée de ce que tu as envie de faire ?

– C'est obligé, ça ? Je ne suis pas la seule dans ce cas. Clarissa et Mattie disent qu'elles... »

Objection acceptée, songea Kennedy. En formulant sa question, il avait lui-même réalisé à quel point elle était stupide. À seize ou dix-sept ans, qui savait ce qu'il voulait faire dans la vie ? À vrai dire : lui. Mais il n'avait jamais rien fait comme personne. Il se souvenait distinctement d'avoir employé le mot « soudain » dans une rédaction lorsqu'il avait sept ou huit ans. L'excitation. Comme d'enfoncer une porte à coup de pied Tous les types de Chandler qui entrent, arme à la main.

Il existe trois catégories d'individus au monde, disait Hanif Kureishi. *Ceux qui ne savaient pas où ils allaient et qui n'y sont jamais arrivés, ceux qui ne le savaient pas au départ mais qui se sont trouvés en route, et ceux qui ont su dès le premier jour ce qu'ils allaient faire.* Kennedy appartenait à la dernière. Et il avait suivi sa route, écartant tout le reste ou presque de son chemin. « La maison pourrait brûler, lui avait dit Millie il y a bien longtemps, tu ramperais hors des flammes accroché à ton ordinateur, avant de penser à moi ou au bébé. »

Il s'aperçut que Robin avait fini de parler et qu'elle le regardait, guettant sa réponse.

« Hmm. Oui, c'est sûr, dit-il.

– Incorrigible. » Elle sourit et secoua la tête.

« Quoi ? » fit-il en remplissant leurs verres. C'était vraiment l'un des plaisirs civilisés de l'Europe, songea-t-il. Pouvoir savourer un verre de vin avec sa fille lorsqu'elle avait entre seize et vingt et un ans. Essayez donc de faire pareil en Californie, vous verrez le résultat. (Kennedy avait déjà essayé. Il avait cru que le maître d'hôtel allait appeler la brigade d'intervention d'urgence. Et déclencher un raid aérien.)

« P'pa, tu me poses une question et t'écoutes mêmes pas la réponse. À quoi bon faire semblant ? »

Il soupira.

« J'ai été nul comme père, pas vrai ? » Robin agita sa main à l'horizontale, comme pour dire « fifty-fifty ». Ça les fit marrer tous les deux. « En même temps, tu m'as l'air bien dans tes baskets. Et heureuse.

– Ouais. Sans doute. Comparée à certaines de mes copines...

– Notre divorce n'a pas semblé t'affecter plus que ça. »

L'homme ne fait que transmettre son malheur, mec, et ça s'élargit au fur et à mesure, comme une faille sismique. Barre- toi de là le plus tôt possible et ne fais jamais de gosses. Gerry.

« Je n'ai presque aucun souvenir de vous deux ensemble. C'était plutôt, fit Robin en réfléchissant et en mastiquant, plutôt genre... » – elle leva un doigt en l'air, consciente de son tic de langage et rejetant par avance la désapprobation paternelle occasionnée par son emploi abusif du mot "genre" – « ... des fois, quand j'allais chez un copain ou une copine et qu'il y avait ses deux parents et qu'on s'asseyait à table pour dîner tous ensemble. Des fois, je me disais... Je me disais que ça devait être sympa d'avoir ça chez soi.

– Tu as dû me détester.

– Je t'ai jamais détesté, p'pa. C'est juste que... tu me manquais, tu vois ? »

Il fallut plusieurs secondes avant que la puissance de ces mots perce la ouate de l'excellent beaujolais et vienne pénétrer le cœur de Kennedy Marr. (Le cœur de Kennedy Marr. Ô antre de glace ! Machine de la honte ! Ô terrible ventricule !)

Aïe. Qu'avait-il fait ? En s'aliénant l'amour, l'avait-il abîmé, *souillé* aux yeux de la seule personne à laquelle il aurait dû, au contraire, prouver sa force ? La souffrance endémique des enfants du divorce : ce besoin de recoller les morceaux. Robin aurait-elle des difficultés à aimer, plus tard ? À faire confiance au monstre ? Ou, au contraire, aimerait-elle trop facilement ? Ou bien tout cela n'aurait-il aucune incidence ?

Les serveurs évoluaient sans bruit dans le silence raffiné du temple de la gastronomie. Un bouchon grinça avant d'être tiré hors d'une bouteille, quelques tables plus loin.

Mes enfants sont ce qui compte le plus au monde.

On imagine sans peine de quoi Kennedy aurait eu l'air s'il avait tenté de prononcer cette phrase d'un air sérieux : ce serait digne d'une séquence de bêtisier. Inventer des histoires seul dans son bureau, voilà ce qui avait compté plus que tout au monde pour lui. (« Les comédiens et la scène m'ont volé tout mon amour, et non ces choses dont ils étaient les emblèmes. »)

« Ne prends pas cet air triste, lui dit Robin. Tout va bien. Tu m'as pas manqué tant que ça non plus. »

Ils éclatèrent de rire et il se dit qu'il passait vraiment un bon moment avec sa fille. Qu'il se marrait bien avec elle. Et qu'il aurait dû le faire plus souvent. Beaucoup plus souvent. *Qu'est-ce que tu veux que je te dise ? Tu as tout loupé, Kennedy.* Il sentit ce regret pointer au loin et prendre sa place dans l'immense file d'attente au fond de sa tête – ça lui rappelait cette vieille affiche de la fin des années 1970, des gens faisant la queue devant le bureau du chômage avec le slogan « Le travaillisme ne fonctionne pas » inscrit en lettres capitales juste au-dessus – et il songea alors que son planning de souffrances continuait à bien se remplir.

43

Il se dirigeait vers l'entrée du service en songeant qu'une fois ces portes franchies, il ne pourrait plus faire machine arrière. Fatalement, une infirmière, ou Patrick, le verrait et lui ferait signe d'approcher avant de le pousser dans la chambre de sa mère, et les dés seraient jetés. L'espace d'un instant, l'envie de tourner les talons et de fuir à toutes jambes fut presque trop forte. Fous le camp de là, retourne à Dublin, prends-toi une chambre au Shelbourne ou au Clarence et dévalise le mini-bar. Ou bien fonce directement à l'aéroport direction Heathrow ou Shannon et saute dans le premier avion pour New York, puis L.A.

S'il n'y allait pas, elle ne mourrait pas. Pourtant, il était là. Domine ta peur et vas-y – les salades habituelles. Il poussa la porte et pénétra dans le pavillon.

Cette odeur de l'hôpital : la mort étouffée sous les relents des anesthésiants, des produits désinfectants et des médicaments. C'était la deuxième fois qu'il la reniflait en moins de vingt-quatre heures. Ce matin, sur la route de Heathrow au départ de Soho, il avait fait un saut à Harvey Street pour aller voir le Dr Beaufort. Un homme qui aurait dû être à la retraite depuis long-temps, rubicond, les cheveux couleur cendre. Il avait même un cendrier posé sur son bureau. Le type était de l'ancienne école, pour sûr. Il avait palpé l'engin de Kennedy, puis il lui avait fait une petite anesthésie locale avant de lui planter une seringue pour effectuer un prélèvement de sa grosseur, laquelle, comme son nom l'indique, avait encore grossi, passant de la taille d'un petit pois à celle d'un pois tout court. « Je ne m'inquiéterais pas trop à votre place, déclara le Dr Beaufort. C'est sans doute un kyste. Je vous appellerai pour fixer un nouveau rendez-vous dès que j'aurai les résultats. D'ici une semaine environ. »

Kennedy longeait le couloir. « Soins palliatifs », comme on disait. Pour la plupart des gens, cela signifiait soulager, gérer et adoucir les souffrances de ceux qui s'apprêtaient à embarquer pour un voyage sans retour. Kennedy, en grand amoureux du dictionnaire – « l'histoire démocratique de l'esprit humain » – son vieil exemplaire rouge et éculé de *Chambers* toujours à portée de main, connaissait le sens caché, ancien et obsolète du verbe « pallier » : ensevelir, *dissimuler*. Tout en parcourant cet interminable couloir, il se demanda pourquoi cet usage était tombé en désuétude. Car il lui paraissait fort à propos. Les squelettes assoupis de part et d'autre, bourrés de morphine pour les couper du monde – et des membres de leur famille assis à leur chevet et échangeant des propos à voix basse – et leur cacher l'horrible, l'immuable vérité. *Personne ne sortira d'ici vivant, non, non, non.*

Personne. Tu peux bien baiser un millier de femmes et devenir milliardaire. Rien à branler : crève. Vivre dans le célibat et la charité ? Rien à branler. Crève. Conquérir le monde ? Rien à branler. T'empiffrer de pizzas et de bagels sur ton canapé devant des talk-shows à la télé pendant quarante ans ? Crève. Aider les vieilles dames à traverser la rue ? Crève. Violer des enfants ? Même destination, mon pote. Et ainsi de suite.

Certains patients regardaient juste droit devant eux pendant que leurs familles discutaient au-dessus d'eux. Les yeux chassieux, injectés de sang, le regard perdu au loin, guettant l'apparition de la faux au sommet de la colline, sans doute, et le capuchon noir qui se profilait juste derrière.

Bizarrement, quand Kennedy s'imaginait la Grande Faucheuse, ce n'était pas du tout l'image qu'il s'en faisait. Il se la représentait plutôt comme une sorte de gestionnaire, souriante et enjouée... mais redoutablement efficace.

« Oh, vous voilà. Bonjour. Suivez-moi, je vous prie.

– Heu... je crois que vous faites erreur.

– Ha ! ha ! Vous êtes drôle. »

Sur sa droite, il venait d'avoir la pire vision d'entre toutes : un homme dans son lit, totalement seul en pleine heure de pointe des visites. Soixante-dix ans peut-être, un cadavre respirant à peine. Un type qui, jadis, avait sans doute été le centre de l'univers pour quelqu'un. Kennedy lui adressa un petit salut de la tête, assorti d'un sourire bienveillant. L'homme se contenta de le fixer du regard, tournant lentement le cou pour le regarder s'éloigner, puant de vie. *Ah, mon vieux salaud*, songea Kennedy. *Qu'as-tu fait ?* Jusqu'à quel point ce pauvre type avait-il trahi l'amour ? Que lui avait-il fait pour se retrouver ici, vacillant au bord du gouffre sans même une grappe de raisin, une bouteille de Lucozade ou un moribond gâteux pour lui tenir compagnie ?

Intellectuellement parlant, Kennedy savait qu'il n'était qu'un cliché ambulant : le romancier quinqua s'efforçant d'accepter sa propre mortalité. Que lui vaudrait cette belle prise de conscience lorsqu'il se retrouverait au pied du tombeau ? Réponse : rien. Comment ça, la lucidité ne pourrait pas le tirer d'affaire ? « Eh, le tombeau ! Je suis tout à fait conscient que notre berceau balance au-dessus d'un abîme et tout le bazar. Alors t'inquiète pas pour moi, tout va bien ! Merci ! »

On l'a tous déjà entendu dans la bouche de certaines personnes. Régulièrement. « C'est notre lot à tous, un jour ou l'autre. » « Tout le monde meurt. » Pour Kennedy, ces gens étaient a/ âgés de quinze ans, ou b/ mentalement attardés. On meurt tous ? Mais de qui parlaient-ils ? *Écoutez-moi*, avait-il maintenant envie de leur hurler au visage, *ils ne disaient pas ça pour plaisanter. C'est la réalité, bande d'idiots. C'est ça, la réalité !* Nom de Dieu, il aurait dû demander un autre verre de scotch pendant le vol, ou au moins s'acheter une petite bouteille sur le chemin.

Presque au bout du couloir, tandis qu'il s'efforçait de se composer une expression de gaieté étonnée, il aperçut son frère assis sur une chaise au pied du lit. Patrick leva la main pour le saluer en le voyant arriver, Kennedy lui répondit du même geste. Le point de non-retour...

Il contourna le rideau, et il la vit. Elle tourna la tête de son côté. Ses traits s'illuminèrent aussitôt et elle murmura : « Mon fils... »

Sa première pensée fut : « Elle n'a pas changé. » Les cheveux un peu plus gris, la peau un peu plus ridée, les joues plus creuses, mais dans l'ensemble...

Sauf que non. Elle tendit la main vers lui. Son bras était aussi maigre qu'un cure-pipe, une brindille de bois sec en hiver, les veines et les artères saillantes à la surface, bleues à travers le blanc. Ces bras... D'abord des câbles, puis des cordes, et maintenant deux brindilles. *Des ficelles. Gerry. Des ficelles solides.* Il la serra contre lui en murmurant « Maman... », le souffle court, et relâcha aussitôt son étreinte, de peur qu'elle tombe en poussière entre ses bras. C'était comme de s'apprêter à soulever un sac rempli de clubs de golf dont on avait anticipé le poids, et de le trouver soudain vide. « Dis donc, maman », dit-il en s'efforçant de se remettre de ce choc, optant pour l'humour et légèreté, « il va falloir qu'on t'invite à dîner plus souvent ! » *Seigneur, dans quel état elle est. La culpabilité. L'atroce culpabilité.*

« Très drôle.

– Patrick », dit-il en faisant le tour du lit pour aller l'embrasser. Il avait pris un coup de vieux. Pas encore de cheveux gris, mais quelques poils argentés dans sa barbe de trois jours. Sans parler des cernes. « Encore désolé, glissa-t-il à l'oreille de son frère.

– Bah, t'es là, c'est l'essentiel, non ? » Il semblait sincèrement heureux de le voir, en dépit de tout le reste. Kennedy tira une chaise en plastique près du lit. Qu'avait-il fait pour mériter l'amour de ces deux êtres qu'il avait si mal traités ?

« Et la p'tiote, comment va-t-elle ? lui demanda sa mère.

– Robin ? En pleine forme, maman.

– C'est plus une p'tiote, remarque. Bientôt une jeune femme.

– Exact. Elle ressemble de plus en plus à sa mère.

– Oh, mais elle tient de toi, aussi. Ne t'en fais donc pas pour ça. Comment va Millie ?

– Super.

– Tu sais qu'elles sont venues me voir, l'été dernier ? Elles allaient passer quelques jours sur la côte ouest.

– Elle m'en a parlé. Alors, comment te sens-tu ?

– Bof, un peu fa… » Elle voulut se redresser contre ses oreillers et grimaça.

« M'man ?

– Ça va. Ça va mieux. Juste un peu fatiguée. » Le bruit de l'hôpital, le bourdonnement des conversations, les allées et venues, le fracas d'un plateau en Formica tombé par terre quelque part.

« Ça doit pas être évident de bien dormir ici, maman. On ne pourrait pas te mettre dans une chambre pour toi toute seule ? » Il coula un regard en direction de Patrick. « Ou dans un…

– Et qu'est-ce que je ferais, toute seule dans ma chambre ? Regarder mes quatre murs ? Au moins, il y a un peu de vie, ici. J'avais une gentille voisine jusqu'à la semaine dernière. Rosie. Mais il a bien fallu qu'elle... » Sa phrase resta en suspens. « Mais toi, comment vas-tu ? Ça te plaît d'être rentré au pays ?

– Bah, ça va. Beaucoup de boulot, m'man. Comme tu sais.

– Et ton nouveau film, ça se passe bien ? Celui avec cette jolie petite actrice, là ? »

Kennedy eut une vision de Julie Teal. De ses deux fesses luisantes juste au-dessous de lui. « Ça se passe bien, m'man. Enfin, tout est royalement emmerdant, en vérité, mais ça va.

– Elle fait sa diva ? voulut savoir Patrick.

– On peut dire ça...

– Tu es suffisamment payé pour ta peine, j'espère ? » s'inquiéta sa mère.

Il s'esclaffa. « Oui, m'man. Bien assez comme ça.

– Tant mieux, alors.

– Et l'enseignement, au fait ? lui demanda Patrick avec l'esquisse d'un sourire au coin des lèvres.

– Oh, c'est... » Kennedy écarta les mains, paumes en l'air.

44

L a dernière fois qu'il s'était retrouvé comme ça, au pied d'un lit d'hôpital.

Geraldine.

Elle l'avait fait chez elle et – par chance – un voisin, Eddie, l'avait découverte quelques minutes plus tard. C'était un client, il venait goûter et lui acheter du hasch. Kennedy l'avait croisé plus tard : un type voûté, le teint jaunâtre, les dents cassées ou décolorées, comme un mélange de raisins secs et de noix de cajou. Il lui avait donné la cinquantaine. Quelle n'avait pas été sa surprise, en lisant sa déposition, de découvrir qu'ils avaient en réalité le même âge – trente-quatre ans.

Eddie avait coupé la corde et appelé une ambulance. Ils avaient pratiqué une réanimation cardio-pulmonaire et une défibrilation, et son cœur était reparti juste avant qu'ils l'emmènent à l'hôpital. Kennedy avait reçu le coup de fil aux environs de 7 heures – ce coup de fil qu'au fond de lui il redoutait depuis près de vingt ans. C'était le service des urgences de l'hôpital de Brighton. Une voix : « Je vous appelle au sujet de Geraldine Marr. »

Oh, Gerry – mais qu'est-ce que t'as encore fait ?

Il était passé prendre sa mère et Patrick à Heathrow et ils avaient roulé jusqu'à Brighton. Kennedy connaissait bien la ville

– rendez-vous galants, week-ends, plans baise. Il leur avait pris trois chambres au Grand Hotel. « Pour l'amour du ciel, Kennedy, avait protesté Patrick. C'est magnifique, mais est-ce bien raisonnable dans un moment pareil ? On aurait pu se contenter d'un B&B. » En temps normal, sa mère aurait fait le même genre de commentaire, sauf que là, elle ne disait plus rien. Ne remarquait plus rien. Et ça durerait comme ça pendant un moment. Mais *Impensable* avait largement dépassé le cap du million d'exemplaires vendus en version poche, son troisième roman venait de sortir et il démarrait très fort aussi. Sans compter que les droits cinématographiques de ses trois bouquins avaient déjà été achetés. Alors ce serait le Grand Hotel et basta.

À l'hôpital, sa mère avait sangloté en se balançant d'avant en arrière. Gerry faisait peur à voir : ses bras n'étaient plus qu'un entrelacs de cicatrices et d'entailles, zébrés de haut en bas par les marques du couteau qu'elle n'avait pas eu le courage d'enfoncer plus profond dans sa chair. Elle avait le creux des coudes noirci et constellé de traces de piqûres, les mains toutes contusionnées, les articulations gonflées – à force de frapper les murs, les fenêtres, les gens. Tant de dégâts infligés à son corps pendant sa courte vie. Comme s'il pouvait à peine contenir la rage qui la consumait de l'intérieur. Elle avait des tubes enfoncés dans les bras et les narines, et on entendait le souffle rauque et régulier de la machine chargée de respirer à sa place pendant ces trois jours d'observation et d'analyses.

Le troisième jour, Kennedy et Patrick avaient laissé leur mère seule à son chevet pendant quelques instants pour s'entretenir dans une pièce adjacente (une espèce de salle d'attente pour les familles, avec un canapé, des fleurs en plastique dans un vase, et Kennedy avait tout de suite repensé à cette fameuse affiche

pastel avec les mouettes, tous ces signes de compassion insti-
tutionnelle) avec le médecin en chef. «Nous sommes des gens
intelligents, lui avait déclaré Kennedy de but en blanc. Dites-
nous la vérité.»

Le cerveau de Gerry avait été privé d'oxygène pendant une
durée comprise entre cinq et quinze minutes. Le neurologue
leur avait montré des radios, blanc laiteux sur bleu transparent,
du cerveau de leur sœur. En gros, elle avait réussi à provoquer
un accident vasculaire cérébral très grave. L'homme leur avait
indiqué les zones altérées de la pointe de son stylo argenté.
Toutes les fonctions cérébrales supérieures étaient foutues : la
mémoire, la parole, la motricité. Envolées. En admettant qu'elle
sorte du coma, elle ne serait plus qu'un légume. Il ne resterait
plus rien de la personne qu'ils avaient connue. Son existence
se résumerait à des battements de paupière et à de la nourriture liquide. Les deux frères avaient échangé un regard et failli
éclater de rire – c'était du Gerry tout craché, il fallait toujours
qu'elle y aille à fond, et elle montrait aujourd'hui encore qu'elle
savait échouer dans les plus grandes choses comme elle avait
toujours fait foirer les petites. Partir de la pire des manières
possibles, pour elle comme pour tout le monde, et causer le
maximum d'emmerdes.

Ils étaient allés se promener tous les trois sur la jetée. C'était
une journée éblouissante, presque effrayante – pas un souffle de
vent, le ciel d'un bleu absolu, sans le moindre nuage. Sur un banc
face à la plage, Patrick et Kennedy avaient exposé la situation à
leur mère, avec un fond sonore inapproprié de musique de foire et
de jingles entêtants, ceux des jeux d'arcade sur le Pier. Elle avait
regardé la mer, assimilant la gravité de la nouvelle en silence.
«Non», avait-elle fini par déclarer en secouant la tête, avant

d'ajouter d'une voix douce mais résolue : « Gerry n'aurait pas voulu vivre comme ça. »

Le médecin leur avait proposé, avec tout le tact et la délicatesse qu'exigeait la situation, d'éteindre le respirateur artificiel et de voir si elle parvenait à respirer toute seule. L'une des conséquences possibles était que ses poumons se rempliraient de liquide et qu'elle serait incapable de l'évacuer elle-même. Comme si elle se noyait sans avoir jamais repris connaissance. Toutefois, les avait-il mis en garde, cela pourrait durer des jours, voire des semaines ou des mois. Ils avaient accepté quand même. Signé les papiers nécessaires. *Des mois ?* s'était étonné Kennedy tandis qu'ils se dirigeaient vers la cafétéria pour aller boire un café, histoire de laisser l'équipe de l'unité de soins intensifs faire le nécessaire avec les tubes et les appareils. En son for intérieur, il avait assumé le fait de souhaiter voir mourir sa petite sœur maintenant, et sa conscience était en paix. Il n'avait jamais été là pour elle. C'était le moment ou jamais de se rattraper. Au final, ils n'avaient même pas eu le temps de boire leur café : une infirmière avait accouru pour les prévenir : « Elle a commencé à sombrer à la minute où on l'a débranchée. » Ses poumons, atomisés. Tombés en miettes après deux décennies ou presque de skunk et de clopes bon marché. Mayfair. Kensitas Club. Berkeley.

Réunis autour d'elle, les rideaux tirés, ils l'avaient tous les trois regardée mourir. Des sons atroces émanaient d'elle à mesure qu'elle se noyait dans sa propre salive : comme des coups de klaxon entrecoupés d'un souffle rauque, le pire ronflement qu'on puisse imaginer. Leur mère lui tenait la main droite et Patrick, la gauche. Kennedy se tenait debout au pied du lit. Les chiffres bleu pâle indiquant le pouls, le rythme cardiaque et autres diminuaient progressivement vers zéro à mesure que le bruit rêche et terrible s'intensifiait. Patrick pleurait tout bas, la tête penchée, pendant que leur mère lui parlait à travers ses larmes. « Oh, ma toute petite, disait-elle. Ma pauvre petite. Pourquoi est-ce que tu t'es fait ça ? Toi, ma si belle petite fille. » Et ces mots, répétés en boucle : « Pardonne-moi. Pardonne-moi. Pardonne-moi. »

Cela avait duré un certain temps, plus de vingt minutes selon Kennedy, mais le souffle rauque avait fini par s'éteindre et tous les indicateurs étaient tombés à zéro. Elle était partie. Kennedy avait marché jusqu'à la tête du lit et embrassé sa petite sœur sur le front pour la dernière fois. (« Attends de voir mon grand frère. Kennedy. Il va te casser la gueule.) Il était étonnamment tiède, presque humide de sueur. Il s'était penché vers elle et lui avait chuchoté : « J'aurais pu faire plus pour toi. Au revoir, Gerry. »

Quelques minutes plus tard, pendant que sa mère et Patrick pleuraient dans les bras l'un de l'autre, Kennedy s'était excusé pour se rendre aux toilettes. L'œil sec, il s'était assis sur la cuvette avec son petit carnet noir en moleskine, et il avait tout noté noir sur blanc : l'angle de la lumière qui tombait en travers du lit depuis la fente horizontale de la fenêtre au-dessus d'eux. La couleur des chiffres luminescents. Les mots exacts que sa mère avait prononcés. Le vrai boulot, au fond, c'était d'exister.

Il n'avait pleuré qu'une seule fois. Lorsqu'il s'était rendu chez elle pour récupérer ses maigres effets. La froideur des lieux l'avait frappé. C'était le milieu de la journée, il faisait un temps radieux et le soleil illuminait la pièce à travers les stores, mais l'appartement était glacé. Apparemment, l'électricité fonctionnait avec une espèce de clé en plastique violette qu'il fallait recharger chez n'importe quel marchand de journaux. Gerry n'avait vraisemblablement plus eu de quoi la recharger depuis un moment et il s'était demandé si elle avait dormi tout habillée, emmaillotée dans un pull au milieu des puces de son matelas. Ou sur le canapé, devant la télé. Ah non, impossible – pas d'électricité. Il avait repéré deux moignons de bougies près de la cheminée. Il s'était imaginé sa sœur lisant à la lueur des flammes, enroulée dans son duvet sur le canapé avec ses mitaines, son haleine formant de petits nuages blancs dans le noir. En pleine lecture d'un de ses romans, qui sait.

Sur la table basse du salon l'attendait une vision à fendre le cœur : la triste pile d'enveloppes brunes avec leurs odieux messages – « Si vous ne payez pas d'ici… », « Si vous n'êtes pas en mesure de… », « Dernier avertissement… », « Veuillez nous contacter dans les plus brefs délais… ». Les loyers en retard, les dépassements, les découverts, les factures de gaz et d'électricité. (N'était-ce pas typiquement ce qu'on retrouvait chez les gens qui se suicidaient, s'était-il demandé. Cette pile de courrier. S'il avait voulu en faire une scène de film, il n'aurait pas eu besoin d'autre chose. Zéro dialogue, rien qu'un lent mouvement de caméra sur ces enveloppes, un bref aperçu de leur contenu, avant de terminer sur la malheureuse en train de grimper sur l'escabeau ou de se caler un revolver sous le menton.) Il n'y avait rien de sympa dans le courrier de sa sœur, aucune nouvelle agréable. Pas d'invitation à des avant-premières ou à des soirées littéraires. Pas d'enveloppe vert pâle de la WGA contenant des chèques de royalties inattendus à cinq ou six chiffres. Pas de nouveau roman emballé dans du papier bulle pour lequel on sollicitait son éminent avis. Ce n'était qu'un outil de torture à sens unique. L'appartement portait d'autres traces de ses dettes, moins officielles celles-ci. Par exemple : les traces de coups de pied sur sa porte d'entrée, l'encoche laissée dans le bois par le bout d'un gros godillot. Les couteaux dans sa table de chevet.

Exactement comme dans son appart' à Limerick – Kennedy s'en souvenait encore. Gerry avait toujours eu le chic pour attirer le chaos et la rage. (*Attirer la rage*, voilà qui ferait un excellent titre de bouquin.)

Il avait traversé sa chambre et s'était assis par terre. Son souffle formait de la vapeur tandis qu'il observait le plafond en se demandant combien de nuits elle avait passées là, à additionner ses factures, à les recompter dans tous les sens, à se demander si en empruntant telle somme à son grand frère et telle autre à sa mère, et peut-être un peu à Patrick aussi, elle pourrait tenir quelques semaines de plus ? Les contorsions improbables, chaque mois, pour tâcher de garder la tête hors de l'eau. Les mensonges et les petites trahisons que cela impliquait. Les combines à la noix, les stratagèmes, les négociations insensées, les plans à dormir debout et à ne plus dormir du tout. Au pied du mur. Il s'était assis à la table et il avait fait le calcul.

Elle s'était foutue en l'air pour mille deux cents livres.

Il aurait pu lui signer un chèque et tout régler d'un seul coup. Il avait repensé à ses dépenses en restaurants, en taxis, en vacances, à ses extravagantes notes de bar, ses achats de fringues, ses abonnements de clubs, ses cigares, ses achats impulsifs, bourré, sur eBay, ses téléchargements de films et de musique, à coups de trente, cinquante billets par-ci par-là, sans même y réfléchir. Les tournées de cocktails prétentieux qu'il avait offertes à des gens qu'il connaissait à peine, les bouteilles de champagne commandées dans les bars et les restaurants pour fêter tout et n'importe quoi – parce qu'on était vendredi ; parce qu'il venait de signer un contrat d'édition inattendu avec la Turquie ; parce que... oh, et puis merde. Parce qu'il en avait les moyens, voilà tout. L'espace d'un instant, il avait cru devenir fou. Il s'était senti comme Schindler, à la fin, titubant en larmes devant son usine : « Cette broche, cinq vies, cette voiture... »

Il avait enfoui son visage entre ses mains pour pleurer, enfin. « Oh, Gerry. Espèce de petite conne. Pourquoi est-ce que tu n'as pas... » sanglotait-il, roulé en boule sur le parquet stratifié minable du studio pourri de sa sœur.

Il lui faudrait attendre, patienter, digérer, avant de se sentir suffisamment purifié pour pouvoir écrire un roman. De même qu'il fallait trois tonnes de pétales de roses pour extraire un litre d'huile essentielle, Kennedy savait qu'il fallait beaucoup de souffrances et de souvenirs pour accoucher d'une fiction de trois cents pages.

45

« Tu peux filer, Patrick, maintenant, lui dit sa mère. Toi, je te vois tous les jours. Va faire un tour, va boire un café, et laisse-moi donc rattraper le temps perdu avec ton frère.

– OK, maman. » Patrick se leva et prit son imperméable sur le dossier de sa chaise. « Tu as besoin de quelque chose ?

– Bah, non. Tout va bien. Ou alors… peut-être ces petites sucreries que j'aime bien. Tu sais lesquelles. »

Ils le regardèrent s'éloigner.

« Vraiment un type bien, notre Patrick, commenta Kennedy.

– Il est comme ça. Toujours dévoué aux autres. Pas comme certains dont je tairai le nom », ajouta-t-elle, un léger sourire aux lèvres. Kennedy hocha la tête, il encaissait. « Allez, rapproche-toi, sinon je vais être obligée de brailler. » Kennedy déplaça sa chaise vers la tête du lit, juste à son chevet. De près, son visage était blanc et crénelé. Comme la surface de la lune. Ses cheveux, aussi. Elle avait cessé de les teindre depuis quelques années. Quand elle était jeune, elle avait presque les mêmes que lui – noirs et épais, hirsutes, indomptables. Ses yeux étaient étonnamment brillants, en revanche. (Sans doute l'effet des médicaments, de la morphine. Ou une explication plus métaphysique, peut-être ? Les étoiles ne brillaient-elles pas de leur éclat le plus vif juste au moment de leur extinction ?) Il apercevait les veines qui irriguaient le creux de ses tempes, presque aussi nettement que si elles couraient à la surface de sa peau, et cette image lui fit penser à l'immeuble de la Lloyd's à Londres. (*Oh, mais quand en auras-tu terminé avec tout ça ? Cette lubie de devenir écrivain ! Quand me laisseras-tu enfin en paix ?*)

« Tu sais ce qui me ferait vraiment plaisir, Kennedy ? lui dit-elle lorsqu'il se fut rapproché. Maintenant que je sens que tu as fumé une cigarette...

– Bon sang, m'man, tu ne vas quand même pas me faire le coup de me demander d'arrêter de fumer sur ton lit de mort ?

– Pff ! Comme si j'avais déjà eu la moindre influence sur toi ! À cinq ans déjà, tu n'en faisais qu'à ta tête. Non, en fait, je m'en grillerais bien une petite, pour te dire la vérité.

– Tu n'as pas fumé depuis vingt ans.

– Ah, parce que tu crois tout savoir sur moi, peut-être ? »

Il rit et jeta un coup d'œil alentour, aux groupes d'infirmières affairées, au médecin en train de lire un graphique accroché au pied d'un lit. Debout sur une échelle, une femme de service était en train de suspendre des décorations de Noël en papier crépon vert, rouge et argent. « Je crois qu'on va avoir du mal à s'échapper d'ici, m'man.

– Bah, quelle différence est-ce que ça fait, maintenant ? »

Il la regarda et voulut répliquer quelque chose.

« Tut-tut, l'interrompit sa mère. Parlons plutôt de toi. J'ai entendu dire que tu avais eu des ennuis.

– Heu...

– Ha ! Tu t'imagines peut-être que je ne suis au courant de rien, ici ? Pendu au bras de cette petite actrice en première page des journaux ? À te bagarrer dans les avions ? Tu as toujours un sacré caractère, mon garçon. Comme ton père – Dieu ait son âme. »

Comme Gerry, songea Kennedy.

Son regard se posa sur la modeste croix en osier qu'elle avait accrochée au mur à côté de son lit. Sur le chapelet en bois enroulé près du broc d'eau sur sa table de nuit. Il savait qu'elle pensait que bientôt elle rejoindrait son mari. Qu'elle allait le retrouver quelque part dans cette vaste prairie peuplée de toutes les âmes repenties. Geraldine serait-elle là-bas, elle aussi ? Les suicidés étaient bannis du royaume des cieux. En dépit de ses croyances, sa mère ferait-elle une exception pour sa fille ? Et Gerry, serait-elle différente, là-bas ? Épargnée, apaisée ? Sa mère surprit la direction de son regard et devina aussitôt à quoi il pensait. « Ne recommence pas avec tes salades sur Notre-Seigneur, compris ? Ou je te fais jeter dehors par l'oreille. Je sais très bien ce que tu penses de tout ça.

– Ces choses dans les journaux... c'est un ramassis d'âneries, m'man.

– On ne me la fait pas, à moi.

– Disons, un ramassis d'âneries... dans l'ensemble. »

Silence. Les traits de sa mère se modifiaient sous ses yeux, annonçant un changement de ton, de sujet. « Il va falloir que tu sois plus présent pour ton frère. Ça va être très dur, pour lui.

– Et pour moi, alors ?

– Pff ! Du grain à moudre ! Ça atterrira dans les pages du petit carnet que tu gardes dans ta poche, juste là.

– Maman ! Je...

– Kennedy, écoute-moi. » Elle tendit le bras et lui prit la main. Il la tint entre ses paumes, si chaude et minuscule, un oisillon. « Tu as beaucoup de qualités, mais t'occuper des autres n'en fait pas partie. Ça a toujours été le rôle de Patrick.

– Je repensais à Gerry, l'autre jour. À Kilkee. Aux vacances qu'on passait là-bas, l'été, dans la caravane.

– C'était le bon temps...

– M'man, tu te souviens de la fois où Mamie avait trop bu et où Gerry s'est fait disputer à cause d'un truc. Une grosse bêtise qu'elle avait faite. Et Mamie a dit quelque chose, on l'a tous entendu, on était dans la chambre. En train de jouer sur le lit. Elle a gueulé sur Gerry. Je ne me souviens plus quoi... »

Sa mère ferma les yeux et inspira.

« Elle a dit que toi, tu étais un "bon garçon", mais que Gerry... Gerry était de la "mauvaise graine". » Oui, c'est ça. Exactement ça. Et Gerry, du haut de ses cinq ans, avait tout entendu. « La mère de ton père était une vraie teigne quand elle avait un coup dans le nez.

– Maman... tu ne crois pas qu'au fond d'elle, Gerry s'est dit : "OK, eh bien, je vais vous montrer. Je serai la pire graine d'entre toutes" ? »

Sa mère garda le silence un bon moment, le regard triste et perdu au loin, dans ses souvenirs. « Il ne se passe pas un jour sans que je me demande ce qui est arrivé à ma petite fille pour qu'elle soit devenue comme ça. Pas un jour. Je croyais vous avoir tous élevés pareil... mais il a dû se passer quelque chose. J'ai échoué, à un niveau ou à un autre. Il y avait tant... tant de *rage* en elle. "Elle pourrait déclencher une bagarre dans une maison déserte", comme disait votre père. Tu te souviens ? Pauvre Gerry. Je n'ai pas été à la hauteur. Ni pour Patrick non plus. Je n'ai pas été une bonne mère pour eux...

– Pourquoi ? »

Elle se tourna vers lui. « Parce que je t'aimais trop, mon fils.

– Ne dis pas ça...

– Tais-toi. Je serai bientôt morte, alors j'ai le droit de dire ce que je veux. Avec toi, Kennedy, c'était... à la seconde où on t'a posé dans mes bras, j'ai plongé mon regard dans le tien et j'ai senti qu'on se comprenait, toi et moi. À croire... qu'on se connaissait déjà. D'avant. Je n'ai pas de mots pour l'expliquer. C'était si étrange. J'ai vu ta vie entière devant moi et j'ai su que tu allais accomplir de grandes choses. Quand tu étais bébé, tu ne pleurais pas – tu *hurlais*. C'était comme si le monde ne te convenait pas tel qu'il était et que tu avais décidé de brailler jusqu'à ce que quelqu'un arrange tout ça à ton goût. »

Le monde ne te convenait pas tel qu'il était.

Cette phrase, songea Kennedy, résumait on ne peut mieux ce qui lui avait donné l'envie d'écrire. Quelqu'un était venu avant vous pour fixer les règles, et c'était tout simplement inacceptable. *Merde à l'ordre établi.* On pouvait très facilement glisser le chaos et la folie dans la fiction, et à mesure que le château de cartes se transformait en château « de verre et d'acier étincelant », que « la disparité entre le conscient et l'inconscient » s'effaçait, l'espace d'un court instant, entre la première et la quatrième de couverture, de la première page à la dernière, le monde tournait enfin comme vous le vouliez. Parfois, il avait le sentiment de n'avoir fait que cela depuis vingt ans – hurler pour que tout change. S'égosiller. Mais le monde ne se laissait pas faire comme ça. L'art était une réponse possible aux hurlements, mais la vie se contentait de hausser les épaules et de suivre son cours.

« Le monde tel qu'il était ne convenait pas à Gerry non plus. » Il lâcha ces mots à travers ses larmes, la tête basse, les épaules tremblantes, essuyant son visage du revers de la main tandis que sa mère le serrait contre lui comme elle l'avait fait tant de fois lorsqu'il était enfant.

« Sauf qu'elle n'avait rien à en dire, mon fils. Elle aspirait juste à l'effacer. »

Trois livres et quarante-quatre pence.

Signez là.

Les traînées de bave séchée sur le devant de son pull.

Aurait-elle vu des mouettes, depuis sa fenêtre ?

« Au revoir, Kenny Riquiqui. Bye-bye. »

De la mauvaise graine.

« Allez, mon fils, ça va aller. Pleure un bon coup. »

Kennedy s'agrippa à sa mère en sanglotant. *La culpabilité, ce sentiment épouvantable qui vous troue la poitrine.* Les choses qu'il avait faites à cette femme qui lui avait donné la vie. Les coups de fil qu'il n'avait jamais rendus. Les lettres auxquelles il n'avait pas répondu. Les visites qu'il avait repoussées puis écourtées le plus possible. Parce qu'il était occupé, trop occupé, toujours occupé. La manière dont il s'était moqué de ses croyances et de ses expressions simplistes dès qu'il avait été en âge de se croire supérieur à elle. *Tu voulais que je reçoive l'éducation que tu n'avais jamais eu la chance d'avoir et cela a creusé un fossé entre nous, car je me suis échappé dès la première occasion sans regarder une seule fois derrière moi : Glasgow, Londres, Los Angeles, plus loin, toujours plus loin. Tu m'as insufflé la confiance nécessaire pour m'imaginer que je pouvais tout faire, et je suis allé bien au-delà. J'ai fait tout ce que je voulais, et aussi toutes les choses que je ne voulais pas. Est-ce qu'on pourrait remonter le temps, juste quelques minutes ? Je t'emmènerai faire cette balade en voiture au bord de la mer. Je t'inviterai à dîner au restaurant. En week-end quelque part, rien que tous les deux. Comme la fois où on est allés à Dublin pour ton anniversaire et où je t'ai offert une promenade en carriole autour du Green, ton rêve depuis toujours. Ta façon de t'extasier d'un air timide quand le serveur du Clarence t'avait servi du pain avec une pince en argent, et moi qui n'avais rien trouvé de mieux que de me moquer de tes manières provinciales. Dire que j'étais la prunelle de tes yeux, ton aîné. J'aurais dû mieux prendre soin de toi mais maintenant, c'est terminé, et non, on ne peut pas revenir en arrière, pas même une seconde. J'étais tout pour toi et je t'ai laissée tomber comme une vieille chaussette. Je suis désolé, maman, pardonne-moi. Je t'ai aimée presque autant que tu m'as appris à m'aimer moi-même. Et ce n'est pas rien, crois-moi. Comment as-tu réussi pareil exploit ?*

Pauvre petit égoïste, ingrat de fils. Pauvre, pauvre Kennedy.

« Pleure un bon coup, vas-y », lui répéta sa mère en lui caressant les cheveux et en s'imprégnant de son odeur comme seule peut le faire une mère respirant les cheveux de son enfant pour la toute dernière fois.

46

*P*leurer, songea-t-il deux heures plus tard alors qu'il achevait de beurrer son deuxième petit pain pour y déposer une tranche de saumon fumé. En voilà, une activité largement sous-estimée. *Putain, ça fait du bien.*

Il avait une faim de loup. Comme s'il avait dormi dix heures d'affilée après trois orgasmes. Il alpagua un serveur qui passait par là. « Hep, on pourrait avoir un peu de crème de maïs, aussi ?

– "Hep" ? répéta Patrick.

– Désolé. Déformation californienne. »

Ils avaient dit au revoir à leur mère. Kennedy lui avait promis de revenir le week-end suivant, et il avait sincèrement l'intention de le faire. Ils prenaient un déjeuner tardif au Shanahan's, sur St. Stephen's Green. Une table de choix, juste à côté de la baie vitrée de la grande salle de style georgien, avec vue sur le Green. Dehors, le temps était infect, le ciel bleu foncé semblait presser contre la vitre, la tachant comme si on y projetait de l'encre de Chine au stylo plume. Sa mère lui avait confié d'autres choses, aussi, avant le retour de Patrick. Avant leur départ. Des choses qui ressemblaient à des adieux.

« Cinquante euros pour un steak ? » avait lâché Patrick, incrédule, avant de se replonger fébrilement dans le menu à la recherche d'un plat moins cher. Kennedy avait tranché : ils prendraient deux filets mignons. Au centre de la table, une excellente bouteille de bourgogne – un chassagne-montrachet de 2001 – dont la moitié du contenu irriguait déjà les veines de Kennedy. Patrick, lui, n'avait pas touché aux quelques malheureux centilitres que Kennedy lui avait versés vingt minutes plus tôt.

« Tu ne sais pas ce qu'est un vrai déjeuner.

– Je ne déjeune jamais.

– Que veux-tu dire par là ?

– Je veux dire que… je ne déjeune pas.

– Dieu du ciel !

– En tout cas, ça, je n'appelle pas ça un déjeuner. C'est du délire complet. Pour un cinquantième anniversaire de mariage, pourquoi pas ? Ou pour fêter un diplôme. Enfin Kennedy, comment peut-on claquer deux cents euros juste pour déjeuner ? »

Kennedy s'essuya la bouche et regarda son petit frère, si mal à l'aise au milieu des Dublinoises en escarpins chics et des quelques riches touristes américains ayant osé s'aventurer au-delà de Shelbourne pour explorer la partie nord du Green.

« Bien vivre est la meilleure des revanches, Patrick. » Merde, ce qu'il pouvait détester la mort. Et avec quelle fougue il se jetait dans les bras de ses ennemis : le bon vin, la bonne chère et la bonne compagnie. L'amour. La vie.

Leurs steaks arrivèrent – à point pour Patrick (Kennedy avait naturellement levé les yeux vers les moulures XVIIIe du plafond en entendant son frère commander cette abomination), saignant pour lui. Accompagnés de patates sautées dans le beurre parsemées de ciboulette. Et d'épinards vert émeraude dans leur petit plat en cuivre, luisant de beurre également et truffés de lardons.

« Alors, comment vont Anne et les enfants ?

– En pleine forme. Tu devrais passer à la maison.

– Une prochaine fois, sans faute. Désolé, mais il faut que je rentre ce soir. Je viendrai la semaine prochaine. Peut-être pour le Nouvel An, aussi. Le tournage sera terminé d'ici là. Les étudiants seront en vacances...

– Tu fais quoi, pour Noël ?

– Je pensais rentrer chez moi une ou deux semaines.

– Chez toi ?

– À L.A.

– C'est ton vrai chez-toi, maintenant ?

– Il faut croire. » Kennedy se resservit du vin. Patrick en accepta une goutte.

« Tu ne t'es pas dit que tu pourrais le passer avec Millie et Robin ? Après tout, puisque tu es dans le coin...

– Bah. Elles ont leurs petites habitudes pour Noël. Et puis Robin va avoir dix-sept ans. On la verrait sûrement une heure ou deux à table avant qu'elle file voir ses copains. Alors bon... » Il en resta là. Patrick acquiesça. Kennedy fit tournoyer son vin dans son énorme ballon, le regard perdu dans le tourbillon couleur rubis. Puis il finit par demander :

« Ça fait comment, dis ?

– Quoi donc ?

– De vivre avec la même personne pendant si longtemps ? Vous êtes ensemble depuis combien de temps, maintenant, Anne et toi... dix-sept ans ? C'est comment d'avoir sa famille en permanence autour de soi ? » Patrick éclata de rire. « Ben quoi ? protesta Kennedy.

– Désolé. C'est le ton de ta voix... On dirait que tu enquêtes sur l'un des secrets les plus mystérieux de l'humanité. La plupart des gens vivent comme ça, tu sais. Ils rencontrent quelqu'un, ils s'installent, fondent une famille...

– Mais comment fait-on, au fil des années ? Comment survit-on aux changements, à tous les...

– Quels changements ? On se lève le matin, on part au travail, on paie ses factures et, pendant ce temps-là, les enfants poussent et grandissent comme des petites plantes. Tu sais quel est ton problème ? » Mais qu'est-ce qu'ils avaient, tous, à la fin ? Certains jours, il avait l'impression d'ouvrir ses rideaux pour trouver une file de gens plantés devant chez lui, une file qui s'étirait tout autour du pâté de maison, chacun attendant patiemment son tour pour lui expliquer quel était son problème. Avec un ticket à la main comme chez le traiteur. « Tu as beaucoup trop le temps de penser à toi-même.

– Eh bien, comme dirait l'autre, mieux vaut un Socrate malheureux qu'un cochon heureux.

– Ah oui ? Tu te situes dans quelle catégorie ? »

Kennedy sourit. « Bien vu.

– Ce que je veux dire, c'est que ma façon de vivre me semble plus facile que la tienne.

– Et quelle est ma façon de vivre ? »

D'un geste, Patrick désigna l'intérieur du restaurant, leurs assiettes, le vin. « Tu vis dans un monde irréel. Toujours entre deux avions. À courir les restaurants. C'est... tu permets que je sois honnête ?

– Vas-y, vide ton sac.

– Ça a l'air glamour et tout, mais en réalité ça me semble surtout très... creux.

– Mais oui. C'est ça. Tout à fait creux », répondit nonchalamment Kennedy en vidant son verre d'un trait avant de reprendre la bouteille. Patrick plaqua sa main sur le haut de son verre. « Oh, allez, quoi. On n'a quand même pas si souvent l'occasion de boire un coup ensemble ! Je me demande si t'es un vrai Irlandais, parfois.

– Oui, un vrai Irlandais qui doit retourner dans son vrai bureau.

– Tu vas y retourner pour quoi ? » Kennedy consulta sa montre. « Deux petites heures ? Prends ton après-midi, enfin ce qu'il en reste. Mon vol retour n'est qu'à 20 heures.

– C'est impossible, Kennedy. J'ai un très gros dossier sur les bras. Je dois...

– C'est si important que ça ? Je suis en train de louper une projection de rushes pour être ici avec toi, je te signale. »

Patrick sourit et se pencha en avant, les coudes sur la table.

« Laisse-moi t'expliquer un truc, Kennedy. L'autre jour, quand tu m'as appelé pour dire que tu ne pourrais pas venir, tu m'as peut-être trouvé un peu expéditif avec toi, mais je devais assister à l'autopsie d'un gamin. Il était sur la liste des enfants que nous surveillons mais, manifestement, on ne l'a pas surveillé d'assez près. Le gamin a déboulé en courant dans le salon – juste pour jouer, tu vois ? – et il a renversé la bouteille de vodka de son père. Il était 11 heures du matin. Le père voit sa bouteille tomber par terre et se vider sur la moquette. Alors il attaque son gosse à coups de poing. Il le coince contre un mur et lui cogne la tête jusqu'à ce qu'il perde connaissance. Le gosse avait le crâne tellement fracturé que le médecin a cru qu'il s'était fait renverser par une voiture. Il est mort aux urgences un peu plus tard, dans la soirée. »

Kennedy fixait la nappe.

« Tu vois, ce gamin, personne dans nos services n'avait suggéré de le placer en foyer d'urgence, parce que nous manquons de personnel et que nous n'avons pas le temps d'effectuer le nombre réglementaire de visites de contrôle préalables à toute demande d'intervention. Mais ce n'était pas fini. Quand le médecin légiste a retourné le gamin sur le ventre – un môme de six ans, hein – il lui a découvert une fissure anale. Le père ne se contentait pas de tabasser son fils, il le violait, aussi. »

Kennedy ferma les yeux. Il avait envie de plaquer ses mains sur ses oreilles.

« Bref, il faut que je retourne au bureau pour éplucher deux ans de dossiers et tâcher de comprendre pourquoi personne n'a jamais vu que cet enfant était victime d'abus sexuels. Mais sois remercié du fond du cœur pour avoir sacrifié ta petite projection de je-ne-sais-quoi. »

Il y eut un silence.

« Je te présente mes excuses, Patrick.

– Bah. Non. C'est moi... J'aurais pas dû te raconter tout ça. C'est pas rose tous les jours, comme on dit. Bon, il faut que j'y aille. Merci pour le déjeuner. C'était royal. Ah, j'oubliais... » Il glissa quelque chose en travers de la table au moment de se lever. « Je comptais te l'envoyer, mais puisque tu es là... »

Kennedy regarda le bout de papier. Sa vision commençait à s'embrumer un peu. C'était un chèque, rédigé en solides lettres capitales, la même écriture que leur père.

« Qu'est-ce que c'est ?

– Le solde de ce que je t'avais emprunté pour l'extension de la maison. Je te devais encore cinq mille livres.

– Oh, Seigneur... Garde ton pognon, frangin.

– Non. On est quittes, maintenant.

– Je suis sérieux, Patrick. Offre-toi des vacances. Verse un acompte pour te payer une bagnole. Emmène Anne à...

– Je tiens à te rembourser.

– Je ne veux pas de ton argent. »

Patrick soupira. « Écoute, Kennedy, prends ton putain de chèque, OK ?

– Oh là là, pas la peine de monter sur tes grands chevaux... OK, c'est d'accord. »

Il plia le chèque, le glissa à l'intérieur de sa poche poitrine et se leva. Pendant leur accolade, Kennedy sentit le frottement du col en acrylique de Patrick contre sa joue. Il recula et le tint à bout de bras.

« Tu penses à Gerry, des fois ?

– Oui. Souvent.

– Je n'arrête pas de me dire qu'on aurait pu... que *j'aurais* pu... et merde.

– Elle était alcoolique et droguée, Kennedy. Pour les gens comme elle, le taux de mortalité avant quarante ans explose tous les compteurs. »

Kennedy opina, les mains toujours posées sur les épaules de son frère. Il tira sur un fil qui dépassait d'une couture. Épousseta un peu ses pellicules. « Tu pourrais au moins garder cet argent pour t'acheter un costard digne de ce nom. »

Patrick s'esclaffa. « J'ai déjà deux costumes. Qu'est-ce que je ferais d'un troisième ? »

Kennedy l'enlaça à nouveau. « À la semaine prochaine, d'ac ?

– D'ac. Prends soin de toi, frérot. Bonne chance avec ton film. Et surtout bon voyage, OK ? »

Le serveur revint au moment où Patrick s'en allait. « Souhaitez-vous consulter la carte des desserts, monsieur ?

– Vous savez quoi ? Apportez-moi plutôt un grand armagnac.

– Tout de suite. »

Il regarda dehors. Les lampadaires s'allumaient, le Green s'enfonçait lentement dans la pénombre. St. Stephen's Green

– aux yeux de Kennedy, le seul bout de terrain valable de toute la littérature du XXe siècle : une vingtaine d'acres de verdure citadine à laquelle tout romancier en activité devait une fière chandelle.

C'est ici, juste en face de l'endroit où il se trouvait en ce moment même, que James Joyce s'était retrouvé mêlé à une « bagarre » dans la soirée du 22 juin 1904. Une rixe. Une escarmouche. Ce vieux rabat-joie – pas si vieux, à vrai dire, vingt-deux printemps tout juste. Vingt-deux ans, le soir du 22. Frais comme un gardon. Il était déjà amoureux de Nora, mais n'avait pas encore réussi à conclure et, justement, il lui faisait une cour appuyée, ignorant que son petit ami se baladait dans les parages. Le petit ami en question voulut, lui aussi, y mettre les mains... et Joyce prit cher : « œil au beurre noir, foulure au poignet et à la cheville, entaille à la main, blessure au menton ». Un passant vint à son secours, un juif entre deux âges du nom d'Albert H. Hunter. (Et Kennedy s'interrogeait souvent sur la honte ressentie par son compatriote dans cette situation. Tabassé en public, puis secouru par un vieux bonhomme ? C'est moche.) Hunter raccompagna Joyce chez lui. Et en chemin, Joyce apprit que son sauveur avait une épouse adultère.

Hunter devint Leopold Bloom.

Kennedy baissa les yeux. On avait déposé son verre d'armagnac près de son coude. Il le porta à hauteur de son visage et laissa les vapeurs de l'alcool lui picoter les yeux.

Bref. De cet incident, presque quinze ans plus tard (un bon délai pour laisser l'expérience infuser, extraire les litres d'essence de rose), était né *Ulysse* : un bouton d'avance rapide déguisé en roman de sept cents pages. Et aujourd'hui encore, on essayait de suivre le rythme.

Fissure anale.

Elle avait pleuré elle aussi en lui répétant ces mots – "Je t'ai trop aimé". Quel effet avait-il eu sur lui, cet excès, ce surplus d'amour ?

Il était au moins sûr d'une chose : il n'avait pas envie de reprendre l'avion pour Londres, puis la M40, pour se retrouver tout seul dans sa grande maison. Il sortit son téléphone et appela Paige. Pas de réponse. Messagerie. « Salut, c'est Kennedy. J'espère que tu vas bien. Je rentre de Dublin ce soir. Je devrais être rentré vers 23 heures, si ça te dit de passer pour un petit souper nocturne... ou autre... Rappelle-moi. *Ciao*. »

Il raccrocha et demanda l'addition. Quelques minutes plus tard, alors qu'il tapait son code de carte bleue sur la machine, son téléphone couina. Un SMS. *Désolée, je suis chez mes parents. On se voit en cours mardi. P.*

Il soupira et regarda par la fenêtre.

Ici même, à St. Stephen's Green, il y a cent neuf ans.

47

Il avait laissé sa voiture à Heathrow, sur le parking dépose-minute, ce qui coûtait plus cher à la journée qu'une chambre dans bien des hôtels. Juste assez sobre pour conduire, il roulait sur la M25, encore un peu abruti par l'alcool ingurgité au déjeuner, lorsqu'il vit le panneau annonçant la bretelle de sortie n° 16, autrement dit le chemin pour Iver Heath. Pinewood.

Chez Spengler.

Passe boire un verre, à l'occasion.

Subitement, la perspective d'aller piocher dans le bar de son producteur dans un petit quart d'heure lui parut bien plus alléchante que de se taper une heure et demie d'autoroute pour rejoindre une maison déserte. Il regarda sa montre – 21 heures et des poussières. Pourquoi pas ? Ça valait le coup, rien que pour voir la tête de ce cher Scott.

Il mit son clignotant et changea de file tout en cherchant l'adresse dans ses e-mails pour la rentrer dans son GPS.

Une vingtaine de minutes plus tard, il se garait dans l'allée. La maison était plus ou moins l'équivalent de sa villa de Beverly Hills, version manoir britannique : imposante et tentaculaire. À sa gauche, dans le noir, il distinguait les lignes blanches du fameux court de tennis si controversé. L'intérieur de la demeure semblait également plongé dans l'obscurité, mais la Range

Rover de Spengler était garée devant, à côté d'une vieille Polo appartenant sans doute à un membre du personnel. Kennedy sortit de son Aston et traversa l'étendue de gravillons jusqu'à l'entrée. Merde... et s'il était déjà couché ? En bon Américain qu'il était, c'était possible. Non. En bon Californien. Le couvre-feu de 21 h 30 était donc une hypothèse d'autant plus crédible. Kennedy longea la façade du côté et aperçut un rai de lumière filtrer depuis l'arrière de la maison.

Il suivit le petit sentier pour la contourner. De la musique flottait dans l'air. Du R&B. Voilà qui est déjà mieux, songea-t-il. Il savait que l'épouse de Spengler était restée à L.A. Peut-être avait-il organisé une petite fête chez lui. Avec l'équipe du film. Mais dans ce cas, où était son invitation ? Il déboucha sur la pelouse de derrière et se rapprocha de la lumière et de la musique jusqu'à parvenir à de grandes portes-fenêtres. Il avança et, le nez collé contre la vitre, il aperçut une sorte de jardin d'hiver installé là. Il n'y avait personne, mais une bouteille de Cristal vide flottait dans un seau à champagne sur la table. Kennedy frappa deux ou trois fois au carreau, sans obtenir de réponse. La musique était plus forte, à présent. Elle devait provenir d'une autre pièce à l'intérieur de la maison.

Lorsqu'il actionna la poignée, la porte s'ouvrit comme par enchantement. Il entra en appelant « Scott ? Scott ? » tous les deux ou trois pas. Il franchit une autre porte et se retrouva dans un grand salon. La musique était à plein volume. Une bûche brûlait dans la cheminée et là, devant l'âtre, de dos, étendue par terre, nue sur un drap de bain...

Paige.

Il resta interdit. La chanson se termina. Elle se retourna et leurs yeux se croisèrent. Elle poussa un cri, puis plaqua sa main sur sa bouche. Alors, comme dans un film d'horreur, une porte s'ouvrit et Spengler entra, à poil sous un peignoir, une nouvelle bouteille de champagne à la main. Son regard passa de Paige à Kennedy, et il dit simplement :

« Merde.

– Kennedy... » commença Paige.

Il tourna les talons et repartit d'un pas calme. Sans se retourner.

Une fois dans sa voiture, il alluma le contact et démarra en trombe, projetant sur la Range Rover de Spengler une nuée de gravillons qui lui vaudrait certainement une visite au garage pour refaire la peinture de sa carrosserie.

T.O.M.B.E.U.R ?

Tombé.

48

L endemain soir. Dîner chez le doyen. Il aurait préféré annuler, bien sûr. Mais le vieux l'avait toujours soutenu. Et puis, raisonna Kennedy (si tant est que « raisonner » soit le mot juste ici, compte tenu des deux martinis épiques qu'il s'était descendus le temps de finir de s'habiller), il n'avait pas très envie de rester seul chez lui à ruminer. Sors et vois des gens. Vis, aime, assume, etc.

C'était une grande maison victorienne située dans une rue verdoyante à la lisière de Deeping. Résolument bourgeoise, mais moins spectaculaire que ne l'aurait imaginé Kennedy. À quoi s'était-il attendu ? Connaissant la personnalité de Lyons, davantage à une ambiance genre *Retour à Brideshead* : valets postés dans le vestibule et journaux fraîchement repassés annonçant en une : « On a tiré sur l'archiduc ! » Kennedy avait eu droit à la place d'honneur, à la droite de son hôte. Autour de la longue table se trouvaient également l'épouse du doyen, Millie, le professeur Bell (membre du comité F. W. Bingham), un autre maître de conférences du département d'anglais dont le nom lui échappait, une Américaine – une amie du doyen, de passage, grande admiratrice de Kennedy – ainsi que Drummond et sa femme, Karen, qui enchaînait les verres avec une bonne cadence. Drummond, bien sûr, jouait les capitaines de soirée et conduirait au retour – alors qu'ils n'habitaient qu'à l'autre bout de la ville.

« Le premier trimestre s'achève déjà, déclara le professeur Bell à Kennedy. Qu'en avez-vous pensé ?

– Ce fut… riche en événements.

– Et comment », fit Lyons en se resservant des pommes de terre. Kennedy, lui, se versa une demi-pinte de rioja dans son verre à vin. « De vous à moi, poursuivit-il en se penchant vers les deux hommes avec un air de conspirateur, je serais prêt à payer pour vous garder une année de plus. Les demandes d'inscription ont explosé. Il faut croire que toute publicité est bonne à prendre, même quand elle est mauvaise.

– Oui, comme on dit… Il ne faut jamais lire les critiques, seulement les peser.

– C'est tellement vrai.

– Dites-moi, Mr Marr, intervint l'Américaine, que pensez-vous du potentiel de vos étudiants pour l'écriture ? »

Paige. Cette sale…

« Bah, certains ont le sens de la phrase, assurément », dit-il, conscient que le reste de la tablée s'était tourné vers lui pour l'écouter. Il s'arrêta. Réarrangea sa serviette.

« Mais ?… insista le professeur Bell.

– Disons que… très peu d'entre eux semblent avoir saisi ce que Fitzgerald appelait "le prix d'entrée".

– C'est-à-dire ? »

Tes putains de tripes étalées sur la page.

« Les pires idées. Comme les plus belles. Les premiers romans, les écrits de jeunesse, à de rares exceptions près, laissent exploser l'expression et ne se soucient pas de technique. Ou en tout cas, c'est ce qu'ils devraient faire. Or, ces gamins-là ont une vague notion de ce qu'est la technique, ils ont piqué quelques figures de style à d'autres écrivains. Mais l'art créé à partir de l'art n'aboutit qu'au maniérisme. J'imagine qu'ils n'ont rien à dire. Et c'est bien normal. Hormis Capote ou Mailer, voire Easton Ellis ou Martin Amis, peu d'auteurs ont pondu un roman valable avant l'âge de vingt-cinq ans. Mais certains étudiants parmi les plus âgés, ceux qui persistent déjà depuis des années... ceux-là, on voudrait pouvoir leur dire de laisser tomber. » Il vida son verre et le remplit à nouveau sous l'œil dédaigneux de Drummond, mais il s'en contrefichait.

« Mais, tout de même, répliqua le maître de conférences dont il avait oublié le nom, n'êtes-vous pas censé les encourager, leur donner confiance en eux afin qu'ils aillent chercher le meilleur d'eux-mêmes ? »

Kennedy haussa les épaules. « Je ne crois pas qu'il s'agisse d'encourager ou de décourager qui que ce soit. C'est trop cruel d'encourager quelqu'un qui n'a pas de talent. C'est même pervers. En même temps, vous ne pourrez jamais décourager un véritable écrivain. C'est tout bonnement impossible.

– Mr Marr, ré-intervint l'Américaine, que pensez-vous du concept d'intention d'auteur ? Le Dr Drummond ici présent était justement en train de dire que... Qu'étiez-vous en train de dire, déjà ? »

Drummond secoua la tête sans la regarder. « Je disais que la critique littéraire avait depuis longtemps renié la validité de ce concept. Naturellement, en dépit de la touchante dévotion de Kennedy pour ses sacro-saints Mâles blancs décédés – les Mailer, Fitzgerald, Hemingway et autres –, d'un certain point de vue, on pourrait considérer qu'un texte n'est jamais que le point de convergence de diverses forces socio-politico-économiques.

– Mais l'intention de l'auteur joue forcément un rôle, poursuivit l'Américaine. N'essayez-vous pas de développer certaines idées à travers vos livres ? De faire réfléchir vos lecteurs ?

– Bah, vous savez, je cherche surtout à les distraire, fit Kennedy.

– Je dois dire, déclara Drummond, que votre loyauté envers la chapelle de la fiction narrative du XIXe siècle est tout à fait touchante. N'avez-vous jamais réfléchi au fait que votre canon littéraire sacré était le fruit d'une hégémonie impérialiste, raciste et sexiste ? Que d'autres voix, qui remettent cela en cause, en étaient exclues ?

– Lesquelles ? » répliqua Kennedy. Son verre semblait à nouveau vide. Le doyen le resservit, avec une fugace expression d'exaspération sur le visage, l'air de dire « et voilà que ça recommence ».

« Kathy Acker, par exemple. Ou Althusser.

– Ce sont des figures mineures de la littérature. Je doute que leurs œuvres soient encore étudiées, ou même lues, d'ici une cinquantaine, voire une vingtaine d'années.

– Justement. Qui fait le tri, et qui décide de ce qui mérite d'être enseigné ? Ou de survivre ?

– Le temps.

– Le temps ?

– Oui, je crois que le temps élimine les arnaqueurs. Quant à la "fiction narrative du XIXe siècle", elle a survécu jusqu'à nous pour la bonne raison qu'on aime la lire. Tous ces types qui surgissent, de temps à autre, avec la ferme intention de tout foutre en l'air, à la B. S. Johnson ou je ne sais qui, vous savez ce qui leur arrive ? Ils sombrent dans la folie. Et leurs bouquins sont épuisés.

– Si je comprends bien, fit Drummond en croisant les bras, la postérité est un thème qui vous est cher. Vous vous souciez de savoir ce qu'il adviendra de vos romans dans le futur.

– L'intention d'auteur n'a rien à voir avec le regard que porte l'auteur sur lui-même, nuança Kennedy.

– Mais, quand vous regardez l'ensemble de votre œuvre... commença à dire l'Américaine.

– Une fois qu'on a terminé un livre, on ne revient plus dessus, répondit Kennedy. "Mais pourquoi diable me souciais-je, moi, de le mettre en selle", vous voyez ? » Il pencha la tête, sa voix résonnait délicatement entre les verres en cristal et les chandeliers.

Oh non, c'est reparti... songea Millie, dans son coin.

> *Moi, l'affamé du sein de sa fiancée fée...*
> *Aux acteurs, à la scène peinte tout mon amour,*
> *Et non au sens dont ils étaient l'emblème...*

Le dernier vers lui semblait particulièrement douloureux, à présent. Il se pencha en avant, perdu dans ses pensées. Comment résister aux douces sonorités de Yeats, dans une pièce lambrissée de chêne, scandées avec l'accent irlandais de Kennedy ?

> *Les images sont souveraines de par leur forme achevée.*
> *Et celles-ci grandirent dans la pureté de l'esprit*
> *Mais de quoi naissent-elles ? Du dépotoir*
> *Où va ce que l'on jette et le balayage des rues.*
> *Vieilles marmites, vieilles bouteilles, boîte cassée,*
> *Vieux fer, vieux os et vieilles nippes, et à la caisse*
> *Cette souillon qui délire. Mon échelle est tombée,*
> *Et je dois mourir là, au pied des échelles,*
> *Dans le bazar de défroques du cœur[1].*

───────────

1. Extraits de *La Désertion des animaux du cirque* de W.B. Yeats, traduction Yves Bonnefoy, « Quarante-cinq poèmes », Gallimard/NRF, 1993.

Il leva les yeux en souriant, repoussa ses épais cheveux noirs de ses yeux avant de tendre la main vers son verre. Les applaudissements éclatèrent autour de la table, et Drummond s'y joignit à contrecœur. «Excellent, commenta Lyons. De nos jours, il est si rare d'entendre… » À l'exception de Millie – à qui on ne la faisait plus –, toutes les femmes présentes couvaient Kennedy du regard en croisant et décroisant les jambes.

«Veuillez m'excuser », déclara-t-il.

Dehors, pendant qu'il fumait une cigarette dans l'air humide du mois de décembre, il vérifia son répondeur. Spengler : «Écoute, heu… appelle-moi, OK? » Le Dr Beaufort : «Nous avons vos résultats. Je ne veux surtout pas vous inquiéter, mais le mieux serait que vous passiez pour que nous en discutions. Dès que cela vous sera possible. » *Oh, putain.* Et enfin, Patrick : «Kennedy. Rappelle-moi. »

Il comprit. Rien qu'au ton de sa voix.

«Patrick.

– Salut. Tout à l'heure, dans la soirée. En gros, elle s'est endormie après notre départ hier… et voilà.

– Est-ce que ça va?

– Ouais, ouais… Je te tiens au courant de la suite des événements. »

Kennedy raccrocha et s'alluma une nouvelle Marlboro avec le mégot de la précédente. Et voilà. La seule femme au monde capable de le supporter, tel qu'il était. Il sentit monter en lui le grondement de sa réaction habituelle face à la mort – la rage. *Oh, saloperie. Espèce de pute.* Et la peur, aussi.

«Dès que cela vous sera possible. »

Et avec Paige, où en était-il? Que se passait-il dans ce bazar de défroques qu'était son vieux palpitant? Il avait failli ouvrir la porte, pas vrai ? Il s'était senti à deux doigts de laisser *la chose* pointer à nouveau le bout de son nez. La valeur primaire. Ce truc qui nous survivrait, à tous. À peine avait-il entrouvert la porte qu'un vent glacé s'était engouffré à l'intérieur, l'envoyant au tapis. C'était instructif, d'une certaine manière, de constater que l'amour possédait toujours ce pouvoir dévastateur, même à son âge. Il se sentait comme toujours dans ces moments-là : inutile, rejeté, méprisé, vide. Et puis, sous toutes ces couches, poignait un sentiment d'effroi encore plus fort que d'habitude. Parce qu'à ce stade de la partie, chaque moment pouvait être le dernier. Il avait juste envie de ramper au fond d'une bouteille de whisky et d'inhaler à pleins poumons.

Il jeta sa cigarette et rentra dans la maison. Les invités étaient passés au salon. Ils se tenaient debout, un café ou un verre de brandy à la main. À l'autre bout de la pièce, Millie discutait avec la femme de Lyons. Kennedy se servit une généreuse dose de whisky, l'avala cul sec et se dirigea vers elles.

« Ça alors, lâcha l'Américaine au moment où il passait devant elle, vous fumez encore, hein ? » Il venait de se griller trois cigarettes coup sur coup. Il devait sentir le tabac à plein nez.

Il esquissa un sourire et poursuivit son chemin.

« Avez-vous déjà essayé d'arrêter ? » lui demanda Drummond.

Oh, bravo. Bien joué. Excellent.

« Pardon, vous disiez ? » lui rétorqua Kennedy d'une voix tendue dans laquelle pointait l'accent du pilier de bar de Limerick. Millie se retourna, la mine réprobatrice ; elle connaissait suffisamment les tics de langage de Kennedy pour identifier les signaux de danger, et pour savoir quel effort surhumain il avait dû produire pour ne pas prononcer un seul juron dans cette phrase.

« Eh bien, je m'étonne juste de constater que vous êtes, comment dire ? Toujours accro à la nicotine, à votre âge. Après être devenu père de famille et tout le reste.

– Je vois, fit Kennedy en hochant la tête et en se grattant le menton. Vous savez quoi, Dennis ? Je suis prêt à m'arrêter, si vous m'y aidez. Allez, c'est dit, j'arrête de fumer, mais à une condition : auriez-vous le courage, disons, d'attraper le sida ou quelque chose comme ça ? »

Toutes les têtes se tournèrent.

« Kennedy ! » Ça, c'était Millie.

« Je vous demande par... commença Drummond.

– Le sida. Vous ne voudriez pas attraper le sida ? Vous pourriez vous mettre à l'héro et partager vos seringues avec un squat de junkies, par exemple.

– *Kennedy*, siffla Millie.

– Ou sinon, demandez à une grande folle séropositive de vous enfoncer son dard ultra-pointu jusqu'à l'os. Même si, bien sûr, l'une ou l'autre de ces méthodes exigerait de vous que vous deveniez un minimum intéressant. Ce qui, je le reconnais, est problématique. Peut-être une bonne vieille épidémie de syphilis serait-elle davantage à votre portée, non ? C'est rapide comme l'éclair : on a la bite qui se transforme en pied, et puis on meurt. » L'épouse du doyen le dévisageait comme on regarde un 747 avec tous les membres de sa famille à bord s'écraser sur un tarmac d'aéroport. « Car je crois sincèrement, poursuivit Kennedy, que vous pourriez m'aider à supporter le manque du début. Il me suffirait de venir chaque jour à l'hôpital, ou à l'hospice, pour voir votre sale petite gueule de non-fumeur content de lui se creuser et se désintégrer jusqu'à la mort. Je me fixerais l'objectif d'être présent au tout dernier moment, pour vous murmurer quelques belles vacheries à l'oreille pendant que votre carcasse de trente kilos exhalerait son dernier souffle. Je pourrais par exemple vous expliquer comment je prendrais soin de Karen… » – il désigna sa femme d'un geste – « … pour l'aider à surmonter le deuil, si vous voyez ce que je veux dire. » Il y eut des hoquets de stupeur dans l'assistance, un cri haut perché et un « Kennedy ! » furibond lancé par Millie, qui le tirait en même temps par le coude. « Alors, vous voulez bien faire ça pour moi ? Choper un bon gros virus et m'aider à ne plus être "accro à la nicotine" ? Hein, Dennis ? Mon petit sal… »

Drummond lui colla son poing, très fort, en pleine figure.

C'était joliment frappé, il fallait bien l'admettre, songea Kennedy en vacillant vers l'arrière pour s'écrouler. Rapide, appuyé avec ce qu'il fallait de poids et bien accompagné jusqu'au bout. Peut-être avait-il sous-estimé ce bon vieux Drummond.

49

Il sortit de l'immeuble, descendit les marches du porche et retrouva Harvey Street et ses maisons de ville à l'architecture georgienne où, depuis des siècles, riches et puissants venaient confier leurs soucis de santé et leurs secrets honteux. Combien de gens aux souliers élégants avaient foulé ce trottoir d'un pas pesant, le cœur gros ? Un pub. Il fallait absolument qu'il trouve un pub. Il tourna à gauche sur Great Portland Street et poussa la porte du George. L'endroit était quasi désert en ce milieu d'après-midi, à l'exception de quelques types à l'allure très BBC agglutinés au bar – la Broadcasting House se trouvait juste au coin de la rue. Le pub ne vendait que des bières de la brasserie Samuel Smith. Aussi les pompes à pression ne portaient-elles aucun des noms rassurants qu'il aimait tant : pas de Stella, de Kronenbourg ni d'Amstel. Il se commanda un grand whisky et une pinte de la bière la plus forte. Le serveur lui jeta un regard en coin à cause du coquard psychédélique qui lui cernait l'œil. Le whisky fut avalé à la seconde où il fut posé devant lui. Il en commanda un autre et prit ses deux verres pour aller s'asseoir seul dans un coin.

En dehors de l'écriture, Kennedy ne prenait pas grand-chose au sérieux. Toutes sortes de gens le lui avaient reproché à diverses époques de son existence : profs, tuteurs, les deux employeurs qui avaient été assez stupides pour l'embaucher pendant le bref intervalle entre la fac et le succès littéraire, ex-petites amies, ex-femmes... Mais *ça*, il ne le prendrait pas à la légère. La chose exigeait de la sobriété et de la réflexion. Un esprit clair. (Pour écrire clairement, il faut penser clairement. Voilà pourquoi c'est si difficile.) Il but une longue gorgée de bière et baissa les yeux vers son entrejambe.

Il était là, l'enfoiré. À faire quoi ? À le tuer, lentement mais sûrement. L'heure était grave mais l'écrivain en lui ne pouvait s'empêcher d'interpréter cette mauvaise blague, cette obscénité hilarante, preuve de la cruauté de l'univers : il avait passé une grande partie de sa vie à pourvoir aux besoins de ce tas de chair flasque et ridicule parcouru de tuyaux. C'était pour satisfaire ses exigences qu'il avait blessé tant de femmes, de toutes les façons imaginables, profondément, n'importe comment. Cela portait un nom, un mot trop souvent employé à mauvais escient : l'ironie.

Beaufort y était quand même allé de son petit laïus de compassion – « Je suis navré. Je sais que c'est un choc terrible, mais je préfère vous avertir du pire afin d'éviter les mauvaises surprises » – avant de lui balancer en vrac une quantité effarante de mots dégoûtants : « oncologie », « malignité », « taux de survie » et puis, cerise sur le gâteau, inévitablement, « chirurgie ». Il lui avait prescrit vingt jours de Valium. Histoire de « mieux dormir ».

Mince, ils avaient aussi eu de bons moments, tous les deux, non ? À commencer par ici, dans ce pub, à la fin des années 1990, juste après la publication d'*Impensable*. Il venait de se faire interviewer pour Radio 4. (Un talk-show baptisé *Front Row* ou quelque chose comme ça.) Après l'émission, il était venu boire un verre ici avec les gens de l'équipe. Dont une petite productrice super canon. Ils avaient commencé là-bas, dans les toilettes, avant de finir dans une chambre du Langham. Il se souvenait encore de l'orgasme. Comment s'appelait-elle, déjà ? Impossible de se rappeler son prénom. En revanche il aurait pu décrire chaque seconde de son éjaculation. Assez, assez, assez.

« Cela dépendra de ce qu'ils trouveront lorsqu'ils iront voir de près. L'emplacement n'est pas idéal, un peu trop près de la base. Du frein. Bon, l'hypothèse la plus pessimiste… »

Il descendit le reste sa pinte. Remarqua que son verre de whisky était vide, lui aussi. Il ne se rappelait même pas l'avoir bu. Il alla au bar et commanda la même chose. Y aurait-il de possibles avantages à tirer, dans l'histoire ? Une délivrance, un détachement total de l'infernale machine sexuelle ? Une forme de tranquillité, voire de sagesse ? Connaîtrait-il enfin l'apaisement nécessaire pour écrire les livres qu'il sentait encore en lui ? Soudain expansif après l'absorption de presque deux pintes et cinq verres de whisky, Kennedy tenta de s'imaginer sa nouvelle vie. Il mènerait une existence paisible, et même monacale. Plongé dans l'observation amusée des passions et des tourments humains. Consignant soigneusement leurs circonvolutions fébriles du le sommet de sa tour d'ivoire asexuée, ses démons vaincus et enterrés depuis belle lurette. Si YouPorn, Tube Galore et Red Tube avaient été cotés en bourse, il aurait regardé leurs valeurs dégringoler avec une satisfaction non dissimulée.

« J'ai bien peur qu'il ne vous soit laissé que trois ou quatre centimètres. De quoi assurer les fonctions urinaires basiques. »

Castré. Une cacahuète. Un moignon.

Une troisième pinte et deux autres whiskys plus tard, après avoir analysé la situation sous tous les angles, envisagé toutes les stratégies et les décisions possibles, il ne voyait plus qu'une seule option. D'où la fameuse question – ses affaires étaient-elles en ordre ? Sentimentalement parlant, Kennedy n'avait jamais été très soigneux. Sur le plan légal, en revanche, tout était parfaitement réglé : l'an dernier, sur les conseils pressants de Braden, il avait pris rendez-vous avec un avocat fiscaliste pour régler la question. Tous ses biens immobiliers, ses comptes courants et son capital seraient répartis à parts égales entre Patrick et Robin, laquelle deviendrait également l'unique ayant-droit de sa succession littéraire, dont Connie assurerait la gestion.

Quant à l'autre question – celle du passage à l'acte à proprement parler –, il s'agissait surtout de décider *quand*. (Il avait déjà sa petite idée du *comment*.) « Ne jamais remettre au lendemain ce qu'on peut faire le jour même », se dit-il aussitôt. Et pourquoi pas ? L'ordonnance pour le Valium attendait sagement dans la poche de sa veste. S'il voulait, il pouvait dépenser sur-le-champ environ cent mille livres sterling, grâce aux cartes de crédit rangées dans son portefeuille. Pourquoi ne pas le faire maintenant ? Ce soir. Au Langham ! Bien sûr. C'était juste au coin de la rue. Il se prendrait une chambre. Non, et puis merde – une *suite*. Autant voir les choses en grand. Il fut stupéfait par la limpidité de ses pensées, compte tenu de la quantité d'alcool dans son système sanguin. Il consulta sa montre – 16 h 30, la nuit tombait déjà dehors – et effectua un nouvel aller-retour au comptoir. Depuis combien de temps ne s'était-il pas promené dans les rues de Londres ? Plus d'une décennie, sans doute. Cette ville magnifique où tout avait commencé pour lui et qu'il avait si cruellement trahie pour L.A. – une liaison qui s'était transformée en secondes noces.

Bref, c'était décidé. Dans les grandes lignes, en tout cas. Il finit son verre et laissa un billet de cinquante au bar en guise de pourboire.

Direction le Langham, sur Portland Place. Ce n'était qu'à dix minutes de marche, arrêts compris : d'abord dans une pharmacie pour récupérer son Valium, puis devant un distributeur automatique sur Mortimer Street où il utilisa sa carte bancaire puis son American Express pour retirer mille livres en liquide. Il glissa un billet de vingt dans la main du portier en montant l'escalier vers le hall puis s'engouffra dans la porte-tambour de l'hôtel.

Le vestibule avait changé depuis la dernière fois qu'il était venu ; la réception se trouvait désormais sur la droite, en haut d'une volée de marches.

« Bonjour, bonjour, je débarque un peu à l'improviste mais auriez-vous une suite de libre ? Juste pour cette nuit.

– Une suite junior ?

– Non, non. Supérieure.

– Je vais vérifier nos disponibilités, monsieur. » La fille tapa sur son clavier. Elle avait autour de vingt-cinq ans, physique avenant, accent d'Europe de l'Est. « Je peux vous proposer la Suite Infinity. Elle comporte deux chambres à coucher. C'est la plus grande que nous ayons.

– Et combien pour ce p'tit paradis ?

– Le tarif à la nuit est de dix mille trois cents livres. Taxes comprises.

– Parfait. » Kennedy fit cliqueter son AmEx sur le comptoir en marbre.

« Et pour vos bagages...

– Non, je... C'est bon. »

La fille le regarda. Il faillit tapoter sa poche poitrine. Brosse à dents. Benjamin Braddock, pétri de trac dans le hall de l'hôtel Taft. Une grande scène.

Ah, songea-t-il tandis qu'un garçon d'étage entrait devant lui dans la chambre pour allumer les lumières, c'est ce que j'appelle un décor digne de ce nom. La superficie totale de la suite, lui avait-on fièrement expliqué dans l'ascenseur, dépassait les deux cents mètres carrés. Quelques marches permettaient d'accéder, à droite, à l'espace salon. Sur la gauche, il y avait une immense table dressée pour huit personnes et un couloir menant à la chambre (enfin, à l'une des chambres) et à la salle de bains – laquelle, en guise de baignoire, comportait carrément une mini-piscine à débordement.

« Merci, mon gars, dit Kennedy à l'employé en lui refilant trois billets de vingt.

– Je vous remercie, monsieur. Y a-t-il autre chose pour votre confort ?

– Non, ça ira comme ça. Je vous laisse à vos occupations. »

Le jeune type s'en alla. Kennedy décrocha le téléphone.

« Room service, j'écoute ?

– Bien le bonsoir. Pourriez-vous me faire monter, disons, une douzaine d'huîtres, trois cocktails de crevettes » – *Cocktails de crevettes ?* Encore sa déformation californienne, nom de Dieu – « une bouteille de Dom Pérignon et… trois martinis ?

– Bien sûr, monsieur. Pour les martinis…

– Gin, Tanqueray si vous avez ça en magasin, sinon n'importe quoi d'autre, olives, très sec.

– Parfait, monsieur.

– Merci. »

Il raccrocha et traversa le salon en passant devant une commode ancienne surmontée d'une télé écran plat trente pouces. Il écarta les rideaux, ouvrit la porte-fenêtre et sortit sur le balcon, son haleine formant des petits moutons blancs dans l'air glacé de décembre. Il se trouvait au dernier étage de l'édifice. À sa droite, Regent Street serpentait vers le sud en direction de Piccadilly Circus, avec ses décorations de Noël. À sa gauche, juste en face, se dressait le majestueux immeuble de la Broadcasting House tel un paquebot en pleine mer, brillamment illuminé par des lampes à arc, son mât et ses antennes tendus dans le ciel nocturne. Du même côté, un peu plus loin le long de l'allée, se trouvait All Souls Place – un étroit cul-de-sac où (pourquoi ce détail lui revenait-il tout à coup?) Millie et lui avaient loué un minuscule studio lorsqu'ils étaient arrivés à Londres après avoir fini leurs études. C'était il y a vingt ans. La moitié d'une vie. Ils...

Il la voyait encore ôter son alliance. La poser sur la table qui les séparait. Lentement, délibérément. Sans la moindre colère, sans la lui jeter au visage. Combien de fois avait-elle dû répéter ce geste dans sa tête?

Un coup de sonnette. Il alla ouvrir la porte. L'employé du room service poussa à l'intérieur un chariot croulant sous les victuailles : les huîtres sur écailles, servies sur un lit scintillant de glace pilée, la bouteille de Dom Pérignon enveloppée d'une serviette blanche dans son seau à champagne en argent, les grosses crevettes parsemées de lanières de laitue à la sauce Marie-Rose disposées dans d'énormes ballons à vin. Les trois martinis dans leurs verres givrés, recouverts chacun d'une délicate rondelle de papier. Kennedy en saisit un et but une longue gorgée. Le serveur demeura impassible. « Souhaitez-vous que j'ouvre le champagne, monsieur?

– Bof, non, je m'en charge. Tenez. » Il lui enfonça une poignée de billets dans sa poche poitrine. « Joyeux Noël.

– Merci, monsieur.

– Y a pas de quoi. »

Kennedy termina son cocktail, avala un Valium et emporta son deuxième martini sur le balcon en s'emmitouflant bien dans son pardessus. Il s'alluma une cigarette. Il se sentait merveilleusement bien. Vraiment. Gerry avait-elle connu ça à la fin, elle aussi ? Une fois sa décision prise ? Bref. À quoi pensait-il, déjà, avant l'arrivée du room service ? Ah oui… Le studio riquiqui, dans l'allée d'en face, l'été 1993. Combien de temps y étaient-ils restés, deux ans, peut-être ? Non. Trois. Ils avaient déménagé quand les parents de Millie leur avaient donné de quoi payer la caution pour l'appartement de Maida Vale. Parce qu'il faut dire que Millie était…

Eh oui. Robin avait été conçue ici, dans ce petit studio coincé derrière la BBC. Ils n'étaient pas encore mariés à l'époque. Mais « il y eut du plaisir à sa conception, et le bâtard se doit d'être reconnu[1] ».

Le plaisir de la conception : cet instant dément où l'un des centaines de millions de petits nageurs hystériques se détache du peloton, du troupeau, de la mêlée, pour franchir seul la ligne d'arrivée. Il pénètre alors à l'intérieur de l'œuf et provoque une série de réactions en chaîne, telle la barre d'uranium injectée dans le cœur du réacteur ; il appuie sur la détente : l'ADN se déploie. Le contraire de la mort. Le tout petit visage de Robin déjà encodé en miniature sur les cellules qui se dédoublent et se démultiplient. *Oh, ma puce, pardonne-moi. Personne ne demande à naître. La vie est injuste, alors suicide-toi tout de suite ou assume. Etc.* Kennedy leva son verre en direction de l'allée et porta un toast à sa fille. Il termina son martini et

---

1. Citations du *Roi Lear* de Shakespeare.

s'attaqua au Dom Pérignon en faisant sauter le bouchon à travers la pièce. Il se servit une flûte et pressa un demi-citron enveloppé de mousseline sur ses huîtres. Ajouta ici et là quelques gouttes de Tabasco. Dieu, qu'elles étaient bonnes. Il en goba cinq ou six d'affilée, arrosées de gorgées de champagne bien frais. *Bien vivre est la meilleure des vengeances.*

«Pour se venger de quoi?» lui avait un jour demandé Robin lors d'une de ses visites à L.A., lorsqu'elle devait avoir douze ou treize ans. Il avait dû lâcher cette phrase alors qu'ils étaient à table, probablement sur le point de s'envoyer un repas somptueux. «De quoi? avait-il répété. Mais de la terrible insulte d'être né, bien sûr.»

Il consulta sa montre. 10 h 15. Bon, il avait tout de même une mission à remplir. Il était temps de s'y mettre.

Il emporta la bouteille de champagne – qu'il buvait directement au goulot, maintenant – et l'un des cocktails de crevettes jusqu'au secrétaire. Il trouva un bloc de papier à lettres à l'en-tête de l'hôtel (délicieusement crémeux et épais, sans doute du 120 grammes) dans l'un des tiroirs, ôta le capuchon de son stylo et se lança dans la rédaction de cinq lettres : Robin, Millie, Vicky, Patrick et Connie. Lorsqu'il releva la tête après avoir terminé la dernière (celle pour Connie n'était qu'une simple série d'instructions et de détails pratiques – rien de plus simple à écrire, contrairement à la missive pour sa fille, un festival de douleur et de larmes), il était 19 h 30 et il avait bu tout le Dom Pérignon. Il avala un autre Valium (il lui faudrait bientôt faire preuve de courage et, de toute évidence, il comptait beaucoup sur la chimie pour y parvenir. Kennedy était bien conscient que, d'un point de vue technique, il s'agissait davantage d'abrutissement que de courage, mais au diable la probité !) et appela le room service pour commander une autre bouteille de champagne.

Il fit une petite pile de ses lettres et de son poème sur le secrétaire et ressortit sur le balcon – en chancelant un peu, il faut bien le dire – pour s'allumer une cigarette et observer la foule des passants sur Oxford Circus. Les gens entraient et sortaient des bouches de métro, leurs manteaux d'hiver aux couleurs vives – rouges, verts, bleus, blancs – éclaboussés par la lumière des immenses vitrines de magasins. *Pour sûr, Londres est une grande ville. Une très grande ville, Mr Shadrack. Un homme peut facilement se perdre dans une ville comme Londres. Se perdre. Se peeeerdrrre dans LOOOONDRRRRES[1]!* Sortir arpenter ces rues une dernière fois. Un pèlerinage sentimental, en quelque sorte. Vivre, aimer. Attraper un truc un peu honteux. On sonna à la porte. Le champagne. *Allez – encore deux ou trois verres et puis nous irons nous mêler à la foule des grands jours.*

Dehors, dans l'air glacé de Portland Place – après qu'un autre billet de vingt eut changé de mains –, il tourna à droite dans Regent Street, direction plein sud. Il resserra son pardessus autour de lui (il faisait vraiment un froid de canard, à présent) et marcha parmi les braves gens de la capitale, drapés dans leur aura de bien-être nourri au porridge, à l'abri sous leur armure étincelante de médicaments sur ordonnance et de bon vin. *Allez, Londres, sans rancune. Ne change rien, surtout. J'aurais pas dû partir. Ça aurait pu coller, toi et moi. Ce n'est pas ta faute – c'est moi.*

Il prit Oxford sur sa gauche et traversa la rue pour couper par Argyll et éviter la foule qui encombrait les trottoirs de Regent. (Même les noms de rue, il les pensait à l'américaine, sans plus dire «Street» derrière. Saloperie de L.A., mec.) Il fut aussitôt

---

1. Citation du film *Billy Liar* (1963).

assailli par des odeurs de marrons et de cuisine chinoise, les deux spécialités culinaires du quartier : ça fleurait bon le glutamate, les nouilles sautées et les châtaignes grillées. Enfin, il l'aperçut sur sa droite : le Duke of Argyll. Un pub normal et humain, grouillant d'activité humaine normale, la vie humaine du mois de décembre : au comptoir, les employés de bureau lancés dans des concours d'éloquence entre les tireuses à bière, les bouchons doseurs et les bonnets de Père Noël. Bon sang, depuis quand n'avait-il pas remis les pieds ici ? Le milieu des années 1990, peut-être ? Avant que la vie ne devienne inhumaine. Anormale. Synonyme de clubs privés, de comptes client chez les sociétés de taxis et de restaurants étoilés au Michelin. Un petit whisky ne lui ferait pas de mal, hein ? *Comme nous haïssons la mort, nous autres, écrivains et artistes. Et avec quelle fougue nous nous jetons dans les bras de ses ennemis : la boisson, la compagnie, les éclats de rire, la vie.*

Il poussa la porte et s'immergea dans la foule, le bruit et la chaleur. On entendait *Christmas Wrapping* des Waitresses, tout le monde braillait, la face rouge et transpirante, ambiance hystérique de fête de fin d'année entre collègues. Kennedy parvint à atteindre le bar. « Un double... vous avez quoi, ici... du Laphroaig ? »

Le barman secoua la tête d'un air navré, passa ses bouteilles en revue et répondit : « Glenfiddich ? »

Cette pisse. « Ouais. OK. Un triple. »

L'homme lui servit sa boisson et Kennedy lissa un billet de vingt sur le comptoir. « Gardez la monnaie. »

L'autre haussa les sourcils. « Sûr ?

– Ben ouais, c'est Noël.

– Merci, mec. Trop sympa. »

Allez, vas-y, prends-le. Ça me fait assez chier comme ça. «*Je suis tous les objets et le sexe que tu ne t'es jamais offerts*[1]», *etc., etc.*

Il joua de nouveau des coudes pour sortir se griller une clope. Sur le trottoir, une petite zone fumeurs délimitée par une corde. Blindée. Il plongea son regard en bas d'Argyll Street, vers les lumières du grand magasin Liberty avec sa façade néo-Tudor noir et blanc, et un souvenir lui revint brutalement en mémoire. C'était à Noël, il y a très longtemps. Millie et lui s'étaient donné rendez-vous devant ce magasin. Encore jeunes, amoureux, sans le sou et sans enfant, ils avaient erré au hasard des allées en regardant toutes les choses qu'ils ne pouvaient pas s'offrir. Millie avait repéré un tapis qui lui plaisait, une pièce rare tissée à la main qui coûtait cinq mille livres. Ils avaient ri à la seule pensée de dépenser autant d'argent pour un tapis. Ils en riaient encore lorsqu'ils étaient ressortis pour se balader dans Soho, manger dans un boui-boui chinois et boire des pintes dans un pub sans videur à l'entrée. Là, ils avaient retrouvé des amis dont il ne se souvenait même plus. *Toutes ces vies, tous ces gens, où sont-ils aujourd'hui ?* Kennedy vida son verre cul sec, laissa passer un léger haut-le-cœur – saloperie de Glenfiddich – et descendit la rue.

Sous le brillant éclairage du rayon ameublement, il composa son code de carte bleue pendant que la vendeuse – les joues rosies par la satisfaction – enregistrait les détails nécessaires pour la livraison. Il épela le nom de Millie (elle avait reprit son nom de jeune fille, depuis) et retrouva son adresse dans son téléphone.

---

1. Extrait d'un poème de Philip Larkin, *Money*, «High Windows», Faber and Faber, 1974.

« Oui, dans le Warwickshire. Vous me promettez que ce sera livré avant Noël ?

– Absolument.

– Parfait. »

Le tapis valait douze mille livres, un prix sans doute correct compte tenu de l'inflation. Il tenta même de donner vingt livres de pourboire à la fille. « Non, monsieur, je ne peux pas accepter.

– Rôô, allez, quoi... »

Elle gloussa, rougit. « Je ne peux pas. Je vous assure. Souhaitez-vous ajouter un petit message ? »

Il griffonna quelques mots sur la carte, non sans difficulté, d'une écriture délirante et dangereusement penchée. « *Millie, tu rêvais d'un truc comme ça, autrefois. Mille baisers. Kennedy.* »

En repartant, il s'acheta un foulard en soie à pois au rayon hommes – « *From feudal serf to spender, this wonderful world or purchase power*[1] » – qu'il s'enroula autour du cou lorsqu'il ressortit sur Great Marlborough Street avant de tourner à droite dans Carnaby Street : il était temps d'aller boire un coup.

Le White Horse était encore plus bondé et bruyant que le Duke or Argyll, musique assourdissante, *Driving Home for Christmas* repris en chœur par tous les clients. Kennedy se commanda cette fois une pinte de Stella bien fraîche et en profita pour gober un autre Valium ; jusqu'ici, les effets des anxiolytiques semblaient se limiter à une douce euphorie. (Pas de quoi non plus le rendre béat de bonheur au point de renoncer à son grand projet. Car il était toujours là, le petit pois funeste, niché près de son urètre.)

---

1. « Du serf féodal au consommateur, ce monde merveilleux du pouvoir d'achat ». Extrait du morceau *Motorcycle Emptinesse* des **Manic Street Preachers**.

Carnaby Street. Connie avait son bureau juste à côté, avant de lui décrocher son premier contrat et de déménager à Haymarket. 1996 : elle avait emmené Kennedy déjeuner dans un petit resto français au coin de la rue pour lui annoncer qu'après avoir essuyé une pluie de refus, elle avait enfin reçu des offres sérieuses de deux éditeurs pour la publication d'*Impensable*. Les à-valoir n'étaient pas extraordinaires, l'avait-elle prévenu, mais elle avait négocié des droits plus que corrects, alors si le livre se vendait bien, qui sait ?

Kennedy était fou de joie.

Il avait foncé chez lui pour annoncer la bonne nouvelle à Millie – enceinte de Robin, à l'époque –, pris la Bakerloo Line jusqu'à Warwick Avenue afin de faire un saut au petit magasin de vins et spiritueux sur Formosa Street pour acheter une bouteille de champagne, dépensant ainsi les trente dernières livres qui lui restaient sur son compte courant. Elle avait pleuré et ils avaient fait l'amour, avec prudence, sur le canapé. Puis ils étaient restés allongés, lui à siroter du champagne tandis qu'ils plaisantaient sur ce qu'ils feraient quand son bouquin deviendrait un best-seller, incapables de se projeter dans le futur et de s'imaginer que, cinq ans plus tard, après un million d'exemplaires vendus dans plus de vingt langues, preuve du flair hors pair de Connie pour la négociation de droits, Millie se retrouverait en larmes sur le canapé – un autre modèle, plus spacieux, dans un autre appartement, plus spacieux lui aussi – en disant : « J'aimerais qu'on redevienne pauvres. J'aimerais que rien de tout ça ne soit jamais arrivé. »

Il but sa bière. En route. *Du cognac. Et des chevaux frais pour les hommes. Nous repartons ce soir.*

Il descendit Carnaby Street, tourna à gauche puis à droite sur Ganton Street avant de retrouver Soho proprement dit. Les pubs étaient pleins à craquer, la foule débordait sur la rue, deux flics se tenaient devant la devanture du Sun & 13 Cantons, en pleine conversation avec un type d'une vingtaine d'années qui avait visiblement du mal à tenir debout. *Puis-je vous suggérer d'utiliser votre matraque, monsieur l'agent*[1] ?

Les choses auraient-elles pu être différentes pour eux, pour leur couple ? *À condition d'être quelqu'un d'autre, peut-être.*

Son crâne était maintenant plein à craquer, lui aussi, électrisé par le Valium et l'alcool, débordant de citations, de poésie et de prose, de paroles de chansons et de répliques de films. Comme si son cerveau, conscient de ce qui se préparait, avait décidé de mettre les bouchées doubles – *clams on the half-shell, feels like prohibition baby give me the hard shell*[2] – et de tout lui ressortir en vrac, régurgitant une dernière fois toutes les références musicales, cinématographiques, littéraires ou de culture pop avec lesquelles il avait vécu, tandis qu'il poursuivait sa marche. Vers l'inévitable.

Direction Wardour Street. Le Ship ! À quand remontait la dernière fois où il s'était rendu au Ship ? Ils étaient tout un petit groupe à venir picoler ici, autrefois – combien d'étés passés à siroter des bières sur le trottoir juste devant ! Il quitta de nouveau le froid hivernal pour pénétrer dans la lumière et le brouhaha du pub, se fraya péniblement un chemin jusqu'au bar avec son billet de vingt déjà prêt dans la main. Dans les années 1960 et 1970, le Ship avait été un haut lieu de la fête, avec le Marquee juste au bout de la rue. Les Who, les Stones, tous avaient contribué

---

1. Réplique d'Eddie Murphy dans *Un fauteuil pour deux* (1983).
2. « Palourdes demi-coquilles, ça sent la prohibition bébé, donne-moi de la bonne coquille bien dure. » Extrait de *My Bag* de Lloyd Cole & The Commotions.

à la légende de l'endroit. C'est ici que Mick Jones avait piqué l'expression « *complete control* » à Bernie Rhodes, *ici même*, à ce putain de comptoir. Il était rentré chez lui et avait écrit sa chanson. Kennedy commanda un grand whisky – se contentant d'un Jameson car, à ce stade, le monde des malts ne comptait plus vraiment pour lui – et une demi-pinte de Stella. « Un demi et une demie », comme on disait autrefois à Glasgow, souvenir du temps où les doses d'alcool se servaient en demi-*gills*[1], c'est-à-dire bien avant l'époque de Kennedy. Il se souvenait vaguement, au début des années 1980, alors qu'il venait d'entrer à la fac, de certains vieux pubs de l'East End de Glasgow qui se proclamaient encore fièrement « établissement quart de gill ». On y pratiquait encore les généreuses et franches mesures impériales, au mépris du shot métrique, jugé mesquin et étriqué. *Mesures impériales* : encore un excellent titre de bouquin, songea-t-il au passage.

Il s'installa dans un coin près du juke-box et sirota son whisky. Glasgow. Il aurait bien aimé revoir la ville une dernière fois. S'il avait un peu mieux réfléchi à son plan... il aurait pu y faire un saut de puce en avion. Flâner dans l'East End. Retrouver ses rues arborées, toujours couleur d'automne dans son esprit. Les tours gothiques victoriennes de l'université. Là où il avait rencontré Millie.

Elle était en train de grignoter une pomme au « Hub », le réfectoire, la tête penchée, les cheveux devant le visage, plongée avec un air perplexe dans la lecture d'un vieil exemplaire écorné de *L'Arc-en-ciel* de D. H. Lawrence. Il s'était assis en face d'elle avec son plateau et son assiette de quiche-frites-haricots rouges. « Quel vieux con, celui-là, pas vrai ? » lui avait-il lancé, tout sourire, en secouant sa briquette de lait.

---

1. Mesure britannique correspondant à un quart de pinte (14,2 centilitres).

Elle avait levé les yeux vers lui. « On se connaît ?

– Kennedy. On est dans le même cours de littérature américaine.

– Mmm », avait-elle rétorqué avec son aplomb de fille de bonne famille. Suant à grosses gouttes dans la fournaise du Ship, appuyé contre le juke-box – « *Oh, can't you see me standing here ? I've got my back against the record machine*[1] », *ah ouais, la version d'Aztek Camera était pas mal, lugubre et triste à souhait, c'est Roddy Frame qui avait expliqué qu'en ralentissant le tempo on obtenait* Sweet Jane *et que quand il chantait cette phrase en particulier, il se voyait tourner le dos à toute l'industrie du disque* (il avait dû lire ça dans une interview du *NME* ou ailleurs, il y a près de trente ans, alors qu'il était adolescent ; bizarre comme certains trucs s'incrustaient dans votre cerveau tandis que d'autres…) – Kennedy ferma les yeux et retourna auprès d'elle. Il la revit fermer son livre, mordre dans sa pomme verte, le toiser froidement, un rayon de soleil frappant le badge des Lemonheads qu'elle portait au revers de sa veste en daim. Sa jupe noire plissée. (C'était l'époque où les étudiantes s'habillaient comme ça, et non comme si on les croisait entre deux prises de *Prends ma chatte sur un toit brûlant 5*). Elle avait jeté un regard à son assiette fumante avant de lui lancer : « Tu aimes les plats roboratifs, hein ? » Elle était si belle, si sûre d'elle. On était comme deux *kids*, Millie. *Kids kids kids.* « Tu es en quoi ? lui avait-elle demandé, en parlant de ses cours.

– Je suis écrivain.

– C'est vrai ? Tu écris quoi ? J'ai peut-être déjà lu quelque chose de toi.

————————

1. « Oh, tu me vois pas, là, debout, adossé au jukebox ? » Extrait de *Jump* de Van Halen.

– Ça viendra, ne t'inquiète pas », lui avait répondu le prétentieux et immature Kennedy Marr du haut de ses vingt et un ans.

Pourquoi l'avait-il trompée à ce point ? Aussi fréquemment,
sans la moindre vergogne et avec n'importe qui ? Pour, le plus
souvent, en tirer au final si peu de plaisir ? Les hormones, sans
doute.

Sauf que non.

Ce n'était plus une excuse valable. Fini, le baratin. Il n'avait
plus sa place ici, dans la dernière ligne droite avant le grand final.
Il s'agissait d'être enfin honnête. Pourquoi les avait-il toutes
trahies ? Jusqu'à son enfant à naître, encore recroquevillé dans
le ventre de sa mère ? Était-ce parce qu'il avait le sentiment de
mériter davantage ? Que son talent l'affranchissait des règles
imposées aux autres ? Rétrospectivement, il n'avait jamais eu le
moindre code moral. Et si le caractère traçait la destinée, alors
il était bien arrivé au bout, à l'endroit exact où il devait être. La
chambre instable de son cœur, le bazar de défroques du palpitant,
empoisonné de zyklon B.

Peut-être était-ce une bonne définition de ce que faisaient les
écrivains : ils évacuaient les débris humains de cette chambre.
Ils y entraient pour arracher les dents des cadavres et des moribonds. De leurs propres frères. Ils cherchaient s'il n'y avait pas de
l'or, puis ils jetaient les dépouilles au bûcher. Graham Greene et
son « éclat de glace dans le cœur » ? Kennedy n'était plus trop sûr
que cela suffise à cerner le phénomène, à vrai dire. Son cœur à lui
était une chambre à gaz, il était son propre *Sonderkommando*.

Les choses auraient-elles pu être différentes ? Sans doute pas.
À condition d'être...

Cette pensée lui donna soif. Heureusement, le bar n'était
pas loin. Mais la tête commençait à lui tourner, il sentit que le

Valium lui coupait les jambes, sans parler des nombreux cocktails qu'il avait ingurgités. Le trajet jusqu'au comptoir se révéla
donc plus laborieux que prévu, comme s'il traversait le pont d'un
paquebot sous les gerbes d'eau de l'Atlantique Nord. Il percuta
un type, un employé de bureau costaud vêtu d'une veste Barbour
par-dessus son costume-cravate bon marché, et lui fit renverser
sa pinte. « Eh, doucement, là ! Bordel...

– Oups, désolé, c'est ma faute », répondit Kennedy, mais les
mots sortirent un peu trop vite de sa bouche, agglutinés les uns
aux autres – *Psssdsoléssmafaute.*

– Ça va, mec ? dit quelqu'un.

– Ça va impec, merci. » *Svapecmmmsi.*

Il se tourna vers le barman, qui attendait de prendre sa
commande, et lui demanda une demi-pinte de Stella et un
whisky soda, ponctuant sa phrase d'un hoquet hilare.

« Quoi ?

– Une dmipintmmmvecmmwhichysdda...

– Combien ? »

Kennedy répéta sa commande.

« Une quoi ? »

Il fit une troisième tentative.

« Désolé, mec, je sais que c'est Noël, mais nom de Dieu...

– Putains d'Irlandais », lâcha quelqu'un. Kennedy envoya
pitoyablement son poing dans la direction de la voix avant de
sentir une main se poser sur son épaule.

« *Vat'fairefout'spèceud'saleconnard.* »

Quelques instants plus tard, rendu à la rue sans rien à boire, il
prit soudain conscience des lumières qui tremblaient autour de
lui, du vacarme de la circulation, des bruits de pas, des conversations des clients qui fumaient et buvaient dehors devant le

pub, tous ces éléments fusionnant dans un flou sensoriel général. Bon, la sympathique tournée des pubs semblait terminée pour ce soir – tant pis. Un peu plus loin, le gérant pakistanais de la supérette située sur Old Compton Street se montra nettement plus accommodant. À tel point que Kennedy fut persuadé que s'il était entré dans le magasin poussé sur un lit d'hôpital, relié à des moniteurs émettant des bip-bips d'alarme, son cas résumé par une pancarte «Cirrhose aggravée – Mort immédiate en cas d'absorption d'alcool», il serait quand même ressorti de là (à pied ou sur roulettes) avec sa petite bouteille de Bell's et son paquet de Marlboro Lights.

En équilibre précaire contre un lampadaire, il ouvrit sa bouteille de whisky et sentit son téléphone vibrer. Il le sortit de sa poche. Une avalanche de SMS et d'appels en absence. Son regard fut attiré par l'icône iPod blanc orangé en bas de l'écran. Tiens, de la musique. Ce serait sympa d'en écouter un peu, pour la dernière fois. Il avait l'impression que deux logos iPod flottaient dans l'air, deux centimètres au-dessus de son écran. Un souvenir surgit et il cliqua sur l'un des deux. PLAYLISTS. Il cliqua encore. Ah, voilà : «Mission Papa en Angleterre». La compil que Robin lui avait préparée et qu'il avait, évidemment, complètement oubliée. Il ressentait brusquement le besoin d'écouter la musique que sa fille avait sélectionnée exprès pour lui. Un casque. Il lui fallait un casque. Comment faire ? Tous ces disquaires sur Denmark Street, l'un d'eux vendait sûrement des... Ah, mais trop tard. Merde. Il regarda sa montre. 22 heures. Fermé. Il regarda autour de lui ; un type, un ado, marchait dans sa direction, une paire d'écouteurs enfoncée dans les oreilles. Kennedy l'arrêta.

«Scuse-moi.»

Le gamin fronça les sourcils, ôta une de ses oreillettes pour entendre ce qu'il disait.

« Tu voudrais pas me vendre tes machins, là ?

– Hein ?

– Tiens, j'te file cinquante livres, dit Kennedy en sortant un billet rose.

– Attends, mec, protesta le jeune type, ça en vaut à peine dix.

– Ça m'va...

– Écoute, je m'en voudrais de...

– Prends le fric. Je suis juste... un peu pressé. »

Kennedy repartit d'un pas vacillant en se fourrant les écouteurs dans les oreilles. Il sentait le regard du type posé sur lui, secouant la tête, son billet à la main. Il s'éloigna le long d'Old Compton Street en évitant soigneusement Dean Street – le Groucho, Dean Street Townhouse, Quo Vadis, tous ces endroits sûrement remplis de gens qu'il connaissait et ne reverrait plus jamais – et il venait de cliquer sur « Play » en passant devant le Spice of Life au coin de Cambridge Circus quand, soudain, *William, It Was Really Nothing* déferla à un volume assourdissant contre ses tympans. Kennedy avait grandi avec ce morceau mais, wouah, putain, quelle claque ! Depuis quand n'avait-il pas fait ça, marcher dans la rue en écoutant de la musique ? Depuis quand n'avait-il pas réécouté les Smiths ? Il se sentait ragaillardi, souverain, enivré. Il avait dix-sept ans. Bien joué, Robin. Excellent. L'intro parfaite. Il but une gorgée et traversa Shaftesbury Avenue en direction de Charing Cross Road. Des flocons de neige poudreux tournoyaient délicatement dans le halo des lampadaires tandis que, dans sa tête comme dans la chanson, il « pleuvait des cordes sur une ville banale ».

Le parking de la gare de Limerick. C'était la première fois qu'il entendait cette chanson. Assis dans la Vauxhall Nova du père de

Stevie Brennan à regarder passer les trains pour Dublin. 1984. Il devait avoir une quinzaine d'années. Encore plus jeune que l'était Robin aujourd'hui.

La tête, les poumons et le cœur gonflés de Morrissey et de la symphonie septentrionale de Johnny Marr, il flotta le long de Charing Cross Road en direction du Strand, bienheureux, envahi d'une paix profonde qui, il le savait maintenant, provenait de la certitude que la fin était proche. Les humains étaient là, présents, tout autour de lui. Voyez comme ils plaisantaient ! Comme ils riaient, l'air s'échappant en volutes argentées de leur bouche, en jets de vapeur jumeaux au sortir de leurs narines ! Cette bande d'idiots. Ne comprenaient-ils donc pas ? Ils allaient tous mourir. Un jour viendrait, bientôt, ils se retrouveraient sur leur lit de mort, cherchant sans le trouver un ultime souffle d'air. Ces gens, ces crétins, qui vous répondaient d'un ton suffisant : « Bien sûr, oui, nous mourrons tous un jour. » Étaient-ils demeurés ou juste dotés d'une carapace blindée ? N'avaient-ils donc pas réfléchi à cela une seule fois ? *Ils allaient tous cesser de respirer.*

Quand il était petit, la nuit, dans son lit, Kennedy retenait parfois sa respiration pour s'imaginer ce que ça faisait de mourir. Il inhalait à fond en se disant « Ceci est mon dernier souffle », puis restait immobile jusqu'à ce que sa vision commence à scintiller et à chavirer, jusqu'à ce que ses poumons menacent de faire exploser sa cage thoracique. Alors – ô, joie ! – il expirait et aspirait de délicieuses bouffées d'air frais. Conscient qu'il lui en restait encore bien d'autres – des milliers, des millions. Incalculables.

Sauf qu'à l'évidence, elles étaient *calculables*. Limitées. Quelqu'un en gardait le compte quelque part. D'ailleurs, si ce quelqu'un avait eu la curieuse idée de s'asseoir là avec son chrono et sa calculette, il aurait sans doute pu vous donner une estimation relativement fiable du nombre de respirations qu'il vous restait.

Il coupa par la station de métro à Embankment. Une femme au téléphone avec son amoureux : «Oui, mon chéri, j'arrive au métro. Je suis en retard. Tu veux que je prenne quelque chose sur le chemin?... OK. À tout de suite». On les entendait au supermarché, aussi. «Coucou, c'est moi. Je suis en train de faire les courses. On a besoin de quoi?» Kennedy Marr – un homme sans personne à appeler, un homme qui connaissait mieux que quiconque ce moment pathétique où un numéro précis inscrit dans votre répertoire cessait d'être celui de la «maison» pour devenir simplement le prénom de votre ex. Il leva sa bouteille en direction de la femme qui s'éloignait vers l'Escalator. *Êtres humains... oui, vous, et vos réserves infinies d'amour et de tendresse... Je vous salue.* Il ressortit par l'autre côté de la station, sur le quai de la Tamise. Un SDF squattait là. Jeune, à peine plus vieux que Paige. *Ah, Paige... J'espère que tu seras heureuse.* Le type avait une pancarte : «J'ai faim, nulle part où dormir. Merci.» Kennedy fouilla dans la poche de son pardessus et sortit son portefeuille. Il devait bien y avoir sept cents livres en liquide. Il tendit le tout au gamin. Qui contempla les billets. Sa mâchoire en tomba.

«Eh, attends, c'est...

– Bah. Trouve-toi un boulot, maintenant.

– Mais tu peux pas... T'es bourré, mec.

– Et comment. Joyeux Noël.»

Kennedy poursuivit son chemin et grimpa les marches jusqu'à la passerelle. Les loupiotes orange des taxis passaient en trombe juste en dessous de lui. Puis, soudain, ténébreuse et toujours en mouvement, d'un noir d'huile au clair de lune : la Tamise.

Accoudé à la rambarde, bouteille à la main, Kennedy reprit son souffle et plongea son regard dans les eaux de ce fleuve qui avait été témoin de tant de choses, tant de situations extrêmes. « L'histoire liquide », comme l'appelait John Burns.

Les fêtes foraines sur la Tamise gelée, pas plus tard qu'au XIX{e}siècle, quand le fleuve tout entier se figeait sous trente centimètres de glace et faisait la joie de milliers de patineurs glissant du nord au sud, du sud au nord, et de marcheurs reliant Putnam à Fulham; les marrons grillés sur des feux de camp allumés à même la glace, les enfants qui riaient et faisaient les fous. Des horreurs, aussi. Le bateau à vapeur *Princess Alice* et sa roue à aubes, coupés en deux par le charbonnier *Bywell Castle* en 1878 : le navire avait coulé en quatre minutes. Près de sept cents morts, ici même, à ses pieds, dont beaucoup empoisonnés par l'insalubrité de l'eau. Vers l'est, sur la rive nord, on apercevait le dôme enflé de Saint-Paul, dont la pierre avait été portée par le fleuve depuis l'Oxfordshire.

Et, oui, depuis des siècles, les gens venaient ici pour ça, aussi. Le geste final. Un corps repêché dans la Tamise chaque semaine. Était-ce bien le chiffre qu'il avait entendu ? Une personne chaque semaine qui finissait par s'avouer que la plaisanterie avait assez duré. Il but une longue gorgée de whisky, regarda à gauche et à droite : personne en vue, et grimpa sur le barreau inférieur de la rambarde. Il baissa les yeux – une chute de quoi, neuf ou dix mètres ? Pour s'enfoncer dans… il vérifia la température sur son téléphone. Quelques degrés au-dessus de zéro. L'eau serait certainement encore plus froide. Une immense lassitude s'empara de lui, son corps tout entier semblait bâiller. Le Valium. Combien en avait-il pris, au juste ? L'eau bouillonnait autour des piliers qui soutenaient le pont, le courant était rapide à cet endroit, la marée puissante. Le choc serait immédiat, les membres paralysés sur le coup. Avec le poids de ses vêtements et de ses chaussures, plus l'alcool et les médocs... il imaginait l'engourdissement de ses tempes, ses poumons remplis d'eau noire. L'extinction de la conscience. Deux minutes maximum. Deux minutes difficiles, certes, mais guère plus. Son corps serait-il percuté par un bateau ? Coupé en deux ? Resterait-il accroché sous un pont ? Ou échouerait-il sur une rive boueuse, quelque part, où les mouettes viendraient lui picorer les yeux ? *Oh, Robin... pardonne-moi. Je suis désolé. J'ai juste été... nul.*

Je me disais parfois que ce serait sympa de rentrer chez soi pour y retrouver sa famille, comme tout le monde.

Bah. Ces choses-là ne s'en vont jamais. Elles restent. Bien vu, Kingsley. Et le mieux qu'on puisse espérer, c'est de coexister avec elle.

Ou pas.

Il but la dernière gorgée de cet infect Bell's. Puis lâcha la bouteille et la regarda tomber, crever la surface de l'eau et disparaître. Les algues vertes et mousseuses sur les piliers indiquaient les différents niveaux d'eau. Les marées. Il se pencha encore un peu. Une bouffée de vertige le saisit. Peut-être était-ce... excessif. Et s'il... tentait l'expérience de la vie sans bite ? Après tout, elle ne lui avait causé que des problèmes. Apaisé, satisfait de son moignon. Son excroissance. Pourquoi ne pas... tout annuler et...

Non. Assez pleurniché. *Allez, conduis-toi en homme jusqu'au bout.* Le temps était venu. Une dernière déclaration, peut-être. Kennedy adorait les dernières paroles d'hommes célèbres, il les collectionnait presque.

« Je pars maintenant vers l'inévitable. » Larkin, pour qui la mort avait tant compté dans la vie.

« Rien d'autre que la mort. » L'irréductible Jane Austen à qui l'on demandait, sur son lit de mort, si elle avait besoin de quelque chose.

Emily Dickinson, inquiétante et mystique : « La brume se lève... »

Les derniers mots d'Al Jolson, franchement terrifiants : « Ça y est ! Je m'en vais. Je m'en vais. » Imprégnés de la pleine conscience, et de l'horreur, de ce qui était en train de se passer.

Marx, imperturbable et si pertinent : « Partez. Sortez. Les dernières paroles sont pour les imbéciles qui n'en ont pas dit assez. »

Kennedy, lui, n'avait eu qu'une envie : « Je peux y retourner ? »

Il passa une jambe de l'autre côté, maintenant agrippé à la rambarde. Il était bien là, le fond noir du miroir de Bellow[1], grondant juste en dessous de lui.

Il repensa à son père, menuisier, qui avait travaillé si dur chaque jour de sa vie pour casser sa pipe à cinquante-neuf ans. Crise cardiaque pendant que Kennedy écrivait *Impensable*. Il y a près de vingt ans, maintenant. Le pauvre n'avait pas vécu assez longtemps pour voir le livre publié. Kennedy se souvenait encore de son odeur – de ses gilets imprégnés de tabac –, de la force de ses mains et de sa poigne lorsqu'il vous attrapait par la jambe ou vous pinçait la hanche pour rire. Il adorait se bagarrer avec eux. (*Il ne restera plus que Patrick, bientôt. Il sera le dernier. Pauvre Pat. Excuse-moi, frangin.*) Sur le tapis du salon le samedi matin – avec *Swap Shop* et *Posh Paws* à la télé –, ils grimpaient tous les trois sur leur père comme on escalade une montagne. Il avait toujours les mains tordues, abîmées. Les ongles noirs et des bouts de chatterton isolant sur ses plaies. Le boulot était dur, et il en bavait.

---

1. Citation de Saul Bellow, dans *Le Don de Humboldt* (1975) : « La mort est le fond noir nécessaire au miroir pour nous permettre d'y voir. » Traduction Henri Robillot et Anne Rabinovitch, Flammarion, 1978.

Kennedy, lui, sur le point de mourir, n'avait jamais eu de vrai travail. Ni de C.V. Vous vous rendez compte ?

D'abord l'école, l'université, puis entretenu par Millie, première publication à vingt-sept ans et millionnaire à trente. Il n'avait jamais eu à se plier à la moindre règle durant toute sa vie d'adulte. Mais cette liberté impliquait certaines responsabilités. Lorsqu'on gagnait assez d'argent pour ne jamais avoir à y penser, on se retrouvait fatalement confronté à un truc assez intéressant. Un truc qui s'appelait « soi-même ». Que faire de cette extraordinaire liberté ? Kennedy, lui, s'en était servi pour virevolter dans Soho. Pour pirouetter entre Manhattan, Hollywood et Berlin, accoudé au bar d'hôtels de luxe et de clubs privés, à siroter des cocktails en riant aux éclats, à faire des blagues, à s'engueuler, à se battre et à baiser. Oh, le mauvais choix ! Mauvais, très mauvais. Il aurait dû faire davantage d'enfants, des tas de gamins, et passer beaucoup plus de temps avec eux. Il aurait dû être cette grosse montagne qu'on escalade le samedi matin sur le tapis du salon. Parce que – bien sûr, cette évidence ne le frappait que maintenant, en bout de course, alors qu'elle ne lui servait plus à rien – l'important, avec les enfants, c'était la quantité. La qualité ? Conneries. Le père divorcé qui essaie d'enchaîner le zoo, l'aquarium, le musée et trois restos dans la même journée jusqu'à ce que, le soir venu, tout le monde tombe d'épuisement et se déteste... Les gamins, ce qu'ils veulent, c'est que vous lisiez votre journal ou que vous fassiez ce que vous voulez et qu'au moment où vous allez vous préparer un thé, vous vous arrêtiez les chatouiller au passage. Ils veulent juste que vous soyez là. Vous n'avez même pas grand-chose à faire. Observez tous ces types qui battent leurs femmes et leurs gosses, ces tarés alcooliques qui brandissent fièrement leurs mugs « Meilleur papa du monde ». Leurs enfants les adorent. *Il le violait depuis des mois. Pourtant, le petit s'était précipité dans le salon parce qu'il avait un truc à lui montrer, un truc à lui dire. Il courait, tout excité, pour aller voir son papa. Celui qui abusait de lui. Qui carburait à la vodka dès 11 heures du matin. Qui lui avait fracassé son petit crâne contre le mur du salon. Oh, Patrick, comment fais-tu ? Pourquoi ne t'es-tu pas arraché les deux oreilles ? Pourquoi n'es-tu pas en prison ? Ou dans un asile ?*

Chaque livre est le naufrage d'une bonne idée, oui. Certaines vies aussi. Parce qu'il avait eu tout faux. Sur toute la ligne. Investi dans les mauvaises actions. Misé sur les mauvais chevaux. Les visages de ses Mâles blancs décédés flottaient autour de lui dans le ciel noir, tournoyant comme un carrousel : Bellow, Updike, Nabokov, Miller, Mailer, Hemingway, Faulkner, Fitzgerald, Amis. Ohé, les gars ? Vous m'avez bien porté la poisse, merci. J'aurais dû écouter les filles.

Laissez-moi une dernière chance. Je promets de faire mieux, cette fois.

Qui l'eut cru, hein, Gerry ? Toi et moi, tous les deux... tu vois ce que je veux dire ? C'est comment, là-bas ? De l'autre côté ? Bah, je vais pas tarder à le savoir. *Ô Mort, où est ton...* Non, ça suffit, je serai un homme jusqu'au bout. Viens, prends ma main, mon frère, ma sœur. *Les problèmes du troisième acte sont ceux du prem...* Oh, et merde.

Il passa l'autre jambe par-dessus la rambarde et se jeta dans le vide, le vent glacial fouetta son visage, l'eau se précipita à sa rencontre.

Tout autour de lui, Londres continua à bourdonner.

50

Viens, mon aimée,
Festoyons au bord de l'abîme
Oublieux du gouffre tandis qu'en bas, légions noires,
Des oiseaux aveugles lentement et atrocement tournoient.

Derrière nous soufflent les vents arides
Des choix que nous avons faits
Ceux qui nous ont portés jusqu'ici
À ce dernier banquet.

Là-bas, au loin,
Les fleurs que je cherchais scintillent
Crème glacée de leurs pétales intacts
Pour railler ceux qui viendront après moi.

Insensible aux floraisons discrètes à mes pieds,
Je n'ai eu de cesse de les cueillir
Seul à la barre, j'ai mené mon bateau
Trop au large alors que le port était là.

Thé, toast, factures brunes
Le calendrier que tu avais gardé
Et les photos sur le frigo,
Étincelants de banalité maintenant que tout a disparu

Emporté par l'appel du vide
Et des profondeurs inexplorées
Le regard plongé, poumons exsangues,
Dans les yeux de gemmes de créatures impénétrables.

51

Nous avons tous fantasmé sur notre propre enterrement. Tous préparé mentalement notre playlist spéciale pour l'événement. Visualisé un à un les membres de l'assemblée. Tiens, je n'en reviens pas qu'il soit venu. Où est-elle ? Et ainsi de suite. Nous aimons nous représenter ceux qui nous ont le plus aimé, le visage tordu par le chagrin. Qui pleurera le plus fort ? À qui manquera-t-on vraiment ? Y aura-t-il des gens avec qui on a toujours eu envie de coucher en secret ? Qui se pointera, la gueule enfarinée, alors qu'il ou elle vous détestait, dans le seul but de se faire porter pâle au bureau et de taper dans le buffet ? On entend déjà les lectures, les oraisons funèbres. (Mais on fait moins le malin quand on pense à ses enfants. Parce que eux vont vraiment morfler.) On se demande forcément s'il y aura du monde : restera-t-il des rangées entières de sièges vides, ou bien certains devront-ils assister à la cérémonie debout ? Jouera-t-on plutôt dans la catégorie des best-sellers ou des invendus ? Plus on meurt vieux, plus il y a de chances pour que les rangs soient clairsemés. Partir jeune, c'est l'assurance de faire salle comble. Et on se demande aussi quelles anecdotes les gens vont bien pouvoir sortir, au bar, après la cérémonie. Tu te souviens de la fois où il a dit ça ? Et de la fois où elle a fait ça ? Une journée inoubliable. On pense qu'on saurait immédiatement lire sur les visages qui nous aimait vraiment, quels hommes appréciaient notre compagnie, quelles femmes en pinçaient pour nous. Si seulement nous nous retrouvions parmi eux.

Et aujourd'hui, dans cette petite église pleine à craquer aux environs de Dún Laoghaire, la douleur à l'état brut s'affichait au premier rang. Patrick, sa femme Anne et leurs enfants – lui, les yeux rougis et la tête de quelqu'un qui n'avait pas beaucoup dormi depuis plusieurs jours. Anne lui tenait tendrement la main tandis qu'il écoutait, affligé, les paroles du prêtre. Connie Blatt, digne, la classe dirigeante britannique incarnée. Jamais une larme versée en public. Il y avait également Millie : calme, songeuse. Et, à côté d'elle, Robin : très belle dans sa robe noire, elle faisait bien plus que ses seize ans. Triturant un mouchoir humide entre ses mains, la tête baissée. Ses premières funérailles. Le cercueil, son contenu, si difficile à regarder. *The Physical Impossibility of Death in the Mind of Someone Living*[1]. Cinq ans plus tôt, pendant les vacances de Noël, son père l'avait emmenée voir le requin de Hirst qui portait ce nom étrange au Metropolitan Museum de New York. Ça lui avait beaucoup plu. De même que la grosse vache coupée en deux. Après ça, ils étaient allés à l'Oyster Bar de Grand Central Station. C'était la première fois qu'elle mangeait des huîtres. Son père parvenait à la convaincre de tout goûter, tout essayer. Elle leva les yeux vers le cercueil. « Ça veut dire quoi, "enterrer" ? » demanda Rosie. « C'est ce qu'on fait aux gens quand ils sont morts. » Extrait d'une chanson sur une compilation que son père lui avait faite, un jour. Un truc *indie* des années 1980. Elle ne se souvenait plus qui chantait. En se

---

1. « L'Impossibilité physique de la Mort dans l'esprit de quelqu'un de vivant ».

remémorant cette phrase, Robin sentit ses épaules s'affaisser et elle laissa échapper un sanglot.

Kennedy passa un bras autour de sa fille et lui pressa l'épaule. « Courage, lui dit-il. Ça va aller. »

« Et maintenant, déclara le prêtre, le fils aîné de Kathleen, Kennedy Marr, va nous lire l'Épître de saint Paul aux Corinthiens. »

Il se leva et avança jusqu'au pupitre. Il se sentait quand même un peu mal à l'aise, avec cet énorme bandage à la con autour du front et son coquard flamboyant à l'œil droit. Il parcourut l'assemblée du regard – un rassemblement d'une taille plus qu'honnête pour une dame de l'âge de sa mère. Il baissa les yeux vers le lutrin et la Bible reliée de cuir déjà ouverte à la bonne page.

Toujours avoir de bonnes chaussures, mon fils.

Et comment. Ses Richelieu John Lobb lui avaient sauvé la vie. Non pas qu'il en fût particulièrement fier. Rien ne s'était passé comme prévu...

Au moment de passer l'autre jambe par-dessus le parapet et de se lancer dans le vide, il avait senti quelque chose tirer son pied gauche : son lacet s'était pris dans l'un des gros boulons qui dépassaient de la structure. Il était tombé en avant et, contre toute attente, son corps avait été retenu par la seule force de son double nœud. (« Rien que le lacet doit coûter dix fois plus cher qu'une paire de pompes normales » – Merci, Braden.) Sa tête avait heurté – *bang* – la partie en brique du pont et il s'était retrouvé suspendu à l'envers avec le sang qui affluait dans son crâne et les eaux noires de la Tamise qui bruissaient juste en dessous de lui. Il s'attendait à ce que le lacet craque d'une seconde à l'autre, mais non. Ses chaussures chics et chères avaient fait ce qu'elles faisaient depuis des siècles pour l'aristocratie britannique : tenir bon. Il avait alors entendu des bruits de pas, des éclats de voix.

Quelqu'un lui disait : « La vache, mec, comment t'as fait ton compte ? Bouge pas, hein, on va te sortir de là… » Deux paires de mains s'étaient tendues vers lui pour l'agripper par les jambes et le remonter : le jeune SDF et un de ses potes, croulant tous deux sous les canettes de bière qu'ils venaient de rapporter de la supérette de nuit où ils avaient claqué une bonne partie du généreux don de Kennedy. (Quel bel investissement, Millie, merci.) À la seconde où il s'était retrouvé debout, sur ses pieds, choqué par sa mésaventure et foudroyé par le Valium, Kennedy était tombé dans les pommes. Il s'était réveillé à l'hôpital Saint-Thomas, dans le quartier de Southbank, ravagé par une terrible gueule de bois et la gorge encore meurtrie par le passage du tuyau avec lequel on lui avait fait un lavage d'estomac.

Il baissa à nouveau les yeux vers la Bible, ce tissu de conneries. Fut un temps – relativement récent – où il aurait refusé de s'abaisser à ça. Où il aurait scandalisé cette belle assemblée catholique en lisant un poème, voire un texte qu'il aurait lui-même écrit. Mais sa mère croyait en ces inepties. Et il avait décidé de jouer le jeu – pour un temps, en tout cas. « Mes biens chers frères et sœurs, commença-t-il de sa belle voix de lecteur aguerri qui résonna entre les murs de pierre. Sachant que celui qui a ressuscité le Seigneur Jésus nous ressuscitera aussi avec Jésus… »

La roue tourne. Ça oui. Et très vite, parfois. La semaine passée, celle de sa convalescence, avait été riche en coups de théâtre. L'hôpital avait décidé de le garder quelques jours de plus en observation. Il avait évoqué, auprès du médecin de garde, le sort de son pauvre pénis, cancéreux et condamné. Le toubib avait fait venir l'un de ses collègues du service d'oncologie afin qu'il examine le précieux organe et, surprise, il s'avéra que ce cher Dr Beaufort n'était qu'un vieux charlatan – pour employer un euphémisme poli. Le dernier numéro de la revue médicale *The Lancet* qu'il avait dû consulter faisait sans doute état de la découverte de la pénicilline. Voire comportait un article sur les vertues médicinales des sangsues. Les bons conseils de Spengler avaient failli lui coûter bien plus que l'intégrité artistique de son scénario. Au final, il devrait quand même passer sous le bistouri, mais pour une intervention mineure. L'excroissance était bénigne. Kennedy garderait une minuscule cicatrice, une zébrure ivoire à la base de la bite, mais rien de plus. Et Dieu bénisse l'hôpital public.

Il avait téléphoné à Spengler, s'attendant à ne parler qu'à un sous-fifre, mais bien décidé à exprimer pleinement le fond de sa pensée afin que le message soit transmis au patron, histoire de le prévenir que son toubib chéri et dispendieux n'était qu'un psychopathe digne de Mengele auquel ne devrait même pas être confiée une chèvre malade... mais une surprise l'attendait au bout du fil : Spengler en personne avait pris l'appel. Il était très heureux d'avoir de ses nouvelles. Il s'était excusé à propos de Paige (enfin, au bout d'un moment : « Eh, au fait, si j'avais su que tu tenais autant à elle, j'aurais lâché l'affaire tout de suite. Je veux dire, t'es comme mon frère, pas vrai ? Je croyais que c'était juste une groupie que tu t'envoyais ») et avait balayé en deux phrases sa mise en garde contre Beaufort (« Sans blague ? Wow. On en apprend tous les jours ! Saletés de médecins angliches ») avant d'annoncer à Kennedy une série de nouvelles proprement stupéfiantes.

Les réactions du studio au premier montage brut avaient été dithyrambiques. « Ce truc va faire un malheur, mon pote. Autant réfléchir tout de suite au numéro 2. Si ça marche autant qu'on l'espère, tu auras carte blanche pour tourner la suite. Prends qui tu veux pour le scénar, vieux. » N'était-elle pas merveilleuse, l'industrie du cinéma ? On pouvait tabasser le producteur, sodomiser l'actrice principale, faire un lavement à l'essence au réalisateur et, si les dieux étaient de votre côté, s'en sortir blanc comme neige. Mais Kennedy avait décidé de raccrocher les gants. Plus jamais ça. Qu'un autre crétin se charge d'écrire la suite lamentable de ce qui n'aurait de toute façon jamais dû voir le jour. Qu'il empoche à sa place le chèque faramineux et les royalties de la WGA. Qu'il se garde la souffrance des mois et des années passées à accoucher d'un truc qui, dans vingt ans, finirait juste par lui foutre la honte sur Netflix.

Kennedy avait d'autres projets.

Un phénomène curieux s'était produit à l'hôpital. Le matin du troisième jour, à son réveil, il s'était senti bizarrement, inexplicablement... *merveilleusement* bien. Il avait mis un moment avant de comprendre. Ce n'était pas l'effet d'un médicament – il n'en prenait aucun. Soudain, ça avait fait tilt. Il n'avait rien bu depuis trois jours. Un réveil sans gueule de bois. Ça alors... c'était donc *ça*. C'était comme de se réveiller un samedi matin avec seulement quinze ans au compteur.

Il n'avait reçu qu'une seule visite pendant son séjour : Connie. Et c'était la seule personne à qui il avait avoué la vérité (Millie, Robin, et Patrick – les seuls qui l'aimaient vraiment – le croyaient à Londres pour préparer le montage brut du film. Histoire de justifier son bandage au front, il avait prétexté une sombre histoire à la « j'étais bourré, j'ai glissé »). Connie avait joué son rôle de super-agent indispensable : elle lui avait envoyé des livres, des magazines et des paniers garnis de chez Fortnum's. Elle était venue le voir tous les jours, et elle avait pleuré lorsqu'il lui avait raconté ce qu'il avait failli faire et pourquoi. Il lui avait parlé comme il aurait dû le faire avec quelqu'un comme le Dr Brendle depuis bien longtemps. Elle avait séché ses larmes et lui avait souri, pris la main et déclaré : « Fais-en un bouquin, darling. Écris-moi tout ça noir sur blanc. Fais-moi chialer. »

Il avait tracé les grandes lignes du roman durant ses derniers jours à Saint-Thomas. Il était plus qu'inspiré, travaillant jusque tard dans la nuit sur son lit, derrière les rideaux tirés, à la lueur de sa petite lampe de lecture, noircissant les pages de son bloc-notes. Situation de départ, intrigue, personnages, la totale. Il avait de nouveau vingt-cinq ans. Et il était déjà quasiment prêt à entamer son long voyage en solitaire. Sa traversée de l'Atlantique dans une baignoire. Au milieu des eaux grises et agitées tandis que de terribles bêtes nageaient juste en dessous, mais conscient que là-bas, au loin, la terre ferme l'attendait quelque part, de l'autre côté. Il avait même déjà un titre en tête : *Enfant terrible*. Ça lui plaisait bien. C'était le genre de titre qui palpitait à chaque page du livre, plein d'arrogance et d'illusions, à l'image de son créateur.

« … la parole du Seigneur », conclut-il avant de refermer la Bible. Il leva les yeux vers les visages de ceux qu'il aimait – Patrick, Millie et Robin, tous avec un large sourire, conscients de ce que cet exercice plein d'hypocrisie avait dû lui coûter.

Après la chapelle, en route vers le cimetière. Une journée glaciale de décembre, juste une semaine avant Noël. Un vent cinglant soufflait de la mer d'Irlande. Les ferries convergeaient vers le port. La silhouette des tours Martello se dessinait sur la côte. *Le majestueux et dodu Buck Mulligan*[1]. Patrick et lui, avec trois de leurs cousins et Robin, étaient chargés de la mise en terre.

---

1. Incipit d'*Ulysse* de James Joyce.

Robin était nerveuse, terrifiée à l'idée de lâcher la corde, ce qui n'avait pourtant aucune chance d'arriver étant donné l'absurde légèreté du cercueil, pourtant censé contenir ce qui avait un jour été sa mère. Trente kilos à l'arrivée. Combien cela faisait-il en unités de mesure américaines – soixante livres ? Réparties entre six personnes ? Dix livres chacun. Quelques sachets de sucre. Robin se tenait face à lui. Les yeux humides dans le vent froid, la langue pointant légèrement entre les dents comme chaque fois qu'elle se concentrait, elle faisait lentement glisser la corde noire entre ses doigts. Ainsi s'en allait sa mère, vers l'inévitable, tandis que des ombres s'étiraient comme une tache en travers du cercueil à mesure qu'il s'enfonçait dans le sol. Celle par qui tout avait commencé, qui avait été la première à le gratifier d'un regard plein d'amour. Il l'assumerait, sa culpabilité. Comme pour tout le reste, il trouverait un moyen de cohabiter avec elle. En regardant Robin, il comprit. Le suicide, ce luxe magnifique. Une fois que vous aviez des enfants, vous pouviez faire une croix dessus.

Vinrent ensuite les fleurs, des roses jaune pâle jetées par les petits-enfants, dessinant un délicat motif sur le couvercle en pin, après quoi le prêtre les remercia d'être venus et invita tout le monde à accompagner la famille chez Patrick, où l'on avait préparé un grand buffet. Un enterrement sous le jambon, comme on disait autrefois. Kennedy regarda Millie discuter avec la femme de Patrick, la tête penchée, acquiesçant d'un air plein d'empathie. Il passa son bras autour des épaules de sa fille et déclara : « Viens donc faire une p'tite balade avec ton vieux papa. »

Ils partirent ensemble le long d'un sentier, s'éloignant ainsi du groupe qui remontait l'allée principale du cimetière pour regagner les voitures – le long corbillard noir luisant sous le soleil d'hiver. Ils marchèrent sans se presser, tournant à gauche puis à droite au milieu des stèles couvertes de givre, Kennedy tout surpris de constater qu'il se souvenait encore de l'emplacement exact après tant d'années. Dix ans, pour être précis. Quatre, cinq, six tombes plus loin, elle les attendait, là, sur la droite :

GERALDINE MARR
NOTRE FILLE, NOTRE SŒUR
1971-2003
« En échange de cette vie, cette mort. »

« Tante Gerry », murmura doucement Robin.

C'est lui qui avait choisi la citation, un vers extrait de *Un aviateur irlandais prévoit sa mort*[1]. Sa mère lui avait laissé carte blanche. Kennedy avait particulièrement aimé les parallèles entre la vie de pilote de guerre de Yeats et celle d'une junkie : impulsions solitaires et tumultes nuageux. C'était valable pour l'écrivain aussi.

« Tu as des souvenirs d'elle ? demanda-t-il à sa fille.

— Pas vraiment. Je crois... qu'on l'a rencontré tous les trois, une fois. À Londres, non ?

— Oui. En effet. »

Sur Kensington Road, l'hiver 2001, une journée aussi froide que celle-ci. Déjeuner chez Osteria, offert par Kennedy. Gerry venait de sortir de prison. Elle partait s'installer à Brighton pour « tout reprendre à zéro ». Robin, du haut de ses quatre ans, était un véritable cauchemar au restaurant. Kennedy se souvenait encore d'avoir demandé au serveur de lui apporter une glace pendant qu'ils

---

1. Poème de William Butler Yeats publié en 1919.

mangeaient leurs entrées – pas vraiment le modèle du père idéal, mais c'était au moins la garantie d'avoir la paix cinq minutes.

« Tu penses souvent à elle, papa ? ».

Pour Robin, ce déjeuner s'était déroulé dans une autre vie, des années-lumière auparavant. Pour Kennedy, c'était la semaine dernière. Hier matin.

Il se souvenait encore de la parka qu'elle portait, beige avec la capuche bordée de fourrure. Et de ses gants. Millie avait mis ce long manteau en cachemire Agnès B. qu'elle adorait, l'un des premiers beaux cadeaux qu'il lui avait faits. La parka de Gerry n'était pas assez chaude, elle avait les traits tirés et les yeux cernés au-dessus de son assiette de risotto – il y avait d'abord eu le trajet en ferry de Dun Laoghaire à Holyread, puis un bus bringuebalant jusqu'à la gare de Victoria. Mais elle était pleine d'optimisme, parlait de travailler dans un bar, de faire des heures sup, une de ses copines serveuse se faisait *quatre cents euros la semaine, tu te rends compte, Kennedy !* Il se souvenait que sur Portobello Road, après le déjeuner, ils avaient vu un type traîner un sapin de Noël derrière lui, comme un cadavre. Ils avaient croisé par hasard son ami Ed au coin de Lancaster Road, et Robin, incapable de prononcer son nom, l'avait appelé « Bed », ce qui avait fait rire tout le monde. « Au voir, Bed. » Il se souvenait... Il se souvenait de tout. Le boulot, c'était toujours et encore d'exister.

« Oui, Robin. Tous les jours. »

Il sentit quelque chose dans le creux de son dos : le bras de sa fille qui s'enroulait autour de sa taille, sa tête posée sur son épaule. Si grande, à présent. Presque aussi grande que lui. Il regarda le sommet de son crâne, respira ses cheveux. Ce besoin irrépressible de protéger, de veiller sur son enfant. Pourtant, à peine quelques années plus tard, une inconnue à ses yeux, avec sa robe parfaite, dans cette lumière parfaite ; voilà que les besoins et les rôles s'inversent à toute allure. Ô système cruel.

« Les morts n'ont qu'une chose à nous dire, Robin. »

Elle leva les yeux vers son père, et attendit.

« Vivez, dit-il en souriant. *Vivez*. »

Il l'avait écrit un jour, dans un livre.

Ils se tenaient immobiles devant la tombe de sa sœur. Leurs haleines moutonnaient dans l'air et Kennedy, toujours au travail, toujours un peu ailleurs, toujours plus vivant lorsqu'il était seul, s'imagina alors le mouvement arrière de la caméra, un plan grue qui s'éloignait et s'élargissait, de plus en plus haut, la plate-forme silencieuse au bout de son bras métallique, le cimetière emplissant lentement tout l'écran et les pierres tombales à perte de vue, muettes dans le froid, sous le bleu vif du ciel d'Irlande.

Réalisation : Cursives à Paris
Imprimé en France par Normandie Roto s.a.s.
Dépôt légal : février 2015
N° d'édition : 310 – N° d'impression : 1404980
ISBN 978-2-35584-310-5